LA VRAIE GUERRE

Richard Nixon est né le 9 janvier 1913 à Yorba Lina — Californie. En 1940 il épousa Thelma Catherine Patricia Ryan. Deux filles : Patricia et Julie. Député républicain au Congrès de 1947 à 1950, sénateur de 1950 à 1953, vice-président des Etats-Unis de 1953 à 1961. Candidat du Parti républicain aux élections présidentielles de 1960, il fut battu par John F. Kennedy. 37e président des Etats-Unis en 1968, devançant le candidat démocrate H. Humphrey, il donna sa démission en août 1974 après l'affaire du Watergate.

Richard Nixon, l'homme qui a traité avec Khrouchtchev du destin de la planète, qui a négocié avec Brejnev, qui est allé à Pékin tendre la main à Chou En-lai et changer ainsi le cours de l'Histoire, fait aujourd'hui une rentrée fracassante sur la scène internationale. Ce livre, par la vision qu'il donne de notre monde et le programme de « combat » qu'il contient, constitue un véritable manifeste, qui est aussi un cri du cœur. « Nous devons regarder en face l'impitoyable réalité », proclame Nixon. « La Troisième Guerre mondiale est commencée, et nous sommes en train de la perdre ! »

Possédant à la fois un point de vue « incomparable » en tant qu'ancien président des Etats-Unis, et la liberté de s'exprimer qui est celle de tout citoyen privé, Richard Nixon nous présente un tableau magistral des blocs en présence, qui luttent pour la suprématie mondiale. Il explique leurs buts, leur stratégie, leur tactique ; il mesure leur puissance, détecte leurs faiblesses. Il analyse, avec justesse et subtilité, ce qui va et ce qui ne va pas dans les relations des Occidentaux avec les dirigeants soviétiques et ceux des pays satellites de l'U.R.S.S. Il évalue les implications de la situation internationale et de sa prévisible évolution dans les prochaines années, non seulement sur le plan militaire mais aussi au niveau économique et social, et en ce qui concerne les perspectives d'avenir de la société libérale.

Et Nixon montre comment l'Occident peut sortir vainqueur de cette lutte. Par exemple en suscitant dans les pays du bloc opposé des dépendances économiques qu'ils ne pourraient compromettre par un aventurisme militaire.

RICHARD NIXON

La vraie guerre

TRADUIT DE L'AMÉRICAIN
PAR FRANCE-MARIE WATKINS ET GUY CASARIL

ALBIN MICHEL

A nos petits-enfants

SOMMAIRE

INTRODUCTION

pour l'édition française

CE livre est une réflexion sur le défi soviétique et la riposte de l'Occident, dans les années de péril qui nous attendent. La France, au cœur de l'Europe, a une raison particulière de s'inquiéter. Heureusement, les intellectuels français sont à l'avant-garde de ceux qui définissent la crise et ils appellent l'Occident, y compris les Etats-Unis, à la sauvegarde de l'avenir. Dans le magazine américain *Public Opinion*, Jean-François Revel écrivait en 1978 :

« Bien plus que dans tout autre domaine, la politique étrangère des pays libres reflète souvent des humeurs collectives qui n'ont que peu ou pas de rapport avec les faits. Pendant les années 50, par exemple, alors que l'Union soviétique était relativement faible sur la scène internationale, l'opinion publique américaine était violemment anticommuniste et soutenait une politique étrangère très ferme, très cassante. Mais dans les années 70, alors que l'expansionnisme soviétique et l'accroissement de son armement étaient plus évidents et plus importants, le peuple américain semblait plongé comme un somnambule dans un optimisme bienveillant, conciliant, oublieux des réalités du monde. »

Au cours de ces derniers mois, une suite de chocs a éveillé le public américain à la réalité du défi. Mais l'Occident devra exercer une vigilance sans relâche et riposter fermement en toutes circonstances, si ensemble nous voulons franchir avec succès le dangereux fossé qui nous sépare de la fin du siècle.

Napoléon a dit : « A la guerre, le moral est au matériel ce qu'est trois à un. » Dans la lutte où nous sommes actuellement engagés — que j'appelle dans cet ouvrage la Troisième Guerre mondiale — le matériel sera vital ; nous devons restaurer et maintenir une force militaire suffisante pour dissuader l'agression soviétique et cela exige que nous maintenions notre force économique. Toutefois, si nous ne voulons pas seulement survivre mais vaincre, nous devons aussi entretenir notre force morale, la vitalité de nos idées, notre engagement pour la liberté, notre défense des vérités éternelles en fonction de conditions que modifie chaque nouvelle ère.

C'est là que la vigoureuse tradition intellectuelle de la France apparaît comme l'une des ressources clefs de l'Occident.

Militairement, l'influence de la France sur les rapports de puissance en Europe a été immense pendant des siècles, longtemps avant Napoléon. Mais plus grande encore fut son influence intellectuelle. Les idées de la Révolution française brillent encore dans le monde entier ; comme je le fais observer au chapitre III, elles avaient même pénétré en Russie avant que la révolution communiste replonge cette tragique nation dans un nouveau despotisme. Et, naturellement, elles ont eu un impact énorme sur les jeunes Etats-Unis. Benjamin Franklin disait que tout homme avait deux patries, « la sienne et la France ». Je dirais que la France et la Grande-Bretagne ont été les deux parents de l'Amérique. La nouvelle nation a adopté la langue de la Grande-Bretagne et beaucoup de ses coutumes, mais les nouvelles idées qui agitaient son âme venaient surtout de France.

Je cite longuement dans cet ouvrage Alexis de Tocqueville, surtout connu en Amérique pour ses brillantes analyses, élaborées il y a un siècle et demi, de l'aventure américaine ; mais voilà aussi un homme d'une clairvoyance extraordinaire : n'a-t-il pas prédit l'affrontement qui finirait par éclater entre les Etats-Unis et la Russie, entre les idées de liberté et le despotisme ? A notre époque, Raymond Aron, Jean-François Revel et d'autres penseurs français, à gauche comme à droite, ont maintenu, dans la tradition française, la vitalité de ces idées et de ces analyses qui nous sont indispensables si nous voulons préserver la liberté. Comme je le note au chapitre IX, « la France, où la gauche a été si longtemps prépondérante dans les milieux intellectuels, produit aujourd'hui la pensée la plus forte et la plus réaliste de l'Occident. J'espère que c'est une tendance qui se répand dans tout l'Occident et que ces Américains dont la fonction est de diriger se remettront bientôt à orienter leurs actions conformément aux exigences de la survie nationale ».

Mon premier voyage à l'étranger en tant que président, juste cinq semaines après mon installation à la Maison Blanche, s'est fait en Europe ; le point culminant de ma visite a été la suite d'entretiens que j'eus avec le président de Gaulle. J'ai toujours considéré de Gaulle comme un des hommes les plus clairvoyants de notre siècle, dont la vision allait le plus loin ; ses conseils m'ont été précieux, avant et pendant ma présidence. Comme je le remarque dans ce livre, nos propres rapports ont montré combien les relations personnelles peuvent influer sur les relations entre Etats.

Dans les années 1960, nombreux étaient ceux qui aux Etats-Unis cherchaient à punir la France de l'indépendance que de Gaulle lui avait procurée. J'étais résolu, en entrant en fonctions, à renverser la tendance à l'éloignement entre les Etats-Unis et leur plus ancienne alliée. J'ai été grandement aidé dans mon entreprise par l'amitié ancienne qui me liait à de Gaulle. Notre destin parallèle — retrait des affaires publiques et retour au pouvoir — contribua à cimenter notre entente, et, dans bien des domaines cruciaux, nos opinions communes sur le monde coïncidaient.

Au cours d'un dîner officiel à l'Elysée en 1969, j'ai porté un toast à de Gaulle comme à un homme dont la vie était « une épopée de courage, une épopée aussi de leadership rarement égalé dans l'histoire du monde, leadership qui avait maintenant conduit ce grand pays à la place qu'il doit occuper dans la famille des nations ». Les toasts officiels sont fréquemment plus flatteurs que sincères ; mais celui-ci était authentique, il venait réellement du cœur. J'éprouvais personnellement énormément de respect et d'admiration pour de Gaulle et je pensais aussi qu'il était essentiel à l'Occident et au monde que la France joue un rôle de premier plan.

De Gaulle comprenait non seulement que la grandeur était essentielle à la France, mais aussi qu'une restauration du prestige français était essentielle à l'Europe et au monde. La France a derrière elle des siècles d'habile exercice international du pouvoir. Elle est stratégiquement située au cœur de l'Europe. Tout aussi importante est la tradition française d'individualisme passionné qui attache si fortement l'Occident à l'idéal de liberté.

Quand j'ai rencontré de Gaulle en 1969, il m'a répété le conseil qu'il m'avait déjà donné : les Etats-Unis devaient pratiquer une ouverture en direction de la Chine. Quand je lui ai dit, tourné vers l'avenir, poursuivant mes conversations avec les Soviétiques, je pourrais moi aussi désirer une « ancre au vent » avec la Chine, il commenta sagement : « Il vaudrait mieux pour vous que vous reconnaissiez la Chine avant que sa croissance vous contraigne à le faire. » Il me dit que la réalité centrale de la vie pour l'Europe d'après-guerre était la menace soviétique mais il conseillait instamment aussi que nous poursuivions une politique de détente avec l'Union soviétique : « En ce qui concerne l'Occident, dit-il, quel choix avons-nous ? A moins que vous soyez prêts à faire la guerre ou à abattre le mur de Berlin, il n'y a pas d'autre politique acceptable. Travailler vers la détente est une question de bon sens : si vous n'êtes pas prêts à faire la guerre, faites la paix. »

Depuis lors, bien des choses ont changé en dix ans. Nous avons poursuivi une politique de détente avec l'Union soviétique, qui promettait de mener à une paix plus stable dans le monde... parce qu'elle s'accompagnait dans les premières années d'une ferme détermination des Etats-Unis et de l'Occident à ne pas se placer militairement dans une position où les Soviétiques pourraient user de coercition. Mais tandis que la force soviétique grandissait rapidement, celle de l'Occident ne suivait pas et la situation a changé. Les Soviétiques se sont enhardis. L'aventurisme soviétique est devenu plus audacieux.

La France, la Grande-Bretagne et d'autres nations à longue tradition coloniale connaissent beaucoup mieux que les Etats-Unis les « champs de bataille » d'Afrique, d'Asie et du Moyen-Orient où se déploie électivement un tel aventurisme. La France a spectaculairement démontré au Shaba qu'elle peut et qu'elle veut jouer un rôle prépondérant pour empêcher une érosion plus grave de la position occidentale en Afrique, position qui sera de nouveau mise à l'épreuve dans l'avenir ; elle exigera encore une fois de l'Occident une action en retour efficace, qui peut souvent être plus aisément accomplie par les pays européens que par les Etats-Unis.

Il y a eu des désaccords dans le passé entre la France et les Etats-Unis, comme il s'en produit fatalement entre amis aux caractères résolus. C'est normal : ni la France ni les Etats-Unis ne doivent être affligés ou découragés si des mésintelligences surgissent de nouveau ici ou là. Le principal à l'avenir c'est que, en tant que nations-pilotes de l'Occident, nous marchions ensemble ; nos sorts sont liés. Et, comme je l'ai dit une fois en portant un toast au président Pompidou à la Maison Blanche : « La France a toujours été notre alliée ; elle n'a jamais été notre ennemie ; et elle sera toujours notre amie. »

Ce livre est un appel à l'Occident en général et aux Etats-Unis en particulier pour qu'ils prennent conscience des nouveaux dangers, qu'ils réagissent à temps... afin que l'Occident ne répète pas dans les années 1980 les tragiques erreurs des années 30, quand les menaces qui auraient pu être écartées par une action appropriée ont été ignorées jusqu'à ce qu'il soit trop tard. En cela, la France aura un rôle vital à jouer, non seulement à cause de sa force, non seulement à cause de sa situation stratégique, non seulement à cause de sa prospérité, mais surtout à cause de la brillante intelligence de ses penseurs et du respect qu'ils imposent à juste titre de par le monde. La mission de la France aujourd'hui, c'est d'aider l'Occident à se sauver lui-même et à comprendre comment il peut se sauver.

I

PAS DE TEMPS A PERDRE

> L'histoire des guerres perdues peut se résumer en deux mots : trop tard. Trop tard, pour comprendre les desseins mortels d'un ennemi en puissance ; trop tard, pour s'apercevoir du redoutable danger ; trop tard, pour se préparer ; trop tard, pour unir toutes les forces de résistance possibles ; trop tard, pour rallier ses amis.
>
> Général Douglas MacArthur

ALORS que j'écris ces lignes, un tiers de siècle s'est écoulé depuis que je suis entré pour la première fois au Congrès des Etats-Unis, cinq ans depuis que j'ai démissionné de la présidence.

En quittant cette haute fonction, j'ai laissé inachevée l'œuvre qui avait plus d'importance pour moi que toutes celles que j'ai entreprises : l'établissement d'une nouvelle « structure de paix » qui pourrait empêcher une guerre majeure et, en même temps, préserver la sécurité du monde occidental pour le reste de ce siècle. Depuis ma démission, la situation des Etats-Unis par rapport à celle de l'Union soviétique s'est sérieusement détériorée et le péril de l'Occident s'est fortement accru. Cette « structure de paix » peut encore être créée mais ce sera plus difficile, maintenant, et nous avons de moins en moins de temps pour la construire.

Depuis mon départ des affaires, je me suis longuement penché sur les transformations que le monde a connues pendant le tiers de siècle que j'ai consacré à la vie publique, et sur les choses qui n'ont pas changé. J'ai réfléchi aussi aux gageures que mes successeurs à la présidence ont et auront à affronter. Le président des Etats-Unis a un pouvoir considérable. Le sort de l'Occident dépend de la manière dont il l'exerce. Il peut être beaucoup plus efficace si le peuple américain comprend ce qu'il affronte et pourquoi l'exercice du pouvoir américain est nécessaire ; si, en un mot, le peuple devient son associé pour préserver la sécurité de l'Occident et la paix du monde. Il ne peut le faire seul et il ne peut pas le faire du tout si des obstructionnistes lui barrent la route.

Pendant presque toute ma présidence, l'Amérique livrait au Vietnam une guerre amère. Pendant toute ma présidence, nous avons été « en guerre » contre l'Union soviétique. C'est un conflit qui va continuer de dominer le monde jusqu'à la fin de ce siècle.

Le sujet de ce livre porte sur cette lutte et les moyens de la gagner. Nous ne pourrons pas réussir si nous ne comprenons pas la nature et les usages du pouvoir. Nos adversaires ne les comprennent que trop.

J'ai traité directement et parfois brutalement avec les dirigeants de l'Union soviétique, de la Chine, de pays d'Europe et de nations développées ou en voie de développement, sur les cinq continents. J'ai eu recours à la fois à la force et à la diplomatie dans les affaires du monde, et j'ai vu comment d'autres les utilisaient. Je me suis heurté à la volonté d'acier des maîtres du Kremlin, j'ai eu à rivaliser de détermination avec eux. J'ai vu qu'ils savent ce qu'ils veulent et qu'ils useront de tous les moyens pour l'obtenir.

Ce livre est un *cri du cœur* [1] adressé non seulement

1. En français dans le texte *(N.d.T.)*.

à nos dirigeants politiques, mais à ceux de tous les milieux, afin qu'ils se ressaisissent avant qu'il ne soit trop tard et qu'ils rassemblent les forces de l'Amérique pour assurer notre survie.

L'Union soviétique est aujourd'hui la nation expansionniste la plus puissamment armée que le monde ait jamais connue et sa course aux armements se poursuit à une allure deux fois plus rapide que celle des Etats-Unis. Les intentions soviétiques ne sont pas un mystère. Les maîtres du Kremlin ne veulent pas la guerre mais à coup sûr ils veulent le monde. Et ils se mettent rapidement en position d'obtenir ce qu'ils veulent.

Dans les années 1980 l'Amérique, pour la première fois dans l'histoire contemporaine, aura à affronter deux froides réalités. La première est que, si la guerre devait éclater, nous risquerions de la perdre. La seconde est que nous pourrions être vaincus même sans guerre. La seconde perspective est plus probable que la première mais presque aussi redoutable. Le danger auquel l'Occident fera face en cette fin de siècle sera moins celui d'un holocauste nucléaire qu'une situation où nous aurons à choisir entre la capitulation et le suicide... rouges ou morts. Ce danger peut encore être évité, mais le temps qui nous reste se rétrécit rapidement.

Les deux prochaines décennies représentent une période de crise majeure pour l'Amérique et pour l'Occident, période pendant laquelle le sort du monde pourrait être déterminé pour des générations.

D'autres nations ont une bien plus longue expérience que nous dans le maintien de la paix. Mais elles ne détiennent plus le pouvoir. Alors, par défaut, le monde se tourne vers les Etats-Unis. Il regarde avec une appréhension nerveuse les remparts contre l'expansionnisme soviétique s'écrouler dans un pays après l'autre et voit les Etats-Unis apparemment si incertains et si paralysés qu'ils sont incapables d'agir ou ne le veulent pas.

Les ambitions soviétiques portent aux Etats-Unis

un défi stratégique de proportions mondiales, exigeant un renouvellement de la conscience et de la réaction stratégiques. Il commande une stratégie nationale cohérente, fondée sur le soutien d'un public informé. La temporisation à la petite semaine est mauvaise. L'Angola, l'Ethiopie, l'Afghanistan, le Sud-Yémen, le Mozambique, le Laos, le Cambodge et le Sud-Vietnam sont tous passés, depuis 1974, sous domination communiste : près de cent millions de personnes tombées en cinq ans sous la coupe soviétique. L'Iran a été plongé dans un chaos sanglant, transformé du jour au lendemain, de bastion de force occidentale, en chaudron d'anti-occidentalisme virulent, ses trésors pétroliers exposés d'une façon provocante à la convoitise soviétique. Cuba se comporte de plus en plus en agent des ambitions soviétiques. De tels exemples révèlent comment les morceaux continueront de tomber si nous adoptons une approche dispersée pièce par pièce. Nous devons retrouver un élan géopolitique, rassembler et utiliser nos ressources dans la tradition d'une grande puissance.

Les vieux empires coloniaux ont disparu. Le nouvel impérialisme soviétique exige une contreforce nouvelle pour le tenir en échec. Les Etats-Unis ne peuvent la fournir seuls, mais sans un leadership fort et efficace des Etats-Unis, elle n'existera pas du tout. Nous ne pouvons nous permettre d'hésiter et de tergiverser. Ou nous agissons comme une grande puissance, ou nous serons réduits au rôle de puissance mineure. Nous ne pourrons survivre ainsi, pas plus que ne survivront la liberté ou les valeurs occidentales.

Pour être efficace, notre réaction au défi soviétique doit comprendre des mesures à long et à court terme, tenant compte des points forts sur lesquels elle se fonde : militaire, économique, philosophique, politique, diplomatique. Nous devons reconnaître l'identité de ce qui se passe en Asie et de ce qui se passe au Moyen-Orient, entre les ressources stratégiques et le commerce international, entre la productivité économique et la puissance militaire, entre l'engagement philosophique et la volonté nationale, entre la volonté nationale et la capacité des forces militaires d'une nation à empêcher le conflit.

Nous sommes en guerre. Nous sommes engagés dans une lutte titanesque qui a pour enjeu le sort des nations. A la guerre, quand une garnison encerclée capitule sans qu'un coup de feu soit tiré, sa capture n'en est pas moins une victoire pour un camp et une défaite pour l'autre. Quand l'Union soviétique fait combattre d'autres troupes par procuration, ses conquêtes sont néanmoins des victoires soviétiques et des défaites occidentales.

Depuis la Seconde Guerre mondiale, la puissance militaire soviétique n'a cessé d'augmenter et la pression de l'expansionnisme soviétique a été implacable. Moscou a pêché assidûment dans les eaux troubles laissées par le démantèlement des anciens empires coloniaux. L'U.R.S.S. a effectué le blocus de Berlin, fomenté des révolutions en Amérique latine, en Asie et en Afrique, apporté son aide à l'action de la Corée du Nord et du Nord-Vietnam. Elle a entraîné et subventionné des guérilleros, manipulé des élections, abattu des avions non armés, organisé des coups d'Etat, tué des réfugiés, emprisonné des dissidents. Elle a menacé, fanfaronné, rusé, conspiré, subverti, corrompu, intimidé, terrorisé, menti, triché, volé, torturé, espionné, fait chanter, assassiné — tout cela dans le cadre d'une politique nationale délibérée.

La règle de base du comportement soviétique a été déterminée par Lénine il y a bien longtemps : « Sondez avec des baïonnettes. Si vous rencontrez de l'acier, retirez-vous. Si vous rencontrez de la vase, continuez. » Il s'agit de savoir ce que les Soviétiques vont rencontrer : de l'acier ou de la vase ?

La réponse à cette question doit être donnée par le leadership américain. Pas seulement sa direction politique. L'idée que le président des Etats-Unis se fait du monde, sa maîtrise des usages du pouvoir et des nuances de la diplomatie, la pertinence de sa vision stratégique, la volonté et la faculté de l'imposer, ce sont là des éléments indispensables, vitaux même. Mais, plus largement, la réponse revient aux éléments du leadership américain qui déterminent les limites du possible pour une politique américaine.

Malheureusement, l'Amérique souffre encore de l'héritage des années 60. Un anti-intellectualisme forcené balayait alors les campus de la nation et les fantasmes régnaient en maîtres. Il était à la mode d'attaquer tout ce qui représentait l'ordre établi. Les discordes qui ont marqué cette décennie et ses suites ont gravement affaibli la capacité du pays d'assumer ses responsabilités dans le monde, non seulement dans le domaine militaire, mais dans celui du pouvoir.

Ironiquement, alors même que l'anti-intellectualisme enragé ravageait les universités, les années 60 ont vu aussi une nouvelle mode exagérément « intellectualisée » se répandre chez beaucoup de ceux qui pensaient professionnellement à l'armement et plus particulièrement au contrôle de l'armement : l'idée qu'au-dessus d'un certain minimum, moins on possède de forces militaires mieux cela vaut. L'espoir naquit que si les Etats-Unis limitaient leur propre armement d'autres pays — particulièrement l'U.R.S.S. — suivraient. Mais les Soviétiques ne jouèrent pas le jeu. En fait, pendant la période où cette doctrine du contrôle de l'armement gagnait de la faveur chez les théoriciens américains et les théoriciens de l'influence, dans le même temps les plans quinquennaux soviétiques prévoyaient des dépenses militaires accrues, nettement inspirées par des objectifs stratégiques cohérents. Les Soviétiques n'étaient pas embourbés dans la théorie ; ils agissaient en vue d'une suprématie définie.

Nombreux sont ceux qui suggèrent aujourd'hui que la civilisation américaine souffre d'une maladie incurable, que nous assistons au commencement de la fin de l'Occident. Certains dirigeants de l'opinion publique américaine considèrent cette perspective avec désespoir. D'autres, surtout dans la plus sombre abstraction, y voient le résultat logique et inéluctable de notre position dans le mauvais camp. Comme dans la définition classique de la chasse au renard, « l'innommable à la poursuite de l'immangeable », ils considèrent l'Amérique comme l'agresseur pour le soutien de l'oppresseur. Comme l'a dit Eugène Ionesco après une récente visite aux Etats-Unis, les intellectuels américains ont tendance à être « des masochistes qui veulent être blâmés pour tout ce qui va mal dans le monde. ». Quand il a dit à ses amis américains libéraux que les Etats-Unis n'étaient pas aussi mauvais que d'autres nations, raconte-t-il, « les libéraux m'ont regardé de travers. Car, afin d'être apprécié en Amérique, on ne doit surtout jamais dire que les Américains ne sont pas les pires criminels de l'humanité ».

L'Amérique ne souffre pas d'une maladie incurable en soi mais plutôt d'une espèce de paralysie insidieuse qui pourrait devenir mortelle si elle n'est pas soignée. Avec nos alliés du monde occidental, nous avons la capacité de survivre, de prospérer, de relever les défis qui sont portés à notre sécurité avec une force croissante. Il s'agit de savoir si nous saurons nous servir de cette capacité.

Les nations vivent et meurent selon leur réaction aux défis particuliers qu'on leur lance. Ils peuvent être intérieurs ou extérieurs ; ils peuvent être affrontés par une nation seule ou alliée à d'autres ; ils peuvent se présenter progressivement ou subitement. Aucune loi immuable de la nature ne dit que seul l'injuste sera frappé ou que le juste prévaudra. Si la force ne prime certainement pas le droit, le droit seul ne fait pas la force. Le temps où une nation rêve le plus d'aisance peut être celui où elle peut le moins se permettre de baisser sa garde. Le moment où elle désire le plus fortement pouvoir s'occuper de ses besoins nationaux risque d'être celui où elle doit affronter avec la plus grande urgence une menace extérieure. La nation qui survit est celle qui se dresse pour affronter l'épreuve, celle qui possède la sagesse de reconnaître la menace et la volonté de la repousser, celle qui ne perd pas de temps.

L'idée naïve que nous pouvons préserver la liberté en usant de bonne volonté est non seulement stupide mais dangereuse. Plus elle gagnera d'adeptes, plus elle tentera l'agresseur.

La thèse centrale de ce livre est que l'Occident, aujourd'hui, a franchi le seuil d'une période de crise aiguë, qui déterminera sa survie dans le XXIᵉ siècle. Nous avons la capacité matérielle, la force économique et technologique de vaincre, c'est-à-dire de conserver notre liberté et d'éviter une guerre majeure. Mais la capacité seule ne suffit pas. Sir Robert Thompson, l'expert britannique de la guérilla, a défini pertinemment le pouvoir national comme la main-d'œuvre plus les ressources appliquées, *multipliées* par la volonté. Les Etats-Unis possèdent les ressources et la main-d'œuvre. Ont-ils la volonté ?

La situation d'aujourd'hui rappelle de façon menaçante la période précédant la Seconde Guerre mondiale telle que Walter Lippmann l'a décrite avec tant de perspicacité :

« Le peuple américain était aussi peu préparé en esprit qu'en matière militaire. Les démocraties pouvaient-elles être ralliées, pouvaient-elles être rassemblées et galvanisées pour l'épreuve ?... Elles avaient des avantages supérieurs... Mais avaient-elles la clairvoyance, la discipline pour persévérer et la résolution d'aller jusqu'au bout ? Bien qu'elles eussent les moyens, avaient-elles aussi la volonté, et savaient-elles s'en servir ?... Elles réagissaient aux événements, elles ne les gouvernaient pas... Elles avaient refusé de comprendre ce qu'elles voyaient, elles avaient refusé de croire à ce qu'elles entendaient, elles avaient désiré et attendu, espérant contre tout espoir. »

22

La volonté nationale a deux aspects : il y a la volonté démontrée par la nation elle-même et la volonté perçue par ses adversaires. Pour parer à l'ultime défi, la volonté perçue peut être aussi importante que la volonté réelle. Un président américain ne déclencherait une guerre nucléaire qu'avec la plus extrême répugnance, mais les dirigeants du Kremlin doivent présumer qu'il le pourrait ; que si les intérêts réellement vitaux de la nation ou de l'Occident exigeaient le recours aux armes nucléaires, il les utiliserait. Si l'on veut dissuader efficacement de l'ultime provocation, l'adversaire doit percevoir que la provocation entraînera le risque ultime.

La volonté nationale dépasse le simple fait d'être prêt à employer la puissance militaire, nucléaire ou non. Elle implique la détermination de consacrer les ressources nécessaires au maintien de cette puissance. Elle nécessite d'avoir une idée claire de l'endroit où résident les dangers et des réactions indispensables pour les affronter. Elle exige aussi une foi fondamentale, limpide comme le cristal : la certitude que les Etats-Unis sont du bon côté dans le conflit, que ce que nous représentons dans le monde vaut d'être défendu.

Pour que la volonté soit efficace, elle doit comporter une idée de sacrifice en cas de besoin : celui de remettre à plus tard les desseins secondaires au profit des plus essentiels ; de payer le prix de la défense, de courir des risques, d'encourir le mécontentement de puissantes coalitions à l'intérieur et de voix vociférantes à l'étranger.

Le manque de volonté de l'Amérique, ces dernières années, vient en partie de sa lassitude, après avoir porté pendant près de quarante ans les fardeaux du leadership international. Elle résulte clairement des traumatismes du Vietnam et du Watergate. Mais, plus fondamentalement, elle reflète les échecs de la classe dirigeante américaine. Beaucoup trop de ceux qui se prétendent les gardiens de nos idéaux sont devenus les architectes de notre retraite.

La solution ne peut être de remplacer une classe dirigeante par une autre. Cela n'arrivera pas. Les individus peuvent changer, un parti politique céder du terrain à un autre, diverses factions peuvent apparaître ou disparaître en vertu de modes intellectuelles ; mais, au fond, ces groupes vers lesquels la nation se tourne pour être dirigée resteront à peu près les mêmes durant ces deux prochaines décennies critiques. Ce qu'il faut faire, c'est éveiller ceux qui exercent le leadership aux responsabilités du leadership.

En 1919 un Lincoln Steffens idéaliste exultait au retour d'une visite en Union soviétique : « Je suis allé dans l'avenir, et ça marche. » A notre époque, d'autres journalistes idéalistes ont glorifié les « meilleurs des mondes » de la Chine maoïste, du Vietnam et de Cuba. Ce romantisme de la révolution, cette cécité volontaire au prix humain de la tyrannie tant que la tyrannie parle le langage hypocrite de la gauche, imprègnent les rangs de ceux qui informent et de ceux qui enseignent, laissant une empreinte désastreuse dans l'esprit des millions de lecteurs et d'auditeurs.

La révolution en soi n'est ni intrinsèquement bonne ni intrinsèquement mauvaise. Mais ce que les Etats-Unis affrontent aujourd'hui, c'est l'avance d'une tyrannie marchant sous la bannière de la révolution, cherchant à remplacer la démocratie par le despotisme au nom du « peuple ». Mais, dans ces « démocraties populaires », le peuple n'a pas de réel droit de vote, il n'a pas de voix, il n'a pas de liberté, il n'a pas de choix. L'U.R.S.S. a construit la plus puissante machine de guerre jamais possédée par une puissance agressive, non pour le bien — ou par le choix — du peuple russe, mais pour étendre la domination des maîtres du Kremlin.

Malheureusement pour l'Occident, une grande partie des intellectuels américains se laisse séduire par les boniments d'escrocs qu'emploient le Kremlin et ses propagandistes. Tout comme l'escroc sait profiter de la cupidité et de la présomption de sa victoire, le Kremlin sait précisément comment profiter de l'idéalisme romanesque de sa cible et de ses rêves grandioses de refaire des sociétés entières à sa propre image.

L'Afrique étant devenue un creuset d'intrigues pour les grandes puissances, nous ne pouvons pas permettre à notre politique africaine de rester l'otage des amers souvenirs encore chéris par ceux qui ont lutté pour l'égalité raciale en Amérique. Nous ne pouvons pas laisser l'Afrique devenir une scène de théâtre où des Américains pourraient jouer leurs psychodrames et se délivrer de leurs traumatismes. Nous devons l'envisager comme le champ de bataille stratégique d'une importance vitale qu'en a fait l'aventurisme soviétique.

Nous ne pouvons ignorer non plus aucune partie du monde sous prétexte qu'elle est trop éloignée de nos intérêts pour nous en soucier. Par une curieuse ironie du sort, la meilleure illustration nous en est donnée par les événements d'Afghanistan : pendant de nombreuses années, les journalistes américains ont péjorativement attribué aux analyses de tendances dans les pays lointains le nom d'« afghanistanisme ». L'Afghanistan, éloigné, sans débouché sur la mer, dure région montagneuse aux tribus aussi rudes que leur pays, servait de métaphore à tous les événements confus et lointains qui assommaient le lecteur américain.

En réalité, l'Afghanistan est beaucoup plus que cela. Malgré sa pauvreté et la dureté de sa terre, ce pays guère plus grand que le Texas a été depuis longtemps une arène d'intrigues internationales pour la même raison qu'on l'appelait autrefois la « plaque tournante de l'Asie ». Avec l'Iran à l'ouest, le Pakistan au sud, la Chine à l'est et quinze cents kilomètres de frontière commune avec l'U.R.S.S. au nord, l'Afghanistan a été traditionnellement un de ces points où se rencontrent les grandes offensives des empires.

Au cours de toute son histoire, l'Afghanistan a été un carrefour pour les conquérants ; Alexandre le Grand, Gengis khan et Tamerlan ont galopé dans ses montagnes desséchées à la recherche d'empires. Le roi d'Afghanistan m'a rappelé, lorsque je lui ai rendu visite en 1953, que c'est là qu'Alexandre le Grand a dit : « Je n'ai plus d'autres mondes à conquérir. » Au XIXᵉ siècle, la Grande-Bretagne et la Russie impériale ont joué ce que Kipling appelait le « Grand Jeu » en Afghanistan, au cours du duel qu'elles se livraient dans toute l'Asie centrale pour contrôler le continent. Les Britanniques savaient que le col difficile de Khaybar était la porte du sous-continent indien et ils ont fait trois guerres brutales pour l'interdire aux Russes. Aujourd'hui, l'Afghanistan est un terrain d'essai flagrant pour une nouvelle phase menaçante de la poussée expansionniste soviétique.

Un coup d'Etat sanglant téléguidé de Moscou a subitement chassé, en avril 1978, le président Mohammed Daoud, qui fut promptement assassiné, et installé à sa place un régime marxiste violemment anti-occidental, dirigé par le premier ministre Noor Mohammed Taraki. Taraki rebaptisa son parti au pouvoir le « parti démocratique du peuple » et appela son pays la « République démocratique d'Afghanistan », adoptant comme nouveau drapeau une bannière rouge vif ornée dans un coin du symbole du parti et d'une étoile, qui se distingue à peine du drapeau soviétique. Bientôt, presque tous les ministères ainsi que l'armée afghane de cent mille hommes avaient des « conseillers » soviétiques, dont beaucoup de Tadjiks d'Asie centrale soviétique qui parlent un dialecte que la plupart des Afghans comprennent.

Cette brusque reprise des pressions russes séculaires contre les frontières asiatiques de l'U.R.S.S., de plus en plus étendues, a provoqué des ondes de choc chez les voisins immédiats et déjà affaiblis de l'Afghanistan, le Pakistan et l'Iran, vulnérables non seulement géographiquement mais à cause des attaches tribales. Les tribus balouchi parcourent l'Afghanistan, le Pakistan et l'Iran ; les Poushtoun, l'Afghanistan et la province frontière au nord-ouest du Pakistan. Moins de dix mois plus tard le régime du Chah tombait, et des guérilleros gauchistes s'emparaient de l'ambassade américaine à Téhéran le jour même où l'ambassadeur des Etats-Unis en Afghanistan était traîné hors de sa voiture et assassiné.

Aux Etats-Unis, la réaction à cette première mainmise soviétique sur l'Afghanistan s'est réduite à un bâillement. Le *New York Times* intitula un éditorial : « Pas de panique pour Kaboul. » Les adeptes du « et alors ? » — ceux dont le réflexe à la subversion ou au militarisme soviétique est de répondre « et alors ? » — dirent : « Et alors ? » à propos de l'Afghanistan, si tant est qu'ils lui accordèrent une aussi grande attention.

Cependant, depuis que le régime communiste est instauré, des tribus musulmanes farouchement indépendantes ont déclenché une *djihad*, ou guerre sainte, une lutte à mort pour le contrôle de leur territoire et de leur vie. Le gouvernement a utilisé des chars et des hélicoptères à roquettes soviétiques pour écraser une révolte à Kaboul, la capitale ; Herat, la troisième ville importante d'Afghanistan, a été brièvement capturée et occupée par des rebelles au début de 1979. Des désertions en masse se sont produites. Des bataillons entiers se sont mutinés. Des insurgés ont vendu leur bétail et les bijoux de leurs femmes pour acheter des munitions et poursuivre la lutte. Les rebelles ont combattu les chars de fabrication soviétique en provoquant des éboulements. Ils se sont précipités sous le feu des mitrailleuses des chars et s'en sont emparés, simplement armés de gourdins et de barres de fer.

L'armée gouvernementale subit des purges, des désertions, une partie passa dans le camp des rebelles ; à la fin de 1979, elle serait tombée de plus de cent mille à cinquante mille hommes, dont un petit noyau solide ne comptant guère plus de dix mille à quinze mille soldats endurcis. Il était douteux que les communistes puissent survivre à une nouvelle offensive de printemps des rebelles.

En septembre 1979, un coup d'Etat renversa Taraki et il fut exécuté par son « numéro deux », Hafizullah Amin, qui s'institua président. Mais Amin progressa peu dans sa répression de la révolte. Par une manœuvre soigneusement préparée et exécutée sans scrupules, les Soviétiques envahirent l'Afghanistan la veille de Noël. Des centaines d'avions de transport russes amenèrent à Kaboul des milliers de soldats soviétiques ; des dizaines de milliers d'autres, mis en position à l'avance, franchirent rapidement la frontière ; Amin et sa famille furent tués ; un homme de paille à la solde des Soviétiques le remplaça, Babrak Karmal, que les Russes avaient gardé en réserve, caché en Europe de l'Est. Il diffusa son premier message de président au peuple afghan d'une station de radio d'Union soviétique. Les *Izvestia* eurent l'aplomb d'annoncer que le dirigeant communiste renversé, Amin, était un instrument de la C.I.A., tandis que Brejnev félicitait chaleureusement Karmal pour son « élection ». Les fiers Afghans furent écrasés dans le poing de fer de l'Union soviétique ; elle avait approché d'un pas, d'un pays, vers ses buts — maintenant presque à portée de sa main : un port sur la « mer chaude » d'Oman et le contrôle des pétroles du golfe Persique.

Au Pakistan voisin, un haut fonctionnaire qui avait annoncé en privé les ambitions expansionnistes de la Russie, confia à un ami américain : « Voyez-vous, c'est ce que je vous disais : maintenant cela se réalise. Vous, les Américains, ne semblez plus comprendre le monde. Ensuite ce sera la finlandisation du Pakistan et la subversion de notre pays par les Russes. Il y a une possibilité très réelle — même une probabilité — d'hégémonie soviétique dans cette partie du monde. Personne ne s'en soucie donc chez vous, à Washington ? »

La prise de l'Afghanistan par les Soviétiques est une suite au désir du vieil impérialisme tsariste, d'une impitoyable poussée vers l'extérieur, qui dure depuis que le duché de Moscovie rejeta le règne des Mongols en 1380. C'est aussi un dur rappel que l'Amérique ne peut plus se permettre le luxe de juger quelque lieu sur terre que ce soit trop lointain pour compromettre sa propre sécurité.

Ce qui fait de la chute de l'Afghanistan une perte si importante pour l'Occident, ce n'est pas simplement le sort de ses 18 millions d'habitants dont 90 p. 100 sont illettrés et dont le revenu annuel *per capita* de 160 dollars en fait un des peuples les plus pauvres du monde. Sa situation stratégique non plus ne rendrait pas sa perte significative si elle s'était produite isolément. Mais elle ne s'est pas produite isolément. Elle fait partie d'un schéma. Et c'est ce schéma qui représente le défi de l'incessante progression des Soviétiques, la preuve qu'ils agissent par la subversion ou l'utilisation d'armées de procuration, qu'ils jouent même de leurs propres divisions pour s'emparer d'un pays après l'autre jusqu'à ce qu'ils soient en mesure de conquérir ou de finlandiser le monde entier.

En examinant les changements qui se sont produits dans le monde depuis la Seconde Guerre mondiale, nous trouvons de quoi nous inquiéter et de quoi nous réjouir.

Des régimes communistes ont pris le pouvoir, non seulement en Europe de l'Est mais aussi en Chine, en Mongolie, en Corée du Nord, dans tout le Vietnam, au Cambodge, au Laos, en Afghanistan, en Ethiopie, au Sud-Yémen, en Angola, au Mozambique et à Cuba. Jusqu'ici, aucun pays entièrement tombé sous le contrôle communiste n'a échappé à ce contrôle. Vingt et une nations se trouvent maintenant dans l'orbite communiste. Territorialement, les puissances communistes avancent dans le monde entier et l'Occident bat en retraite.

Pour ce qui est des armes nucléaires, les Etats-

Unis en avaient le monopole absolu à la fin de la Seconde Guerre mondiale. A l'époque de la crise des missiles de Cuba en 1962, les Etats-Unis jouissaient encore d'une supériorité nucléaire écrasante, dans une proportion de 15 contre 1 sinon plus. En 1973, quand nous avons ordonné un état d'alerte mondial pour écarter les forces soviétiques du Moyen-Orient pendant la guerre du Kippour, les Etats-Unis et l'U.R.S.S. étaient approximativement à égalité, tant en puissance nucléaire stratégique qu'en armement nucléaire tactique. Mais depuis 1973, l'Union soviétique a dépensé trois fois plus que les Etats-Unis rien que pour ses armes stratégiques.

Avec leurs progrès rapides en technologie des missiles nucléaires et leur vigoureux développement des nouveaux systèmes d'armement — alors que les nouveaux systèmes d'armement américains ont été systématiquement annulés ou retardés — les Soviétiques referment rapidement la brèche dans les domaines où nous les devançons et accroissent leur supériorité là où ils nous distancent.

Les Soviétiques ont un avantage énorme dans le domaine des forces conventionnelles au sol. Dans une certaine mesure, on devait s'y attendre puisque l'U.R.S.S. est avant tout une puissance territoriale flanquée de deux fronts à défendre, l'un contre l'Europe, l'autre contre la Chine. Mais les énormes armées russes sont aussi une redoutable menace pour ses voisins car si la Russie a deux fronts à défendre, elle en a trois à attaquer. La puissance militaire soviétique menace l'Europe à l'ouest, la Chine et le Japon à l'est, les pays d'Asie centrale, du golfe Persique, du Moyen-Orient et d'Afrique au sud.

A part cela, le spectaculaire accroissement de la puissance maritime soviétique est particulièrement menaçant. Alors que les Etats-Unis détiennent encore l'avantage de leurs porte-avions, les Soviétiques ont moitié plus de bâtiments de guerre de surface que les Américains et trois fois plus de sous-marins.

A moins que les Etats-Unis n'augmentent considérablement leur budget militaire, sans le moindre doute l'Union soviétique possédera en 1985 la supériorité nucléaire, une écrasante supériorité au sol et au moins l'égalité sur mer. En un mot, si nous n'agissons pas vite, la période du milieu des années 80 sera celle du plus grand péril pour les Etats-Unis et l'Occident. L'U.R.S.S. sera le numéro 1, les U.S.A., le numéro 2.

Voilà qui pourrait justifier un pessimisme aigu. On imagine aisément l'Union soviétique, dans les années 80, capable d'imposer militairement sa volonté aux cibles de son choix, tout autour du monde.

Mais examinons un autre aspect de la question. Dwight D. Eisenhower était un stratège habile. Je me souviens que pendant sa présidence, alors que les participants s'assombrissaient autour de la table du Conseil national de sécurité à mesure qu'ils passaient le monde en revue, Eisenhower nous rappelait qu'une des premières qualités exigées d'un bon commandant militaire était de savoir évaluer de façon réaliste les forces et les faiblesses de ses propres armées. Mais il était tout aussi important, ajoutait-il, qu'il sût reconnaître non seulement la force, mais encore les faiblesses et les points vulnérables de l'adversaire.

Sous cet angle, nous découvrons des points vulnérables importants du côté soviétique et des points forts tout aussi importants du côté occidental.

La plus spectaculaire de ses faiblesses réside dans les profonds différends, peut-être irréconciliables, qui séparent l'U.R.S.S. et la Chine. L'économie chinoise est encore faible et sa capacité nucléaire relativement primitive. Mais avec un milliard d'individus, potentiellement les plus puissants du monde, sur sa plus longue frontière, sous le contrôle d'un gouvernement qui considère Moscou avec une aigre hostilité, les dirigeants du Kremlin ont des sujets d'appréhension. A long terme, la Chine peut représenter une menace expansionniste pour l'Occident.

Mais pour le moment, la Chine craint l'Union soviétique et a besoin de l'Occident.

Une seconde faiblesse procède de la nature même du communisme. Aucun peuple n'a jamais librement choisi de vivre sous un régime communiste. Aucune nation ne reste sous un régime communiste, sinon par la force. Aucun système de gouvernement n'a aussi bien réussi à étendre sa domination sur d'autres et moins réussi à gagner l'approbation du peuple de ces nations.

Les tragiques « bateaux » du Vietnam, les dissidents qui tentent de quitter l'Union soviétique, les gens qui fuient quand ils le peuvent l'Europe de l'Est, tous apportent la preuve dramatique que lorsque les peuples ont le choix, ils rejettent le régime communiste. Par une ironie du sort, c'est Lénine qui a dit que « les réfugiés sont des gens qui votent avec leurs pieds ». Dans ces élections-là, les peuples du monde entier sont, parfois au péril de leur vie, pour la liberté et contre le communisme.

Une troisième faiblesse, un avantage potentiel décisif pour le monde occidental, se trouve dans le fait qu'économiquement le capitalisme fonctionne et le communisme pas. Si nous examinons l'économie mondiale, nous découvrons que les Etats-Unis, l'Europe occidentale et le Japon réunis ont un produit national brut quatre fois plus élevé que celui du bloc soviétique tout entier.

Les nations communistes ont l'avantage d'être totalitaires, elles peuvent répartir leurs ressources selon le gré de leurs dirigeants pour servir les ambitions de ces dirigeants plutôt que les besoins du peuple. Ainsi, même des économies relativement improductives peuvent entretenir d'énormes forces militaires. Mais, s'il doit y avoir une course aux armements et si l'Occident décide de s'y engager, c'est l'Occident qui aura la puissance économique permettant de la gagner. Les Soviétiques le savent.

A la fin de la Seconde Guerre mondiale, l'Occident, emporté par des vagues de soulagement et d'épuisement, baissa sa garde. Nous avons désarmé alors que Staline employait ses armées à s'emparer du plus de territoires possible. Finalement l'Occident, alarmé, s'est mobilisé pour faire face à cette nouvelle menace soviétique. Moscou a alors modéré le ton et s'est montré plus prudent dans son expansion. C'était un changement d'attitude, pas un changement d'idée. Quand la Chine est passée de l'aventurisme extérieur au développement intérieur — et s'est mise à construire sa défense contre ce qui était alors perçu comme une menace soviétique croissante — c'était aussi un changement d'attitude, pas un changement de cœur.

C'est ce changement qui a rendu possibles nos premiers pas vers la détente. Nous devons comprendre que la détente n'est pas une histoire d'amour. C'est un arrangement entre des nations qui ont des desseins opposés mais qui ont certains intérêts communs, entre autres éviter une guerre nucléaire. Un tel arrangement peut marcher — c'est-à-dire qu'il peut refréner l'agression et écarter la guerre — mais seulement tant que l'on contraint l'agresseur en puissance à reconnaître que l'agression ni la guerre ne seront profitables.

Le système capitaliste fonctionne sur la base du profit économique, le système soviétique sur la base du profit militaire et territorial. Quand le Kremlin calcule qu'il a plus à gagner qu'à perdre par un acte d'agression, de subversion ou d'intimidation, il engage cette action.

Quand la balance du pouvoir penche en faveur de l'U.R.S.S., les calculs profits et pertes du Kremlin basculent en même temps. Chaque fois que l'Occident paraît faible ou irrésolu, le coût éventuel de l'agression baisse et la « demande » du marché soviétique s'accroît. Chaque fois que l'Occident se montre prêt à résister efficacement, le prix monte et le marché s'effondre.

Woodrow Wilson a déclaré un jour avec éloquence que la Première Guerre mondiale était un conflit destiné à rendre le monde « sûr pour la démocratie ». L'intention était noble, certes, mais les événements n'ont pas tardé à la ridiculiser. Notre but doit être un monde dans lequel la démocratie sera en sécurité mais, plus fondamentalement, un monde dans lequel l'agression est réprimée et l'indépendance nationale assurée. Tout comme les années 40 et 50 ont vu la fin du vieux colonialisme, les années 80 et 90 devront être celles où nous refoulerons le nouvel impérialisme soviétique. Pour tracer notre route de l'avenir, nous devons connaître nos ennemis, comprendre nos amis et nous connaître nous-mêmes, savoir ce que nous sommes, comment nous sommes arrivés là et où nous voulons aller.

Pour relever le défi porté à notre propre survie et à la survie de la liberté et de la paix, nous devons radicalement augmenter notre puissance militaire, ranimer notre puissance économique, revigorer notre force de volonté, renforcer les pouvoirs de nos présidents et développer une stratégie ne visant pas seulement à éviter la défaite mais à aboutir à la victoire.

Les prochaines décennies ne seront pas faciles. Elles ne seront pas sans risques. Mais le danger que nous courrons si nous échouons sera infiniment plus grave. Et plus nous attendons, plus il sera difficile de rattraper notre retard. Chaque jour perdu accroît le danger.

En 1934 Winston Churchill a dit à la Chambre des Communes : « Insister sur la préparation de la défense n'est pas affirmer l'imminence de la guerre. Au contraire, si la guerre était imminente, les préparatifs de défense viendraient trop tard... mais il est très difficile de ne pas conclure que si nous ne commençons pas immédiatement à nous placer dans une position de sécurité, nous ne serons bientôt plus en mesure de le faire. » Dans les années 1930, la Grande-Bretagne possédait ce qui était en fait une « réserve stratégique » : l'immense puissance industrielle des Etats-Unis qui, avec le luxe du temps, pouvait être mobilisée après le déclenchement de la guerre pour sauver les nations alliées ; et cette « réserve » a finalement sauvé la Grande-Bretagne de son propre manque de préparation. Les Etats-Unis ne peuvent s'appuyer sur une telle réserve.

C'est peu après l'éclatement de la Seconde Guerre mondiale que le général Douglas MacArthur a dit : « L'histoire des guerres perdues peut se résumer en deux mots : trop tard. » MacArthur, alors aux Philippines, avait remarqué les nuages de guerre à l'horizon ; il avait été frustré dans ses efforts pour un renforcement de la puissance militaire aux Philippines. Il avertissait du danger, mais trop de gens ont dit : « Et alors ? »

Quand il a fait cette déclaration, la bombe atomique n'avait pas encore explosé sur Hiroshima, changeant à jamais la nature potentielle de la guerre et les conséquences d'une attaque surprise. Les Etats-Unis avaient eu le temps de se remettre d'un Pearl Harbor naval et avaient été avertis bien à l'avance des menaces de guerre. Nous pourrions n'être avertis qu'une demi-heure, ou même moins, avant un Pearl Harbor nucléaire duquel nous n'aurions pas le temps de nous remettre. Le moment de l'empêcher est arrivé. C'est maintenant. Il n'y a pas de temps à perdre.

II

LA TROISIÈME GUERRE MONDIALE

La première caractéristique de l'Union soviétique est qu'elle adopte toujours une attitude de brutalité contre les faibles et de crainte des forts. La seconde caractéristique de l'Union soviétique est qu'elle foncera et saisira en toute occasion.

Teng Hsiao-ping.

Pendant plus de vingt ans les pays de l'Alliance Occidentale se sont préparés contre la redoutable possibilité d'une guerre nucléaire avec l'Union soviétique. Cette guerre, que les stratèges ont appelée... la Troisième Guerre mondiale, n'est jamais venue et peut ne jamais venir. En attendant, la véritable Troisième Guerre mondiale s'est livrée et se livre sous notre nez et peu de gens ont remarqué ce qui se passe.

Brian Crozier.

La Troisième Guerre mondiale a commencé avant que finisse la Seconde. Alors même que les armées alliées combattaient à mort les forces nazies en Europe, Staline avait l'œil fermement fixé sur ses objectifs d'après-guerre. En avril 1945, alors que les soldats américains et russes s'embrassaient au bord de l'Elbe en Allemagne, Staline révélait son plan pour un monde d'après-guerre divisé : « Cette guerre n'est pas comme celles du passé ; quiconque occupe un territoire lui impose aussi son propre système social.

36

Chacun impose son propre système, aussi loin que peut parvenir son armée. Il ne peut en être autrement. »

A ce moment, le forgeron qui allait plus tard forger le rideau de fer avait déjà montré le cynisme avec lequel il ferait prévaloir son « système social ». Un des chapitres les plus héroïques de la Seconde Guerre mondiale avait été écrit par le mouvement de résistance en Pologne occupée par les Allemands, et en particulier par l'armée nationale polonaise. Ses membres fournissaient des renseignements, organisaient des sabotages, détruisaient les voies de chemin de fer derrière les lignes allemandes, se livraient à des représailles après des actes de répression nazis en exécutant des personnalités allemandes ; ils livrèrent même de véritables batailles rangées contre les soldats allemands. C'étaient des patriotes polonais, résolus à restaurer et à préserver l'indépendance de la Pologne.

Le 1ᵉʳ août 1944, des combattants de la liberté se soulevèrent à Varsovie contre les occupants nazis à l'approche de l'armée soviétique, tout comme l'avaient fait les résistants français quand les forces américaines et britanniques étaient arrivées près de Paris. Mais au lieu d'aider à la libération de la ville, l'armée soviétique attendit pendant des semaines, observant les Nazis qui jetaient cinq divisions contre les Polonais encerclés et finissaient par écraser leur résistance au bout de soixante-trois jours. Le gouvernement soviétique refusa même aux Alliés occidentaux l'usage des terrains d'aviation soviétiques pour organiser un pont aérien et ravitailler les Polonais assiégés, pendant les sept premières semaines de l'insurrection. A la fin de septembre, l'armée soviétique partit vers l'ouest, en contournant Varsovie. Le 3 octobre, coupées de tout et abandonnées, les forces de la résistance se rendirent aux Allemands. L'élite de la résistance polonaise avait été éliminée, Varsovie ravagée, la voie dégagée pour la domination soviétique de la Pologne. En mars 1945, les Soviétiques couronnèrent leur action en invitant le commandant en chef de l'armée nationale polonaise et plusieurs autres chefs de la clandestinité à Moscou à des pourparlers politiques. Mais quand ils se présentèrent aux agents soviétiques, ils furent arrêtés et emprisonnés. Tout cela pendant que la guerre se poursuivait en Europe, tandis que les Soviétiques et les Alliés occidentaux — et la résistance polonaise — étaient encore censés lutter ensemble pour vaincre les Nazis.

Il y a maintenant un tiers de siècle que dure la Troisième Guerre mondiale, depuis ces derniers jours de la Seconde. A Téhéran, Yalta et Potsdam, alors que se dessinait l'après-guerre de l'Europe, Staline manœuvra à la recherche d'avantages qu'il allait bientôt saisir brusquement. Les armées soviétiques qui poursuivaient les Allemands dans leur retraite vers l'Europe de l'Est y restèrent et le rideau de fer tomba bruyamment en travers du continent. Les peuples de Pologne, de Hongrie, de Tchécoslovaquie, de Yougoslavie, de Roumanie, de Bulgarie, d'Albanie, d'Allemagne de l'Est, ainsi que ceux des Etats naguère indépendants de Lettonie, de Lituanie et d'Esthonie se retrouvèrent enfermés sous la tutelle communiste. C'était de la part de Staline une mainmise froidement calculée ; il déclara d'ailleurs lui-même : « La raison pour laquelle il n'y a pas de gouvernement communiste à Paris en ce moment, c'est que les circonstances de 1945 n'ont pas permis à l'armée soviétique d'atteindre le territoire français. »

La Troisième Guerre mondiale a commencé par la prise de possession de l'Europe orientale, la conquête communiste de la Chine, les guerres de Corée et d'Indochine et l'établissement d'un avant-poste de la puissance soviétique dans l'hémisphère occidental à Cuba, pour continuer par les actuelles offensives de l'Union soviétique et de ses alliés en Afrique, dans le croissant islamique et en Amérique centrale. L'expansionnisme s'est accompagné d'un

38

prodigieux accroissement de puissance militaire qui a amené l'Union soviétique au bord de la suprématie décisive sur l'Occident.

La Corée et le Vietnam ont constitué les batailles de cette guerre, tout comme les coups d'Etat qui portèrent au pouvoir des satellites soviétiques dans des pays aussi éloignés que l'Afghanistan et le Sud-Yémen. De même y ont participé les luttes pour empêcher les partis communistes de prendre les commandes en Italie et au Portugal et pour réprimer l'exportation de la révolution de Castro dans toute l'Amérique latine.

La Troisième Guerre mondiale est la première guerre réellement mondiale. Aucun recoin de la terre n'est à l'abri. Les Etats-Unis et l'Union soviétique sont devenus des puissances mondiales, et tout ce qui modifie l'équilibre entre eux affecte la paix partout ailleurs. Les Soviétiques le comprennent. Les Américains doivent le comprendre aussi, et apprendre à penser en termes mondiaux.

La Troisième Guerre mondiale est aussi la première guerre réellement totale : elle se livre à tous les niveaux de la vie et de la société — puissance militaire, puissance économique, force de volonté, puissance des idées force d'une nation et clarté de ses desseins, voilà les éléments déterminants pour l'issue du conflit, autant que d'autres facteurs intangibles : que l'esprit de compétition soit honoré ou au contraire dénigré ; que, selon l'éthique du moment, l'individu fasse le minimum ou au contraire le mieux dont il est capable ; que la prochaine génération soit composée de constructeurs et de créateurs ou au contraire de zombis de la télévision. C'est aussi la première guerre totale par la nature même des adversaires des Etats-Unis dont le système politique totalitaire est le fruit d'une idéologie selon laquelle l'esprit même de l'individu est propriété d'Etat.

Depuis un tiers de siècle, s'il nous est arrivé en Occident de réfléchir à la Troisième Guerre mondiale, ce terme a évoqué d'atroces visions d'Armageddon nucléaire. Mais alors que l'Occident considère aisément l'absence de guerre nucléaire comme la paix, les Soviétiques ont livré assidûment « une guerre appelée paix », essayant de gagner la Troisième Guerre mondiale sans risquer d'affrontement nucléaire. Ils savent que le but du conflit n'est pas d'anéantir l'adversaire mais de le forcer à capituler. Comme l'observait il y a longtemps le grand stratège allemand Clausewitz, l'agresseur ne veut jamais la guerre ; il préfère envahir votre pays sans coup férir.

Si nous étudions les opérations soviétiques, il s'en dégage un schéma très clair ; pas nécessairement un « maître plan » ou un agenda prévisible de conquête mondiale, mais plutôt un renforcement constant de la puissance militaire et une exploitation approfondie de toutes les occasions qui se présentent d'étendre la domination russe et d'affaiblir la position de l'Occident. Tout comme l'eau s'écoule vers les vallées, les Soviétiques font pression pour étendre leur pouvoir partout où cela est possible, par tous les moyens qu'ils jugent efficaces. Ce sont des opportunistes totalement amoraux. Ils calculent bien, avec soin, les rapports prix de revient-bénéfices, mais ils ne se soucient pas de la valeur sacrée des contacts, de celle de la vie humaine ou des concepts « bourgeois » de la justice.

Leurs apologistes avancent souvent l'argument que les Soviétiques cherchent simplement à assurer leur propre sécurité en face de ce qu'ils considèrent comme des menaces réelles ou potentielles de l'étranger ; une fois qu'ils seront assurés de leur force, leur appétit sera rassasié. Peut-être y a-t-il du vrai dans la première moitié de l'argument, mais il faut regretter que l'appétit de « sécurité » des Russes soit insatiable. Plus ils font d'acquisitions, plus ils ont à protéger ; et ils définissent la « sécurité » uniquement comme une domination, chez eux ou ailleurs. Ils ne connaissent ni les compromis, ni les accommodements, ni les consensus, ni même de règle ou de loi. Tant qu'un pays ou une personne peut s'opposer à eux, ils jugent leur sécurité en danger. La sécurité, comme le pouvoir, ne peut être que totale et donc soumise à une seule garantie : l'élimination totale de tous les contestataires. Du point de vue soviétique, la sécurité des Russes ne peut s'obtenir qu'aux dépens de celle des autres ; il n'y a rien à gagner dans une sécurité mutuelle. Pour que les Soviétiques soient en sécurité les autres doivent forcément être contraints à l'insécurité.

Le gouvernement soviétique se fait de la « paix » une idée fort éloignée de la nôtre, et de la coexistence une image que nous ne reconnaissons pas. Il croit, certes, à la notion d'égalité : un égal est, par définition, un rival qui doit être éliminé avant qu'il vous élimine.

Le but soviétique est, pour paraphraser à l'envers Woodrow Wilson, un monde sans sécurité aucune pour la démocratie, mais un monde dans lequel l'Etat soviétique est protégé, où tous les autres respectent la domination soviétique et paient leur tribut à l'U.R.S.S. L'ambition soviétique a été décrite comme le désir de « contrôler l'économie, la politique et les affaires stratégiques mondiales directement de Moscou ». Les communistes chinois accusent les Soviétiques de rechercher l'« hégémonie », un mot qui résume parfaitement les desseins soviétiques.

La signification de la Troisième Guerre mondiale est écrite éloquemment sur les visages des réfugiés du Vietnam qui risquent désespérément leur vie en haute mer, quitte à être repoussés quand ils touchent terre, plutôt que de continuer à vivre dans la prison qu'est devenu leur pays. Des millions de ressortissants d'autres nations ont tout risqué pour échapper au communisme, ont abandonné leur foyer, leurs biens, même leur famille pour partir en triste procession quand leur pays était partagé. Comme des villageois fuyant la coulée de lave d'un volcan, ces nouveaux dépossédés fuient l'avance d'une tyrannie qui se baptise « libération ».

Avant que le régime communiste prenne le pouvoir en Chine continentale, Hong Kong était une ville de moins d'un million d'habitants. Aujourd'hui elle en contient près de cinq millions. Cet accroissement est dû avant tout à l'afflux de réfugiés du continent qui déferlent malgré les barbelés et les gardes frontières mis en place pour endiguer la ruée.

Dans mon bureau, je garde une peinture sur laque offerte à ma femme lors de sa visite à un camp de réfugiés au Sud-Vietnam, en 1956. Elle est là pour me rappeler constamment que, lorsque le Vietnam a été partagé en 1954, près d'un million de personnes ont fui du nord vers le sud.

J'ai passé Noël 1956 dans un camp de réfugiés en Autriche, près du pont d'Andau. J'ai causé là avec quelques-uns des exilés de Hongrie qui avaient fui après sa brève révolte aux chars soviétiques écrasant la résistance dans les rues de Budapest. Leurs récits d'évasion étaient effrayants ; leur courage, un tribut à l'esprit humain, qui donnait la mesure de la cruauté triomphante.

Dans l'Allemagne divisée, le Mur de Berlin représente ce que le ministre ouest-allemand des Affaires étrangères, Hans-Dietrich Genscher, a appelé un « monument à l'esclavage ». Avant le Mur, Berlin non divisé était une île de liberté accessible dans un océan de tyrannie. C'était une abomination pour les communistes parce que cela représentait le choix. Avant la construction du Mur en 1961, plus de trois millions de personnes profitèrent de cette possibilité de choix pour fuir la domination communiste, à raison de cinq cents par jour pendant quinze ans.

Les frontières fermées, les barbelés, les murs, les gardes qui ont l'ordre de tirer à vue sur tout candidat à l'évasion, telles sont les marques du contrôle communiste et les symboles de la poussée soviétique.

Les centaines de milliers de juifs attendant de quitter l'Union soviétique ont éveillé la compassion du monde. Mais ils ne sont pas les seuls. Ce n'est pas uniquement l'antisémitisme qui pousse le gouvernement soviétique à retenir les juifs. Si la libre émigration était autorisée, des millions d'Ukrainiens, de Lituaniens, et bien d'autres, partiraient aussi.

Quand une ou deux personnes passent de l'Ouest à l'Est, la nouvelle fait la une des journaux et c'est un signe de notre temps. Mais quand des milliers d'individus fuient le régime communiste, ce n'est qu'une statistique. Cependant, la tragédie humaine que cachent de telles statistiques est une des plaies du XXᵉ siècle, et l'assaut contre les libertés humaines qu'elles représentent, une des caractéristiques de la Troisième Guerre mondiale.

Matières premières : le point faible

Aux yeux des Soviétiques quiconque se dresse sur le chemin de leur suprématie — de leur hégémonie — est un adversaire. L'objectif ultime de l'U.R.S.S. dans la Troisième Guerre mondiale c'est son principal rival, les Etats-Unis. Ses objectifs intermédiaires sont l'Europe occidentale et le Japon. Ses objectifs immédiats sont les régions vulnérables et instables d'Afrique, d'Asie, du Moyen-Orient et d'Amérique latine où, à relativement peu de risques et de prix, elle peut gagner des avantages stratégiques pour contrôler les ressources et les voies de communication vitales du monde.

Staline a souligné en 1921 la vulnérabilité de l'Occident en matières de ressources : « Si l'Europe et l'Amérique peuvent être considérées comme le front, les nations non souveraines et les colonies, avec leurs matières premières, leur carburant, leurs fournitures alimentaires et leurs vastes stocks de matériel humain forment l'arrière, les réserves de l'impérialisme. Pour gagner une guerre, on ne doit pas seulement triompher sur le front, mais désordonner aussi l'arrière de l'ennemi, ses réserves. » Plus récemment, le Premier soviétique Leonid Brejnev a confié au président somalien Siad Barre, alors allié de l'U.R.S.S. : « Notre but est de nous emparer des deux grands trésors dont l'Occident dépend : le trésor énergétique du golfe Persique et le trésor minéral d'Afrique centrale et australe. »

Alors que les Etats-Unis ne comptent que partiellement sur les importations de pétrole et de minerai stratégique, l'Europe et le Japon dépendent absolument des sources de l'étranger. Le pétrole importé ne représente que la moitié de la production américaine, mais 85 p. 100 en Europe et près de 100 p. 100 au Japon. Quant aux minerais, l'Europe occidentale en importe 80 p. 100 et le Japon 95 p. 100. Des interruptions mineures, qui causeraient gêne et irritation aux Etats-Unis, pourraient provoquer la panique chez nos alliés industriels. Ils ont donc plus de raisons que les Américains d'être sensibles à la poussée soviétique vers ces « grands trésors dont dépend l'Occident ». Mais les Etats-Unis ont aussi un enjeu vital, à la fois parce qu'ils dépendent eux-mêmes de ces richesses pour leurs fournitures stratégiques, et parce que la force et l'unité de l'alliance occidentale dans son ensemble sont essentielles à la riposte au défi soviétique. Ce qui affaiblit les alliés de l'Amérique l'affaiblit aussi.

Les dirigeants soviétiques ont les yeux braqués sur les fondations économiques de la société moderne. Leur but est de saper la machine industrielle de l'Occident. La sujétion des nations industrielles occidentales aux sources étrangères de matières premières vitales est un de leurs principaux points faibles. Cela, ainsi que l'instabilité inhérente à beaucoup de pays producteurs, dicte aux Soviétiques leur stratégie dans des régions comme le Moyen-Orient, l'Afrique et l'Amérique latine.

La filière africaine

Pour la plupart des Américains, la carte d'Afrique n'est pas plus familière que celle de l'Antarctique.

La majorité ne distingueraient pas le Mali du Malawi ; ils ne savent pas davantage où se trouve la Somalie ou l'Erythrée et encore moins pourquoi des événements qui s'y déroulent pourraient déterminer l'avenir du monde. Ils seraient tout aussi incapables de situer correctement le Sud-Yémen ou Oman, le détroit d'Ormuz, Bahrein ou le Qatar. Cependant ces régions, et d'autres tout autant, sont d'une importance capitale pour les intérêts de l'Amérique et ceux de l'Occident. Ils sont essentiels aux visées de Moscou pour la domination stratégique et l'ignorance ou le désintérêt américain fournit aux Soviétiques un de leurs plus grands avantages.

Les spectres du passé colonial hantent aujourd'hui les dirigeants de beaucoup de nations africaines. La politique précoloniale africaine était tribale ; après la conquête européenne, elle est devenue impériale ; aujourd'hui, c'est une combinaison unique des deux.

Les frontières de la plupart des Etats d'Afrique actuels ont peu de sens, d'un point de vue national. Elles ne correspondent pas à des limites naturelles ou tribales ; elles restent tracées là où les armées de la puissance coloniale se sont arrêtées ou encore là où les cartographes à Paris ou à Londres, les ont placées à leur idée. Les pays africains regroupent souvent vingt ou trente tribus, formant un composé de nombreuses mini-nations, alors que beaucoup d'autres tribus ont été coupées en deux par les frontières coloniales héritées. Le manque d'unité nationale qui en résulte rend la démocratie presque impossible, le développement économique un rêve lointain et la tension interne une réalité constante. La plupart des chefs d'Etat africains veulent simplement se maintenir au pouvoir et empêcher leur nation de se désintégrer.

C'est là que les Soviétiques entrent en scène. Ce sont des maîtres en matière d'empire, des virtuoses dans l'art d'écraser les nations et d'établir un contrôle totalitaire sur les décombres. Comme l'a fait observer

Edward Luttwak, du Centre d'études stratégiques et internationales de l'université de Georgetown, la politique africaine post-coloniale n'est pas la « politique de prospérité » dont nous avons l'habitude, mais « plutôt la politique d'accumulation du pouvoir ». Et à cet égard les Soviétiques, habiles à prendre et à garder le pouvoir, ont beaucoup plus à offrir que les Etats-Unis.

Quand les dirigeants des nations africaines vont faire leur marché, les Soviétiques leur proposent des éventaires alléchants. Le complexe militaro-industriel soviétique marche à plein temps et fait des heures supplémentaires, ce qui leur permet d'avoir d'amples stocks d'armes à offrir, parfois à des prix imbattables et sans les délais occasionnés par des débats sur la « moralité » du trafic d'armes. Le catalogue soviétique comprend bien d'autres accessoires utiles au dictateur : experts est-allemands de la « sécurité », soldats cubains, tuyaux garantis des services de renseignements soviétiques en plus, comme le dit si bien Luttwak, du « large soutien de la propagande soviétique qui proclamera inlassablement leurs vertus, même s'ils ont un faible pour les exécutions à tort et à travers ». Vendeurs agressifs, les Soviétiques se sont mis récemment à expédier à leurs clients des armées entières de mercenaires. Ils exigent le paiement de leurs marchandises en devises fortes.

Les Russes n'ont pas commis l'erreur naïve de croire que les dirigeants africains tiennent automatiquement et avant tout au développement économique de leur population. Forts de leur propre expérience, les Soviétiques savent que la priorité pour beaucoup de ces dirigeants est de se maintenir au pouvoir et c'est eux, pas l'Occident, qui offrent dans ce but l'« aide étrangère » la plus efficace.

Comme vendeurs, ils ont remarquablement réussi. Quoique nouveaux venus sur le continent africain, l'Union soviétique et ses alliés fournissent maintenant plus de 75 p. 100 des armes destinées à l'Afrique et leurs quotas de ventes sont certainement revisés dans le sens de la hausse.

Quand ils entreprennent de croquer une partie du monde, les Soviétiques ne sont pas des mangeurs délicats. Peu leur importe qu'un régime client, africain ou autre, soit « socialiste », « communiste » ou même capitaliste dans sa manière d'organiser ses affaires économiques intérieures. Ce qui importe, c'est que le régime exerce un contrôle efficace, de préférence totalitaire, sur son peuple et qu'il conduise sa politique étrangère et militaire de manière à servir les intérêts nationaux soviétiques. La clef est l'*intérêt* ; l'essentiel est que le régime constitue un client accommodant, qu'il soit ou non un doctrinaire communiste. Les « communistes radis », rouges à l'extérieur mais blancs à l'intérieur, ont aussi bon goût pour eux que les tomates bien rouges. On a vu dernièrement les Soviétiques picorer dans la Corne de l'Afrique, goûtant d'un plat puis d'un autre. Au cours de cette opération, ils ont montré avec quelle rapidité leur « amitié » pouvait changer au fur et à mesure que de nouvelles occasions se présentent.

Jusqu'en septembre 1974, l'Ethiopie était une solide amie de l'Occident ; sous le règne de l'empereur Haïlé Sélassié, elle s'était montrée longtemps une des plus proches alliées des U.S.A. en Afrique noire. Pendant des années, les Russes ont observé benoîtement leurs alliés de Cuba et d'ailleurs fomenter un mouvement sécessionniste armé en Erythrée, la province nord-ouest de l'Ethiopie stratégiquement située au bord de la mer Rouge juste en face de l'Arabie saoudite. Même irritant pour l'empereur d'Ethiopie Haïlé Sélassié, le mouvement érythréen ne devint jamais une menace sérieuse pour son trône.

La menace se matérialisa par la famine et l'agitation sociale. A la suite d'une disette dévastatrice, en 1974, les militaires renversèrent Sélassié. Un groupe de gauche de l'armée établit sa propre domination sur le gouvernement révolutionnaire. Les nouveaux dirigeants coupèrent les liens de la nation avec l'Occident et en nouèrent avec l'Orient. Alors que la nouvelle amitié de Moscou pour l'Ethiopie devenait plus chaleureuse, son affection pour les rebelles d'Erythrée se refroidit. Les Erythréens perdirent non seulement leur soutien cubain mais se trouvèrent bientôt en lutte contre des soldats subventionnés par les Soviétiques, de cette même île des Caraïbes où ils avaient reçu eux-mêmes leur entraînement.

Le brusque changement de ses relations avec l'Ethiopie coûta son prix à l'U.R.S.S. La Somalie voisine menait une dispute territoriale amère avec l'Ethiopie. Tout en n'étant pas entièrement tombée dans l'orbite soviétique, la Somalie, sous traité d'amitié avec Moscou, avait été armée par les Russes et s'était affirmée comme un agent soviétique loyal dans la Corne de l'Afrique ; de son côté, Moscou avait soutenu la prétention de la Somalie à la province éthiopienne d'Ogaden. A présent, Moscou commençait à retirer ce soutien et le président somalien Siad Barre s'en allait chercher des amis ailleurs.

Pendant l'été de 1977, Barre déclencha une invasion de l'Ogaden. Au début, ses soldats mirent en déroute les Ethiopiens. Les Soviétiques envoyèrent alors près de vingt mille soldats cubains en Ethiopie, qui furent déployés à la fois contre les Somaliens et les Erythréens ; l'U.R.S.S. expédia aussi à Addis Abeba pour deux millions de dollars d'armes et trois mille techniciens militaires soviétiques. L'intervention fit tourner le sort de la bataille. Au début de 1978, Siad Barre retira ses troupes du désert d'Ogaden.

En ce qui concerne les simples calculs coût-bénéfice, les Soviétiques sortaient gagnants. Barre riposta à l'aide soviétique à l'Ethiopie en chassant les Russes de Somalie. Mais les Soviétiques avaient fait de l'Ethiopie une droguée politique. Pour survivre, le régime éthiopien avait perpétuellement besoin de sa « dose » d'armement soviétique, ainsi que de milliers d'hommes, cubains et soviétiques. Les Soviétiques avaient échangé un pays de trois millions d'habitants contre un pays dix fois plus peuplé. Ils avaient perdu la base navale qu'ils avaient construite en Somalie, à Berbera, mais gagné le port éthiopïen de Massawa, où une nouvelle base mieux placée du point de vue stratégique sera bientôt terminée.

Quel genre de régime subventionnait l'U.R.S.S. ? *The American Spectator* le décrit clairement :

« Le don de leadership imaginatif et efficace est ce que les Soviétiques prisent le plus chez leurs alliés africains. En cela le colonel Haïlé Mengistu Meriam d'Ethiopie — qui en 1977 a fait irruption au Conseil des ministres et abattu à bout portant tous ses anciens collègues — est un dirigeant modèle. »

Mengistu n'a pas limité ses frasques aux frontières de l'Ethiopie. Celles du Soudan ont été violées et ce pays a dû absorber plus de trois cent mille Ethiopiens fuyant sa « terreur rouge ». Un nouveau germe d'agitation a été planté en terre africaine et arrosé par Moscou. L'Union soviétique a gagné des bases, des ports et un canal vers le reste de l'Afrique. Le seul pays africain, à part le Libéria, qui n'avait jamais vécu sous le règne colonial européen était tombé aux mains de l'impérialisme communiste. Plus potentiellement inquiétant encore, l'Arabie saoudite est menacée : la Corne de l'Afrique forme une patte de crustacé dont les pinces entourent la péninsule arabique ; les hauteurs éthiopiennes dominent les sables désertiques de l'Arabie, au-delà de la mer Rouge.

Les activités soviétiques en Afrique soulignent un des plus grands changements stratégiques des dernières années : l'émergence de l'U.R.S.S. comme puissance mondiale exerçant une pression politique directe, non seulement sur des territoires contigus mais partout où l'occasion se présente.

Utilisant des soldats cubains transportés par des avions soviétiques, Moscou a joué à saute-frontières pour pénétrer profondément au cœur de l'Afrique. Maintenant que le colonialisme européen a disparu du continent noir, l'impérialisme soviétique prend la relève. Les nouvelles nations d'Afrique sont particulièrement tentantes parce qu'elles possèdent les matières premières vitales pour une société industrielle moderne, et particulièrement vulnérables par suite de leur instabilité et des priorités de tant de leurs chefs.

En 1975, quatre siècles de règne colonial portugais prirent fin en Angola et au Mozambique. Aujourd'hui, à la place des liens coloniaux avec le Portugal les deux pays ont des « traités d'amitié » avec la Russie ; ils sont hérissés d'armes soviétiques modernes et menacent l'ensemble de ce que Brejnev a appelé avec tant de convoitise le « trésor minéral de l'Afrique centrale et australe ». Ensemble, ils bordent tous les pays clefs de ce « trésor ». Tout comme les Soviétiques avaient l'œil braqué sur le pétrole d'Arabie quand ils se sont installés en Somalie puis en Ethiopie, ils avaient le regard fixé sur ces ressources minières quand ils ont pris position en Angola et au Mozambique.

C'est en Angola que les Soviétiques ont utilisé pour la première fois des soldats cubains pour imposer la domination russe en Afrique. Depuis plus d'une décennie, pendant la lutte d'indépendance, Moscou a apporté son aide au Front populaire pour la libération de l'Angola (F.P.L.A.), une force de guérilla marxiste. Quand les Portugais sont partis, deux autres groupes rivalisaient aussi pour le pouvoir dans la nation nouvellement indépendante : le F.N.L.A. et l'U.N.I.T.A. Les combats se poursuivirent entre eux. Dans l'épreuve de force finale, les Etats-Unis supprimèrent leur aide aux groupes pro-occidentaux alors que les Soviétiques expédiaient par avion quinze mille soldats cubains pour aider le F.P.L.A. Naturellement, le F.P.L.A. gagna. L'Angola devint un avant-poste soviétique.

Vers la fin de 1979 Jonas Savimbi, le chef de l'U.N.I.T.A., cherchait aux Etats-Unis du soutien pour la poursuite de sa guérilla contre les nouveaux maîtres de l'Angola. Savimbi s'était signalé en luttant pour libérer son pays de la domination portugaise ; maintenant, il lutte pour le délivrer du joug soviétique. En se lamentant qu'aux Etats-Unis « il y ait une totale absence de résistance à l'agression russe et cubaine » en Afrique, il se plaignit qu'une « nouvelle forme d'impérialisme domine le continent ». Les Russes et les Cubains, dit-il, « qui étaient censés être nos amis et qui nous ont aidés dans notre lutte contre les Portugais nous apportent maintenant un nouveau style d'esclavage ».

Commentant aigrement le manque de soutien américain à Savimbi, Francis X. Maier, rédacteur en chef du *National Catholic Register*, note que Savimbi est « un témoin du fait qu'en chemin les Etats-Unis ont perdu leur faculté de distinguer nos amis naturels de nos ennemis naturels. C'est encore une curieuse ironie de la fin du XXᵉ siècle — et une indication de notre désarroi moral — que les seuls "combattants de la liberté" que nous ne recevons pas les bras ouverts sont ceux qui professent nos propres valeurs ».

Au Mozambique, des conseillers militaires est-allemands entraînent depuis 1978 des guérilleros pour l'infiltration dans le Zimbabwé-Rhodésie. D'autres sont entraînés en Angola pour être utilisés au sud en Namibie ; deux fois déjà des guérilleros ont été envoyés d'Angola au nord, dans le Zaïre, où ils ont investi la riche province minière du Shaba. Lors de leur raid de 1978 au Shaba, les guérilleros ont massacré des techniciens européens et leurs familles dans l'importante ville minière de Kolwezi. Depuis lors, peu d'Européens ont accepté de retourner au Shaba, ce qui a fait baisser la production de cuivre et de cobalt de 50 à 80 p. 100 au-dessous de la normale. Le cuivre est essentiel à l'économie du Zaïre ; le cobalt, aujourd'hui dangereusement rare, est essentiel à l'aviation à réaction et le Zaïre possède 65 p. 100 de la production nécessaire au monde libre.

Tout comme l'Ethiopie au nord, ces anciennes colonies portugaises au sud sont des avant-postes clefs de l'empire soviétique. L'influence soviétique se répand comme un cancer à partir de ces pays et d'autres avant-postes russes d'Afrique. En Zambie, en Tanzanie et ailleurs, les soldats cubains et les « techniciens » du bloc oriental deviennent aussi familiers que l'étaient les colons occidentaux.

Si l'U.R.S.S. continue de réussir la pénétration de l'Afrique, elle aura fait beaucoup progresser sa stratégie plus globale visant à encercler la « citadelle » du monde en coupant l'Occident industrialisé des ressources sans lesquelles il ne peut survivre. Les Etats-Unis eux-mêmes, riches en ressources naturelles, dépendent fortement des importations de plusieurs minerais de base essentiels à une économie moderne. Le chrome fournit un exemple des dangers qu'entraîne une telle dépendance.

La plupart des gens, quand on parle du chrome, pensent aux enjoliveurs d'automobiles. Mais pour les planificateurs stratégiques, le chrome signifie roulements à billes, instruments de précision et missiles. Un avion à réaction a besoin de plus de 1 800 kilos de chrome. Un expert affirme : « Si l'on n'a pas de chrome, on ne peut pas avoir de moteurs d'avion de première qualité. » L'acier inoxydable ne peut s'obtenir sans chrome. Le Conseil national américain de la recherche a récemment conclu que la vulnérabilité à long terme des U.S.A. est plus grande pour ce qui est du chrome que du pétrole. Le chrome commence déjà à se faire rare et les Américains en ont désespérément besoin pour reconstruire leurs forces armées. Les ressources nationales américaines en minerai de chrome sont faibles en quantité et de mauvaise qualité ; 92 p. 100 doivent être importés. Les deux principales sources des Etats-Unis étaient récemment l'Afrique du Sud (33 p. 100) et l'Union soviétique (25 p. 100). De plus, entre toutes les réserves de chrome connues dans le monde, 96 p. 100 se trouvent en Afrique du Sud et en Zimbabwé-Rhodésie.

Cette dépendance vitale montre bien pourquoi les Soviétiques ont particulièrement visé pour leur ingérence cette partie du continent qui met si intensément en émoi tant d'Occidentaux : l'Afrique australe. L'Union soviétique agit rarement sans dessein et ses desseins sont toujours stratégiques, jamais moraux. Ainsi ses efforts persévérants pour agiter les eaux déjà troublées de l'Afrique australe doivent être estimés en fonction des ressources qu'offre cette partie du monde et de leur importance pour l'Occident. Selon une source autorisée, l'Union sud-africaine possède à elle seule un dixième de l'amiante du monde, trois quarts du minerai de chromite mondial, plus de la moitié de ses métaux du groupe platine, la moitié de son or, un tiers de son manganèse, un cinquième de son uranium et un tiers de ses diamants : un trésor minéral d'une importance stratégique et économique presque incalculable.

Le cuivre et le cobalt du Zaïre, le chrome rhodésien, l'or, les diamants, le manganèse et le platine sud-africains sont parmi les enjeux économiques que tentent de gagner les Russes dans le sud de l'Afrique. Ils contrôlent déjà les excellents ports d'Angola et du Mozambique flanquant le cap de Bonne-Espérance. Si l'Afrique du Sud devait tomber entre leurs mains, ils contrôleraient les voies maritimes autour du Cap par lesquelles transitent 70 p. 100 des matières premières stratégiques et 80 p. 100 du pétrole nécessaire aux puissances européennes de l'O.T.A.N. L'Afrique du Sud est aussi la première puissance économique du continent. A elle seule, elle fournit 40 p. 100 de la production industrielle de toute l'Afrique et 25 p. 100 de sa production agricole.

Les Soviétiques convoitent l'Afrique australe. Ils essaient aussi d'exploiter les troubles raciaux qui l'agitent, particulièrement en Union sud-africaine, afin de susciter l'hostilité à l'encontre de l'Occident ; et, s'ils pouvaient, ils voudraient précipiter là-bas une confrontation militaire et une guerre raciale qui aurait des conséquences incommensurablement tragiques pour les Noirs comme pour les Blancs ainsi que pour tout le continent africain et l'ensemble du monde occidental. Elles laisseraient beaucoup de miettes que les Russes s'empresseraient de ramasser.

Les ennuis raciaux de l'Afrique du Sud sont particuliers à une histoire spécifique, mais les troubles entre les groupes raciaux, tribaux ou ethniques ne sont pas le propre de l'Afrique du Sud. Tout au nord de l'Afrique, les Arabes règnent. Dans les pays du Sahel, ils luttent contre les Noirs pour la prépondérance. Au Tchad, le conflit entre les musulmans du nord et les Sahariens du sud a abouti à une guerre civile de douze ans ; c'est là un des problèmes que posent les divisions raciales. Au sud du Sahara, les Noirs prédominent mais cela n'empêche pas un tribalisme violent, péché aussi grave que le racisme. De farouches rivalités et guerres entre tribus ont eu lieu : la révolte katangaise au Congo, la guerre civile au Nigeria qui a causé la mort de probablement plus d'un million d'Ibos au Biafra, la guerre sanglante entre les Houtous et les Toutsis au minuscule Burundi en 1973 qui a fait cent mille morts, et bien d'autres. Les Africains noirs ne sont pas non plus exempts de racisme. En Afrique orientale, les habitants d'origine asiatique ont été expropriés et chassés, uniquement pour des raisons raciales. En Guinée équatoriale, un dictateur soutenu par la Russie, la Chine, Cuba et la Corée du Nord a forcé approximativement un tiers de la population à fuir et à s'exiler et beaucoup de ceux qui sont restés ont trouvé la mort dans des camps de travail forcé et en prison. Pour de nombreux Africains les bienfaits du « gouvernement de la majorité » ont été si minimes que, selon Amnesty International, huit pays noirs d'Afrique sont parmi les quinze plus effroyables violateurs des droits de l'homme dans le monde. Compte tenu de l'expérience du reste de l'Afrique, le strict gouvernement de la majorité, même s'il était possible, ne constituerait pas la meilleure chose pour les Africains d'Afrique du Sud, noirs ou blancs.

Plus largement, dans la vaste lutte mondiale, le sud de l'Afrique est un champ de bataille clef, aussi vital dans son genre que le Moyen-Orient. Les Américains ne doivent pas, par idéalisme mal placé, laisser leur politique africaine devenir l'otage des passions paroissiales de la part de dirigeants africains qui n'apprécient pas l'enjeu entre l'Est et l'Ouest et ne s'en soucient pas. Les Etats-Unis ne doivent pas, par ce même idéalisme mal placé, conspirer à la destruction de sociétés qui vont de l'avant, tant économiquement que socialement, et qui sont sur le point de démontrer comment réussir là où d'autres sur le continent — parmi lesquels leurs plus véhéments détracteurs — ont notoirement échoué.

Tout comme les Etats américains sudistes ont spectaculairement changé après avoir répété « jamais » pendant des années, l'Afrique du Sud se transforme. Le Premier ministre Botha a engagé le gouvernement à un programme d'« adaptation pour éviter la révolution ». Un membre modéré du parlement sud-africain a récemment déclaré : « Plus de changements se sont produits ici depuis dix-huit mois que dans les précédentes trois cent vingt années de l'histoire de ce pays. »

Que ce soit en Union sud-africaine ou en Zimbabwé-Rhodésie, ceux qui travaillent, en vue d'une solution d'évolution plutôt que de révolution, à résoudre les ennuis de leurs pays devraient recevoir l'aide compatissante du monde au lieu d'être traités comme des parias internationaux. Il se trouve que les intérêts stratégiques vitaux de l'Occident sont liés à la stabilité de ces pays et de cette partie de l'Afrique ;

nous n'avons pas à nous excuser de défendre ces intérêts. Pas plus que nous n'avons à nous excuser de prendre fermement place aux côtés de ceux qui s'engagent à propager la liberté, même si ce n'est que progressivement, contre ceux qui l'étouffent aussi vite que possible.

La véritable menace de domination blanche en Afrique pour le restant de ce siècle ne vient pas de l'ordre ancien. Le vrai danger vient de l'ordre nouveau, du nouvel esclavage que dénonce Jonas Savimbi, imposé et maintenu par le nouvel impérialisme soviétique. Dans aucun Etat sous domination soviétique il n'existe de gouvernement de la majorité, quelle que soit sa couleur ; le règne de la minorité est l'essence du système soviétique. Quelle que soit la couleur du pantin local, les ficelles sont tirées à Moscou et il n'y a pas de figures noires au Politburo. Les Soviétiques ne sont pas en Afrique pour « libérer ». Ils sont là pour dominer, contrôler et exploiter, pour remplacer l'ancienne suprématie blanche par une nouvelle suprématie blanche. La domination coloniale blanche est la domination coloniale blanche, qu'elle soit exercée de Londres ou de Moscou.

Au cours de l'histoire, beaucoup des pires atrocités ont été perpétrées au nom des idéaux les plus élevés. La passion est un mauvais guide en politique. L'obsession raciste de beaucoup de dirigeants africains noirs, tout en étant compréhensible dans la hiérarchie de leurs priorités, ne devrait pas nous dicter la nôtre. Le genre de guerre sainte qu'ils prêchent — faire disparaître du sud de l'Afrique tous les vestiges des privilèges spéciaux ou même la protection spéciale accordés aux minorités blanches —, serait sanglante, bien pire que les exploits d'un Idi Amin Dada ; elle détruirait les structures économiques et politiques dont dépendent aussi bien les Noirs que les Blancs pour la liberté et la prospérité dont ils jouissent.

La guerre raciale contre l'Afrique du Sud n'est pas

le moyen de mettre fin au racisme dans ce pays, pas plus que la guerre économique contre la nation la plus économiquement avancée du continent ne résoudra la question. Chez nous, aux Etats-Unis, nous avons livré une guerre civile, en partie sur la question de l'esclavage, et il a fallu encore un siècle avant que les discriminations sanctionnées par la loi soient balayées. A examiner notre propre histoire, nous ne sommes pas assez innocents pour jeter la première pierre ni même la seconde. Sans approuver la politique raciale sud-africaine, les Américains devraient mieux comprendre le besoin de la transformer pacifiquement, en y mettant le temps, et être plus sensibles aux autres questions, en dehors de la race, qui seront en jeu à l'avenir dans cette partie tourmentée du continent.

Le « ventre mou »

Les yeux rivés sur les crises successives dans l'Europe de l'O.T.A.N., au Moyen-Orient, dans le Sud-Est asiatique et en Afrique, les Américains ont perdu de vue la puissance croissante se développant au sud des Etats-Unis, en Amérique latine. Géopolitiquement, ils ont accepté depuis longtemps et reconnu qu'ils sont une « nation île », mais s'ils continuent de négliger cette région, ils risquent fort bien de se réveiller en découvrant l'ennemi débarqué sur l'« île continent » au sud. Les Soviétiques ont déjà des avant-postes d'influence dans les îles, à Cuba et dans certaines des Petites Antilles. A la date où ce livre paraîtra, ils risquent d'avoir débarqué en Amérique centrale.

L'Amérique latine ne fait généralement la une des journaux américains qu'en cas de révolution, de tremblement de terre ou d'émeute à un match de football. Mais elle mérite une attention égale à celle que les Etats-Unis accordent à l'Europe, l'Asie et l'Afrique, et par certains côtés plus encore à cause de sa proximité.

L'Amérique latine est un objectif primordial soviétique pour trois raisons majeures : elle possède d'énormes ressources naturelles ; à la fin de ce siècle, sa population sera substantiellement plus importante que celle des Etats-Unis et de l'Europe occidentale réunis, et elle est proche des Etats-Unis, leur « ventre mou ».

Les nations d'Amérique latine ont conquis leur liberté en grande partie grâce à l'exemple américain. Elles ont pu la conserver, dans les premiers temps, protégées par la doctrine Monroe. Mais en permettant la présence d'un Etat client des Soviétiques aux Amériques — Cuba — les Etats-Unis ont à leurs yeux abandonné cette doctrine. Ces nations ne voient guère les U.S.A. résister à l'établissement d'une influence cubaine dans les îles Caraïbes et maintenant, sur le continent, en Amérique centrale. Elles constatent qu'ils abandonnent beaucoup d'amis sous prétexte qu'ils manquent de rigueur dans le respect des droits de l'homme. Elles remarquent que pour leur part les Soviétiques n'abandonnent pas leurs amis pour des questions d'idéologie, du moment que leurs intérêts coïncident. Elles ont assisté à la défaite et au renversement, dans certains cas avec l'aide de Cuba, des amis des Américains au Sud-Vietnam, au Laos, au Cambodge, en Angola, au Mozambique, en Ethiopie, en Afghanistan et en Iran. Elles ne peuvent s'empêcher de se demander si elles pourront vraiment compter sur eux à l'avenir.

On emploie communément les termes d'« Amérique latine » comme s'il s'agissait d'une masse homogène. Mais l'Amérique latine couvre une étendue bien plus vaste que l'Europe et contient une immense diversité de populations. Chaque pays a une fière et ancienne tradition d'indépendance et d'individualité, et tous pratiquent une religion commune. A la fin du siècle, la moitié des catholiques du monde se trouveront en Amérique latine. Certains pays, comme l'Argentine, l'Uruguay et le Costa Rica, ont une population d'origine presque exclusivement européenne. D'autres, parmi lesquelles le Mexique, le Pérou, la Colombie et l'Equateur comptent une importante proportion d'Indiens. Beaucoup sont constitués d'une majorité originaire non seulement d'Espagne, mais d'Allemagne, d'Italie et d'autres pays d'Europe. Au Brésil, les peuples d'origine africaine et portugaise se sont mêlés pour produire une civilisation nouvelle. Il existe de grandes différences dans le degré de développement et de sophistication de ces pays ; par la taille, ils vont du géant Brésil à de minuscules territoires comme le Salvador.

Le Brésil, le Mexique et l'Argentine sont en train de devenir rapidement des nations industrielles. La population brésilienne est plus importante que celles de la Grande-Bretagne et de la France réunies, bien plus de cent millions d'habitants, et par certains côtés il est déjà un géant industriel possédant en 1978, le dixième P.N.B. du monde.

Le Mexique se développe à grande vitesse. Les revenus de ses immenses réserves de pétrole récemment découvertes vont lui permettre d'offrir une vie meilleure à ses soixante-dix millions d'habitants, mais ses richesses en font aussi un enjeu de choix pour la subversion.

L'Argentine, avec une population fondamentalement homogène et extrêmement cultivée, est vivement motivée et s'engage, comme le Brésil, à la construction d'énormes barrages pour fournir de l'électricité et de l'énergie à son industrie en bourgeon. Elle n'a besoin que de la stabilité politique pour progresser encore plus vite.

Au Chili, la junte au pouvoir s'est embarquée dans ce que l'on a appelé « un pari audacieux... pour faire du pays un laboratoire pour l'économie du libre-échange ». Les investissements sont montés en flèche, les impôts ont été réduits, la réforme fiscale promulguée. Les détracteurs se braquent uniquement sur la répression politique au Chili, en ignorant les libertés qui sont le fruit d'une économie libre. A Cuba, il n'y a ni droits économiques ni droits politiques. Au Chili, les premiers pourraient bien être les précurseurs des seconds. Plutôt que de réclamer la perfection immédiate au Chili, nous devrions encourager les progrès qu'il fait.

Les pays des Andes ont montré qu'ils étaient capables de travailler ensemble. La richesse pétrolière du Venezuela, la diversité colombienne, le pétrole équatorien et les ressources minières du Pérou pourraient être utilisés pour apporter un nouvel espoir aux sous-privilégiés de cette région.

L'Amérique centrale et les Antilles sont des régions critiques à cause de leur situation stratégique et parce que, économiquement et militairement, ce sont les régions les plus faibles de l'hémisphère. Des gouvernements d'extrême gauche sont en place aujourd'hui à Grenade et Sainte-Lucie. Cuba a fait des efforts pour entrer dans les bonnes grâces de la Jamaïque et de Panama et il est intervenu au Nicaragua. Cela pourrait être un premier pas sur la voie menant, par le Honduras, le Salvador et le Guatemala, au seuil des vastes champs pétrolifères du Mexique, dans l'isthme de Tehuantepec. Les Soviétiques et leurs alliés pourraient bien essayer de répéter en Amérique latine la manœuvre de tenaille qu'ils ont effectuée en Afghanistan, au Sud-Yémen et en Ethiopie autour des pays pétroliers du Moyen-Orient. Comme l'ont dit Rowland Evans et Robert Novak, les « dominos d'Amérique centrale tombent ». Principale cause à ces revers : un seul homme dans une seule île — Castro à Cuba.

Si les régimes clients des Soviétiques parviennent au pouvoir en Amérique centrale, l'hémisphère occidental sera coupé en deux à hauteur de sa « taille fine ». De leur position en Amérique centrale, ces régimes menaceraient les deux plus grands producteurs de pétrole d'Amérique latine, le Venezuela et le Mexique, ainsi que le canal de Panama. Les Américains ne peuvent pas le permettre.

La doctrine Monroe doit être revitalisée et redéfinie pour contrer l'agression indirecte, qui n'était pas une menace il y a cinquante ans. Les Etats-Unis doivent bien préciser qu'ils résisteront à l'intervention en Amérique latine, non seulement de gouvernements étrangers mais aussi de gouvernements latino-américains contrôlés par une puissance étrangère. Sur dix millions de Cubains, plus de quarante mille agissent en ce moment en Afrique pour l'expansion soviétique. Cela équivaut à envoyer une armée de près d'un million d'Américains combattre à l'étranger, près de deux fois le nombre le plus élevé qu'il y ait jamais eu au Vietnam. La petite île de Cuba, sous la tutelle soviétique, est devenue une puissance impérialiste majeure. Castro a fait de Cuba une zone sinistrée. Il ne faut pas lui permettre d'imposer, avec le soutien soviétique, son économie discréditée et ses systèmes politiques à d'autres pays d'Amérique latine. De tels efforts de subversion doivent être fermement et catégoriquement réprimés, et il faut prévenir les Soviétiques comme les Cubains que toute ingérence dans les pays latino-américains provoquera beaucoup plus qu'une protestation diplomatique des Etats-Unis.

En même temps, les Etats-Unis doivent travailler avec les nations d'Amérique latine à construire leur économie, les aider à sortir leurs populations de la misère qui est encore le sort de trop de gens. Comme l'a démontré la triste incapacité de l'Alliance pour le progrès à atteindre ses buts grandioses, une « guerre à la pauvreté » en Amérique latine ne sera pas gagnée en se fiant avant tout aux programmes d'aide du gouvernement. L'appui gouvernemental est limité par les budgets ; l'investissement privé n'est limité que par les occasions. Pour attirer les investissements dont ils ont besoin, les pays d'Amérique latine devront fournir des garanties contre l'expropriation et assurer une stimulation suffisante. De leur côté, les investisseurs privés, américains ou autres, doivent venir en « développeurs » et non en exploiteurs. A mesure que les pays d'Amérique latine s'industrialisent, les marchés d'Occident doivent s'ouvrir à leurs produits. Les Etats-Unis, par leurs relations particulières avec ces pays, doivent offrir des tarifs préférentiels aux produits latino-américains.

Le développement économique fera de l'Amérique latine un objectif encore plus tentant pour l'expansionnisme soviétique. Mais, en démontrant que la libre économie engendre le progrès, les dirigeants politiques d'Amérique latine pourront considérablement renforcer leur main contre les éléments révolutionnaires gauchistes.

Dans tout ce qu'ils font, les Américains ne doivent pas oublier que la *manière* de le faire compte plus pour leurs fiers et sensibles amis latins qu'avec aucun autre peuple au monde. Il est vital de les traiter en partenaires, pas en assistés, et à mesure que progressent les géants de cette région, les Etats-Unis doivent reconnaître leur nouvelle position dans le monde. Ils doivent s'habituer non seulement à prendre au sérieux leurs voisins latins mais à traiter chaque nation individuellement, tout comme ils le font avec les nations d'Europe. Ils doivent aussi se souvenir que ce sont des peuples fiers qui n'accepteront pas de reconnaître les valeurs américaines par la force.

Le terrorisme

Si la Troisième Guerre mondiale est définie d'un côté par la marée des réfugiés, elle l'est d'un autre par la tactique du terrorisme. La première révèle le prix humain. La seconde montre le mépris inhumain des Soviétiques pour les valeurs civilisées les plus élémentaires. Depuis quelques années, les Soviétiques ont accéléré leur campagne de terrorisme, avec des effets dévastateurs.

Beaucoup de ceux qui idéalisent la révolution

préfèrent considérer le terrorisme comme un des maux de la société moderne ou comme une réaction outragée à d'intolérables conditions sociales. Mais le terrorisme « aveugle » l'est souvent moins qu'il n'y paraît. Pour les Soviétiques et leurs alliés, c'est un instrument de politique nationale bien calculé.

Une confrérie internationale de terroristes, avec l'Union soviétique à la tête du comité d'action, a permis aux Russes de s'engager, comme le dit le sénateur Henry Jackson, dans une « guerre téléguidée » à travers le monde entier. Les autres membres du club international comprennent la Corée du Nord, Cuba, le Sud-Yémen, l'Allemagne de l'Est, la Libye, et l'Organisation de libération de la Palestine. Des mécontents du monde entier reçoivent un entraînement — beaucoup à l'université Patrice-Lumumba de Moscou — aux arts de l'enlèvement, de l'assassinat, de l'attentat, du sabotage, de la fabrication de bombes et de l'insurrection ; et ils sont envoyés exercer leur métier. Leurs moniteurs s'appliquent à bien les ravitailler en armes et à leur fournir un asile quand ils en ont besoin.

Le terroriste vénézuélien connu sous le nom de « Carlos » ou du « Chacal » est un des plus célèbres diplômés de l'université Patrice-Lumumba. Le parti communiste vénézuélien a payé ses études et lui, les a mises à profit depuis pour kidnapper contre rançon onze participants à une conférence des ministres du pétrole de l'O.P.E.P. en 1975 et aussi pour assassiner de nombreux hommes d'affaires, agents de renseignements et passants innocents. Carlos est devenu célèbre mais il en existe beaucoup comme lui qui le sont moins.

L'U.R.S.S., la Libye et l'O.L.P. se sont toutes assidûment mêlées à la campagne pour renverser le Chah. La quasi-anarchie qui a suivi sa chute en Iran fournit le parfait bouillon de culture dans lequel peuvent s'épanouir en même temps le fanatisme et le terrorisme, exploités par ceux dont la politique calculée consiste à cultiver fanatisme et terrorisme. Les « étu-

diants » qui se sont emparés de l'ambassade des
Etats-Unis et des otages américains, instruits par
des experts, ont appris bien autre chose que le Coran
et les manipulations de cet exercice ont donné au
terrorisme international de nouvelles dimensions de
subtilité et d'effronterie. Ils ont aussi démontré ce
qui arrive quand nous jetons étourdiment, comme
le bébé avec l'eau du bain, l'autorité en même temps
que l'autoritarisme. Les armes ne sont pas rangées ;
elles sont reprises par la populace.

Alors même que les otages américains étaient
détenus, de l'autre côté du golfe Persique une autre
équipe de terroristes lançait une attaque méticuleusement préparée, d'une audace à couper le souffle,
contre le sanctuaire le plus sacré de tout l'Islam, la
Grande Mosquée de La Mecque. Les cinq cents participants étaient dirigés par un petit groupe, apparemment entraîné au Sud-Yémen, le comptoir soviétique
dans la péninsule arabique. Sous leur couverture de
fanatisme, leur véritable intention était politique :
la déstabilisation de l'Arabie saoudite. Les terroristes
s'inquiétaient tant de dissimuler leur origine qu'ils
ont volontairement brûlé et mutilé la figure de leurs
morts. Leurs chefs avaient été formés par des experts
aux tactiques de la guérilla qui leur permirent d'en-
treposer clandestinement d'importantes quantités de
vivres et d'armes modernes dans la Grande Mosquée,
de l'investir et de la tenir pendant deux semaines
avant d'en être finalement expulsés avec l'aide de
mille soldats de la Garde nationale ; le combat fit
plusieurs centaines de morts.

Au Nicaragua, l'offensive sandiniste fut facilitée
par ce que le chroniqueur britannique Robert Moss
appelle « une brigade communiste internationale
miniature, comprenant des "volontaires" du mouvement terroriste clandestin d'Allemagne de l'Ouest ».

Fidel Castro était mêlé à des activités terroristes
en Amérique du Sud longtemps avant d'accéder au
pouvoir à Cuba et il n'a cessé de les subventionner
depuis.

Le terrorisme a toujours joué un rôle clef dans les « guerres de libération » communistes. L'expert britannique en guerres révolutionnaires, Sir Robert Thompson, a fait observer qu'il est capital de comprendre le rapport entre la cause de la guérilla et son organisation. Dans la plupart des cas, la cause qui attire généralement les gens dans les organisations de guérilla n'est pas l'amour du communisme mais la haine des étrangers. Nombreux sont ceux qui ont rejoint les forces de Mao Tsé-toung pour lutter contre les envahisseurs japonais entre 1937 et 1945, celles de Tito pour combattre les nazis pendant la Seconde Guerre mondiale et celles d'Hô Chi Minh pour expulser les Français, entre 1946 et 1954. Les communistes n'étaient, dans tous ces cas, qu'un groupe parmi les nombreux à lutter contre les étrangers ; mais ils étaient les plus impitoyables et les plus efficaces.

Thompson note qu'une fois le but de la cause atteint, la question clef est de consacrer l'efficacité caractéristique de la guérilla. Une fois les Français, les Japonais ou les nazis partis, comment les communistes peuvent-ils rallier la population ? L'amour du communisme où la haine de dirigeants nationaux rivaux ne suffit pas ; le terrorisme est nécessaire pour maintenir la discipline de l'organisation et préserver le pouvoir des chefs. Un éminent journaliste allemand, Uwe Siemon-Netto, a récemment donné une illustration saisissante de l'emploi du terrorisme par les groupes de guérilla communistes pour réaliser leurs desseins. Après avoir accompagné un bataillon sud-vietnamien dans un village que le Viet-cong avait attaqué en 1965, il rapporta : « Pendus aux arbres et à des perches sur la place du village, il y avait le chef du village, sa femme et leurs douze enfants ; les garçons, dont un bébé, avaient les organes génitaux tranchés et enfoncés dans leur bouche, les filles, les seins coupés. » Le Viet-cong avait ordonné que toute la population du village assiste à l'exécution. « Ils ont commencé par le bébé et sont lentement passés à tous les autres enfants, à la femme et finalement au chef lui-même... Tout était accompli très froidement, comme un acte de guerre aussi normal que de tirer avec un canon anti-aérien. » Il ajouta que ce n'était pas un cas isolé : « Cela devint de la routine... Comme c'était de la routine, nous n'en parlions pas constamment. Les Américains n'ont rapporté que l'inhabituel, comme My Lai. »

Voilà comment les Nord-Vietnamiens et le Vietcong ont gagné les cœurs et les esprits de la population rurale, par des boucheries exécutées de sang-froid pour intimider ceux qui restaient.

Le terrorisme peut frapper aussi au cœur de la civilisation occidentale. Les Soviétiques ont secrètement subventionné la bande Baader-Meinhof en Allemagne fédérale. En Italie, en mars 1978, Aldo Moro, ancien premier ministre et candidat principal à la présidence, fut enlevé et ses cinq gardes du corps abattus froidement par les Brigades rouges. L'Italie fut traumatisée par sa captivité qui dura près de deux mois avant son odieux assassinat ; son cadavre fut déposé sur le siège arrière d'une voiture abandonnée en plein centre de Rome. Il y a eu plus de deux mille cent attaques terroristes en Italie en 1977 et le nombre s'est encore élevé en 1978.

Le docteur Ray Cline — ancienne personnalité de la C.I.A. aujourd'hui à l'université de Georgetown — souligne que l'actuelle vague de terrorisme international a commencé après 1969 quand le K.G.B. réussit à faire accepter l'O.L.P. par le Kremlin comme principal instrument politique au Moyen-Orient. Les Soviétiques ont alors entrepris de donner de l'élan au terrorisme de l'O.L.P. en fournissant argent, entraînement et armes, et en coordonnant les communications. Ce que les Soviétiques et leurs alliés également dépourvus de conscience ont fait, c'est créer un « système international fomenteur de troubles », qui trafique l'assassinat en gros dans des buts politiques.

Le terrorisme menace tous les gouvernements sauf ceux qui s'y livrent. Tous doivent par conséquent s'unir pour développer une tactique de réponse. Le nombre d'incidents terroristes internationaux a presque doublé entre les neuf premiers mois de 1978 et la même période de 1979 ; selon une estimation, 60 p. 100 des incidents terroristes qui se sont produits dans la dernière décennie ont eu lieu au cours des trois dernières années. Il n'est pas étonnant que cette énorme poussée du terrorisme se soit produite immédiatement après que la C.I.A. eut été désarmée et démoralisée à la suite des enquêtes à sensation du Congrès. Il est essentiel de restaurer le pouvoir de protection des services secrets, si nous voulons traiter le problème du terrorisme avant qu'il devienne insoluble. Mais essayer d'éteindre le feu une fois qu'il a été allumé ne suffit pas. Il est nécessaire d'aller au cœur du problème, d'atteindre ceux qui soutiennent le terrorisme, le principal coupable étant l'Union soviétique.

La recette de la révolution

Si elle a été impitoyable, la poussée de l'expansionnisme soviétique a rarement été téméraire. Les dirigeants soviétiques sont des agresseurs mais des agresseurs prudents. Ils effectuent la plupart de leurs manœuvres lentement et subtilement, en prenant soin de les déguiser pour ne pas tirer de son sommeil le « géant endormi » de l'Occident.

Ils essaient de frapper là où l'on s'y attend le moins, quand on s'y attend le moins et comme on s'y attend le moins. Leur méthode préférée est de provoquer le désordre et le chaos dans le pays choisi comme objectif puis d'y pénétrer et de ramasser les morceaux une fois que l'ordre établi s'est écroulé.

Ce sont des révolutionnaires professionnels et l'une des lois de leur professionnalisme est de rester hors de vue pendant que l'ancien régime est renversé, laissant les amateurs — les patriotes authentiques, les nationalistes, les idéalistes — en première ligne.

La télévision nous montre les amateurs descendant dans la rue ; elle ne révèle pas les professionnels dirigeant les coups en coulisse, préparant la capture du nouveau régime alors même qu'ils organisent le renversement de l'ancien.

Avec des slogans séducteurs conçus pour tromper, avec un encadrement réduit mais efficace de terroristes sans scrupules, avec des dirigeants cyniques prêts à promettre n'importe quoi pour l'avenir du moment qu'ils peuvent prendre le pouvoir tout de suite, les révolutionnaires professionnels plongent dans les sociétés branlantes comme un couteau chaud dans du beurre. Tandis que le chaos se répand à la suite du soulèvement, eux seuls marchent silencieusement au pas cadencé, l'œil fixé sur les arsenaux, les fichiers secrets de la police, les postes clefs du nouveau gouvernement, les syndicats qui font la loi dans les industries vitales, les journaux, les stations de radio, les emplois vacants à la direction de la police. Des positions sont gagnées, les travailleurs sont manipulés, les adversaires arrêtés, les rivaux politiques assassinés et quand tout est prêt, le coup de grâce est porté.

Voilà la recette communiste de la révolution. Elle a permis à Lénine de renverser le premier ministre modéré Alexandre Kerensky huit mois seulement après que les forces de Kerensky eurent chassé le tsar lors de la première révolution russe. Lénine lui-même résuma son cynisme foncier quand il déclara en privé : « Nous soutiendrons Kerensky comme la corde soutient le pendu. » Depuis 1917, les Soviétiques ont mis en bouteille leur produit breveté et l'ont exporté dans le monde entier.

Les Soviétiques tirent profit du chaos, de la confusion, de la peur ; ils savent que dans des situations désespérées les peuples cherchent des solutions désespérées. Le communisme propose le slogan de la « libération », la promesse de l'ordre ; il dit aux « rien du tout » qu'il en fera « quelqu'un », aux subordonnés qu'ils deviendront les maîtres. Il parle en des termes de certitude passionnée qui séduisent les gens plongés dans l'incertitude.

Les Soviétiques savent que la guerre, la révolution et la dépression économique peuvent détruire la trame d'une société et rendre plus doux le chant de la sirène communiste. Quand le peuple est en pleine panique, la tyrannie peut paraître séduisante si elle promet l'ordre. Le chaos, la guerre et la révolution sont donc les alliés naturels du communisme, tout comme la famine, la conquête et le massacre chevauchent à côté du quatrième cavalier de l'apocalypse, la mort.

Sachant cela, les Russes essaient, par n'importe quel moyen, d'exacerber les tensions, de semer le mécontentement, de fomenter les guerres et les révolutions. Ils ne veulent pas que les besoins humains soient satisfaits. Ils ne veulent pas que soient résolus les problèmes entre les nations. Ils veulent les exacerber au contraire afin de s'emparer de la nation.

Comme les Soviétiques se sont mis en position pour les exploiter, le désordre et le chaos sont aujourd'hui les plus grands ennemis de la liberté. Les irréalistes impatients de progrès desservent gravement le monde quand ils ébranlent des sociétés vulnérables par des exigences non négociables ; quelle que soit la pureté de leurs intentions, la convulsion risque d'ouvrir la porte à un régime totalitaire. Avec le recul, les Américains peuvent se demander : « Que serait-il arrivé si l'Union soviétique avait existé au temps de notre guerre d'Indépendance ? »

Les colonies américaines ont livré cette guerre pendant sept ans. Il a fallu encore six ans pour que la Constitution soit adoptée et deux de plus pour que la Déclaration des droits de l'homme y soit ajoutée. Même alors, des tensions et des iniquités persistèrent qui aboutirent finalement à une guerre civile cruelle. Les Etats-Unis ont eu le temps de résoudre leurs problèmes, protégés du monde exté-

rieur par deux océans. Les peuples aspirant aujour-
d'hui à la liberté ne bénéficient pas du même luxe.
La route sera bien plus pénible pour eux. Eux aussi
ont besoin de temps. Eux aussi ont besoin de
protection.

Le danger : la défaite par défaut

Les Russes jouent aux échecs. Aux échecs, un
joueur ordinaire a intérêt à éliminer le plus de pièces
possible appartenant à l'adversaire. Mais les maîtres
savent que la partie peut être gagnée même s'il reste
encore beaucoup de pièces sur l'échiquier. Il suffit
que le roi de l'adversaire soit immobilisé, menacé
de tous côtés et qu'il ne puisse plus bouger.

Le roi de l'échiquier occidental, c'est les Etats-
Unis. Ils sont le principal obstacle entre l'Union
soviétique et son objectif de domination du monde.
Les Soviétiques savent que jamais ils ne pourront
surpasser la production économique américaine. Ils
savent aussi qu'ils n'ont guère que la possibilité de
les écraser militairement si la garde américaine
reste baissée assez longtemps pour leur laisser prendre un avantage décisif. Mais ils sentent dans la
volonté américaine une faiblesse qui risque de
réduire la marge de sécurité offerte par les autres
forces des Etats-Unis. Les Soviétiques savent leur
table de multiplication. En examinant l'équation de
Sir Robert Thompson — la puissance nationale
égale la main-d'œuvre plus les ressources appliquées
multipliées par la volonté —, ils comprennent que
si le facteur volonté vaut zéro, toute l'équation vaut
zéro.

Comme l'a noté l'historien militaire britannique
B.H. Liddell Hart, « Lénine percevait une vérité
fondamentale quand il a dit que "la meilleure stratégie à la guerre est de remettre les opérations
jusqu'à ce que la désintégration morale de l'ennemi

rende à la fois possible et facile de porter le coup mortel". » Voilà la stratégie soviétique. Ils cherchent d'abord à nous démoraliser afin de pouvoir nous détruire. Ils veulent terminer la Troisième Guerre mondiale non par un coup d'éclat mais par un gémissement.

Ils s'y prennent de trois façons. D'abord, ils essaient de nous tromper afin de déguiser leurs intentions et de relâcher notre volonté ; ensuite, ils cherchent à nous mettre sur la défensive et à provoquer chez nous un complexe de culpabilité, même à propos de nos succès les plus spectaculaires, pour paralyser notre volonté ; enfin, ils tentent de la briser en nous accablant de menaces et de coups de bluff.

Je crois encore entendre mon vieil ami, le secrétaire général de l'O.T.A.N. Manlio Brosio qui avait été pendant cinq ans ambassadeur d'Italie à Moscou, me dire avec émotion en 1967 : « Je connais les Russes. Ce sont de grands menteurs, d'habiles tricheurs et de magnifiques acteurs. On ne peut pas leur faire confiance. Ils considèrent de leur devoir de tricher et de mentir. »

Pour l'Union soviétique, les Nations unies ne sont pas un lieu où les différends entre les nations peuvent être résolus à l'amiable ; c'est une tribune où l'on peut marquer des points de propagande, où l'Occident peut être condamné, où les geôliers peuvent parader déguisés en juges. Cette mascarade peaufinée se joue afin de tromper les autres et de nous faire douter de nous-mêmes. Au fil des années, les mots le plus absurdement détournés de leur sens peuvent, répétés assez souvent, finir par porter. Certains commencent à croire que le Kampuchea « démocratique » (Cambodge) est réellement autre chose que l'équivalent contemporain du génocide hitlérien ou que les forces de « libération du peuple » libèrent réellement les populations.

Un réfugié qui a fui le Sud-Vietnam en 1979 après y être resté pour accueillir les communistes dit qu'il a appris à la dure que les communistes considèrent le mensonge comme « une arme, une arme légitime et honnête, destinée à être employée par le faible pour vaincre le fort ». Si les Soviétiques peuvent, par leurs mensonges, faire oublier aux Américains ce qu'ils sont, les faire douter de qui ils sont, cette arme de la Troisième Guerre mondiale aura accompli son office destructeur.

Une des tactiques favorites des Soviétiques est la fanfaronnade. Alors que leur puissance était encore extrêmement inférieure à celle des U.S.A., Nikita Khrouchtchev brandissait son sabre nucléaire dans l'espoir de provoquer chez l'Occident la peur de la puissance soviétique. Les dirigeants américains de l'époque ne se laissèrent pas abuser ; ils savaient que Khrouchtchev n'avait aucune intention de commettre un suicide national mais l'opinion publique en fut extrêmement troublée.

Pendant la crise des missiles de Cuba, Khrouchtchev força sa main, Kennedy releva son bluff et le maître du Kremlin recula. Mais, depuis, l'Union soviétique a accéléré intensément son armement pendant que les Etats-Unis laissaient s'étioler leur supériorité nucléaire. Si dans l'avenir les dirigeants soviétiques sentent qu'ils ont atteint une nette supériorité nucléaire, ils chercheront de nouveau à briser la volonté américaine, mais cette fois ce sera une menace réelle.

Le plus grand danger qui nous guette dans la Troisième Guerre mondiale, c'est celui de la perdre par défaut.

En 1975, les Nord-Vietnamiens poursuivirent leur invasion du Sud sans opposition des Etats-Unis, las de la guerre ; en 1978 ils envahirent le Cambodge. En 1975 et en 1976 les Cubains ne se heurtèrent qu'à une faible réaction occidentale quand ils intervinrent en Angola ; en 1977 ils surgissent en Ethiopie. En avril 1978, le coup d'Etat pro-soviétique en Afghanistan provoque à peine un murmure des dirigeants occidentaux ; en juin le coup se répète au Sud-

72

Yémen. Et puis la veille de Noël 1979, l'Armée Rouge entre dans Kaboul pour écraser une révolte anticommuniste en Afghanistan. Les dominos ont toujours pris au sérieux la « théorie des dominos » ; c'est uniquement dans les salons à la mode d'Occident que l'on s'en moque.

Le sociologue Irving Kristol a fait observer :

« Les nations de ce monde admirent les gagnants, pas les perdants, pas même les « bons » perdants... Quand une nation démocratique... et plus particulièrement la nation démocratique dirigeante, s'engage interminablement dans des soliloques à la Hamlet sur les dilemmes moraux de l'action, le monde ira chercher ailleurs ses modèles politiques...

« Nous savons que le pouvoir peut effectivement corrompre. Nous apprenons maintenant que, dans le monde des nations tel qu'il existe, l'impuissance peut davantage encore corrompre et démoraliser. »

Dans la Troisième Guerre mondiale comme dans d'autres activités humaines, les petits problèmes négligés ont la fâcheuse habitude de s'enfler et de grossir. Le vieil adage qui veut qu'un point à temps en épargne cent est aussi vrai pour le diplomate que pour la ménagère. L'acquiescement à une manœuvre agressive en autorise une autre. Une réaction bien sentie à un niveau peut écarter le risque d'une escalade plus tard. L'élan est une puissante force chez les nations. Les dirigeants hésitants sentent basculer l'équilibre du pouvoir et le sens de l'histoire et ils accélèrent le mouvement en s'y joignant. La clef, pour gagner la Troisième Guerre mondiale, est de faire basculer cet équilibre, cet élan, dans notre direction.

III

L'HÉRITAGE HISTORIQUE

Il y a aujourd'hui sur la terre deux grands peuples qui, partis de points différents, semblent s'avancer vers le même but : ce sont les Russes et les Anglo-Américains. Tous deux ont grandi dans l'obscurité ; et tandis que les regards des hommes étaient occupés ailleurs, ils se sont placés tout à coup au premier rang des nations, et le monde a appris presque en même temps leur naissance et leur grandeur...
L'Américain lutte contre les obstacles que lui oppose la nature ; le Russe est aux prises avec les hommes. L'un combat le désert et la barbarie, l'autre la civilisation revêtue de toutes ses armes : aussi les conquêtes de l'Américain se font-elles avec le soc du laboureur, celles du Russe avec l'épée du soldat. Pour atteindre son but, le premier s'en repose sur l'intérêt personnel, et laisse agir, sans les diriger, la force et la raison des individus. Le second concentre en quelque sorte dans un homme toute la puissance de la société. L'un a pour principal moyen d'action la liberté ; l'autre, la servitude. Leur point de départ est différent, leurs voies sont diverses ; néanmoins, chacun d'eux semble appelé par un dessein secret de la Providence à tenir un jour dans ses mains les destinées de la moitié du monde.

Alexis de Tocqueville.
De la démocratie en Amérique, tome I (1835)

LE communisme est devenu la force qu'il est aujourd'hui en grande partie par accident historique, parce que le premier État dont le système prit ce nom fut la Russie. La Russie soviétique est un singulier et fascinant amalgame de passé et de présent, et un coup d'œil sur son passé est essentiel pour comprendre son présent.

Il y a cinquante ans, j'ai vu la Russie pour la première fois... par les yeux de Léon Tolstoï. Sur les conseils pressants du professeur Albert Upton de Whittier College, j'ai passé l'été entre ma troisième et ma quatrième année d'université à lire l'œuvre de Tolstoï. Cette lecture m'a laissé un sentiment de compassion, de respect et d'affection pour le peuple russe et un profond dégoût de l'impérialisme et du despotisme tsaristes.

Pendant la Seconde Guerre mondiale, je suis devenu fortement pro-russe alors que l'Union soviétique combattait à nos côtés contre Hitler. Mon attitude commença à changer en 1946, en partie parce que j'étais impressionné et troublé par l'avertissement à l'Occident que Winston Churchill avait lancé cette année-là à Fulton, Missouri, dans son discours sur le « rideau de fer ». Je pensais au début que Churchill était allé trop loin mais ces doutes furent bientôt dissipés par les activités de Staline. Quand le président Truman demanda de l'aide pour la Grèce et la Turquie et instaura le plan Marshall, je soutins vigoureusement ses deux projets au Congrès.

En 1948, l'affaire Alger Hiss me confronta aux odieuses réalités de la subversion soviétique aux Etats-Unis.

Au cours de mes voyages, comme vice-président, j'ai vu des dizaines de milliers de réfugiés du communisme dans toutes les parties du monde. En 1958, ma femme et moi avons failli être tués par une foule entraînée par les communistes à Caracas, au Venezuela.

En juillet 1959, je fus le premier vice-président des Etats-Unis à visiter l'Union soviétique. Suivant un véritable cours accéléré de deux mois, je lus des livres sur la Russie et des milliers de pages d'analyses préparées par le Département d'Etat, la C.I.A.

et le ministère de la Défense. Parmi ceux qui m'apportèrent des informations sur Nikita Khrouchtchev et les autres dirigeants soviétiques, on comptait le Premier ministre britannique Harold Macmillan, le secrétaire d'Etat John Foster Dulles, deux anciens ambassadeurs en Union soviétique, William Bullitt et Charles E. Bohlen, le journaliste Walter Lippmann, le rédacteur en chef du *New York Times* Turner Catledge et le magnat de la presse William Randolph Hearst.

Mais rien n'aurait pu me préparer à ce que je trouvai en arrivant à Moscou. Khrouchtchev était plus dur et plus rusé que ce qu'on m'avait dit. Tous les dirigeants soviétiques que je rencontrai étaient foncièrement communistes, mais parfois plus russes que communistes. Ils me montraient avec fierté ce que, d'après eux, le communisme avait accompli en Union soviétique. Mais ils se glorifiaient aussi du prestigieux passé de la Russie quand ils me faisaient visiter le Kremlin, le Palais d'Hiver de Leningrad et tous les autres vestiges d'un intérêt historique.

Khrouchtchev se montra au mieux — ou au pire — de sa forme communiste vociférante dans un débat impromptu, « cartes sur table », entre nous deux, à l'Exposition nationale américaine de Moscou. Mais aussitôt après, au déjeuner offert dans une somptueuse salle du Kremlin, il fut entièrement russe, pressant les invités de jeter leurs verres dans la cheminée après avoir bu la vodka et le champagne.

Le peuple russe m'impressionna énormément par sa force et sa chaleureuse affection. Au cœur de la Sibérie, à Novossibirsk, loin du contrôle serré du gouvernement central de Moscou, des milliers de Russes se pressèrent autour de nous en criant « *Mir y droujba*, paix et amitié ». Des enfants des écoles arrêtèrent notre voiture alors que nous traversions l'Oural et y jetèrent des fleurs, en criant « Amitié ! » Mon hôte russe me dit que le premier mot d'anglais que les enfants russes apprenaient à l'école était *friendship*, amitié. Le peuple voulait l'amitié ; les dirigeants, toutefois, ne cachaient pas qu'ils voulaient tout autre chose. Khrouchtchev déclara froidement : « Vos petits-enfants vivront sous le régime communiste. »

Après notre visite à Moscou, nous nous rendîmes en Pologne. Plus de deux cent mille Polonais en liesse nous firent un accueil tumultueux, en glapissant « *Niech zydje Ameryka*, longue vie à l'Amérique ». Les soldats polonais applaudissaient et faisaient le V de la victoire. A Moscou, Khrouchtchev avait aigrement attaqué la résolution sur les nations captives qui venait d'être votée au Congrès. Le peuple polonais démontrait vigoureusement pourquoi les maîtres du Kremlin pouvaient aussi avoir des doutes sur la loyauté des populations de l'Union soviétique elle-même.

En 1972, je devins le premier président des Etats-Unis à visiter l'Union soviétique. Leonid Brejnev était différent de Khrouchtchev. Son humour était terre à terre, celui de Khrouchtchev, vulgaire. Brejnev portait des chemises sur mesures à poignets mousquetaires alors que Khrouchtchev en préférait de plus ordinaires. Il s'asseyait à l'arrière de la limousine plutôt qu'à l'avant à côté du chauffeur comme le faisait Khrouchtchev. Il se montrait cordial, alors que son prédécesseur avait été brutal et agressif. Mais si les joueurs avaient changé, la partie restait la même. Les buts de Brejnev étaient identiques à ceux de Khrouchtchev : accroissement de la puissance soviétique, extension du contrôle soviétique, expansion du communisme dans le monde entier. Il ne souffrait pas du complexe d'infériorité évident de Khrouchtchev parce que l'Union soviétique, après son indiscutable infériorité qui avait marqué les treize dernières années, avait à peu près rattrapé les Etats-Unis en puissance militaire. Mais rattraper ne suffisait pas à Brejnev. Il voulait dépasser. Ni lui ni ses prédécesseurs n'engageaient des négociations pour rechercher la paix comme une fin en soi. Ils la recherchaient plutôt afin de pouvoir étendre la domination communiste sans guerre dans toutes les régions du monde.

Cette fois, ma femme et moi étions logés dans un somptueux appartement qui avait été jadis celui des tsars. Plus encore qu'en 1959, nos hôtes soviétiques insistaient sur la gloire de la Russie impériale plutôt que sur les réussites actuelles du communisme. En 1972 et de nouveau en 1974, quand je retournai à Moscou, je fus invité à des concerts et des ballets dans les splendeurs dorées du Bolchoï, assis avec les dirigeants soviétiques dans la loge impériale. Le président Alexis Kossyguine me confia qu'il préférait le Bolchoï au stérile auditorium ultra-moderne construit à l'intérieur du Kremlin. Les dirigeants soviétiques étaient encore des communistes fervents mais semblaient aussi devenus plus russes.

Mon point de vue a changé depuis ce temps, il y a cinquante ans, où je voyais pour la première fois la Russie par les yeux de Tolstoï et la Russie elle-même a changé depuis l'époque du grand romancier. Mais pour comprendre le défi soviétique, il faut comprendre non seulement comment la Russie a changé mais comment elle *n'a pas* changé. La solution de bien des énigmes du comportement soviétique se trouve chez les tsars. Leurs corps sont ensevelis entre les murs du Kremlin et leur esprit vit encore dans ses salles.

Par bien des côtés, la révolution qui a porté au pouvoir les communistes en Russie était moins une transformation des manières tsaristes qu'un raffinement et un renforcement de ces méthodes. La Russie a *toujours* été une puissance expansionniste. Elle a *toujours* été aussi, sauf pendant quelques mois, en 1917, un Etat autoritaire ou totalitaire. Il n'y a aucune tradition, en Union soviétique, de liberté intérieure ou de non-agression extérieure. L'expansion territoriale est aussi naturelle à la Russie que pour le lion la chasse ou pour l'ours la pêche.

Si nous nous donnons la peine de l'étudier, le passé est comme une main bien visible indiquant le sens de l'histoire. Il montre les voies sur lesquelles les nations ont été poussées par leur combinaison particulière d'intérêts, de tradition, d'ambition et d'occasions. Il montre les directions dans lesquelles l'élan des événements d'hier continue de nous pousser aujourd'hui.

Il y a sept siècles, deux grands événements eurent lieu qui décidèrent de la voie qu'allaient suivre deux civilisations. Ce sont ces voies qu'Alexis de Tocqueville a décrites il y a un siècle et demi.

En 1215, en Angleterre, des nobles révoltés forcèrent le roi Jean à signer la Grande Charte. De ce document est né le concept de la monarchie constitutionnelle et, finalement, le principe des libertés individuelles et du gouvernement démocratique et autonome qui fut introduit dans le Nouveau Monde où il s'épanouit au début et tout au long de l'histoire des Etats-Unis.

Alors que le premier pas vers la démocratie s'ébauchait en Angleterre, les petits-fils de Gengis khan déferlaient vers l'ouest à travers la vaste plaine eurasienne qui s'étend sur près de la moitié du globe, de l'est de la Sibérie à l'Atlantique et à la Manche. Les hordes mongoles furent arrêtées juste avant d'atteindre le cœur de l'Europe mais elles ravagèrent la Russie. Elles saccagèrent ses principales villes et réduisirent la civilisation russe au stade de la barbarie. Pendant près de deux cent cinquante ans, les Mongols imposèrent leur domination et imprégnèrent l'âme russe de leur marque dure, extorquant un tribut drastique — le « joug tartare » — qui maintint les Russes appauvris en servitude.

Ces deux événements, la signature de la Grande Charte et la sujétion de la Russie par les Mongols pillards, marquent le point de départ de deux développements historiques radicalement différents. L'origine de la Déclaration des droits de l'homme remonte à la Grande Charte. Celle de l'Etat policier soviétique remonte au joug tartare. Le contraste est fort bien résumé par un ancien dicton russe : « Le despotisme tempéré par l'assassinat, voilà notre Grande Charte. »

Les Mongols régnaient par la terreur, une bureaucratie complexe et une adroite manipulation des rivalités locales ; ils imposaient des taxes écrasantes. Avec ce qu'un auteur du XIXe siècle a appelé le « machiavélisme de l'esclave usurpateur », les chefs autochtones de Moscou commencèrent à adopter les techniques mongoles, assumant d'abord le rôle de collecteurs d'impôts au service de l'occupant. Progressivement, ils se rendirent maîtres de terres de plus en plus nombreuses, tout en s'inclinant obséquieusement devant les khans mongols. Finalement, après plus de deux cent cinquante ans de servitude et d'humiliation, Ivan le Grand rejeta en 1480 le joug tartare et mit fin à la domination mongole. Mais sa marque demeura. Ce même écrivain du XIXe siècle a écrit :

« Le sanglant marécage de l'esclavage mongol... forme le berceau de la Moscovie et la Russie moderne n'est qu'une métamorphose de la Moscovie... C'est dans la terrible et abjecte école de l'esclavage mongol que la Moscovie a été nourrie et élevée. Elle n'a pris des forces qu'en devenant virtuose dans l'art du servage. Même émancipée, la Moscovie continuait de jouer son rôle traditionnel de l'esclave-maître. »

Cet auteur s'appelait Karl Marx.

Même après le rejet du joug tartare, la terreur mongole continua. La frontière défendable étant le plus souvent à moins de cent cinquante kilomètres de Moscou, des vagues de cavalerie tartare déferlaient chaque année des steppes, ravageant tout sur leur passage. Elles venaient s'emparer d'esclaves. Le mot « slave », d'ailleurs, vient d'esclave.

Pour lutter contre les esclavagistes tartares, les hommes de Russie étaient mobilisés à chaque printemps pour prendre position le long de la frontière et ils y restaient jusqu'à l'automne, quand les steppes devenaient infranchissables. L'opération recommençait chaque année, pendant toute une vie. Le combat de la Russie contre les Tartares, selon l'historien Tibor Szamuely, « se rapproche plus du concept moderne de la guerre totale que tout autre conflit dans l'histoire européenne pré-xxᵉ siècle ».

L'exercice brutal du pouvoir total, la sujétion de l'individu à l'Etat, le rassemblement sans scrupules de toutes les ressources au bénéfice de l'Etat, l'idée de guerre constante et impitoyable, tout cela trouve son origine profonde dans le passé de la Russie, dans les terreurs du règne mongol et dans les amères nécessités de la lutte contre les hordes tartares.

Le désir de constante expansion aussi est de vieille tradition. Le duché de Moscovie a mis deux siècles à étendre sa domination sur ses voisins avant qu'Ivan le Grand réussisse à rejeter le joug tartare en 1480. Il fit plus que tripler l'étendue des territoires sous la domination de Moscou, de la mer Baltique à la chaîne de l'Oural.

Ce fut un autre Ivan, Ivan le Terrible, qui un siècle plus tard fut couronné le premier « tsar de toutes les Russies ». Tsar est l'équivalent russe de César ; le règne du premier marque le début de la Russie impériale.

Au xviiᵉ siècle, la Russie conquit la Sibérie. En cinquante-cinq ans, les cosaques et les chasseurs de fourrures traversèrent quatre mille kilomètres de désert et atteignirent le Pacifique vers 1640. Du nord gelé, les Russes poussèrent au sud à travers les steppes de l'Asie centrale aux XVIII° et XIX° siècles, vers la Chine, la Perse, l'Inde et l'Afghanistan. Des millions de musulmans tombèrent sous la férule des tsars tandis que les anciennes villes de Samarcande, Boukhara, Tachkent et Achkhabad sentaient pour la première fois la main étrangère d'un conquérant européen.

Mais deux continents ne suffisaient pas ; la Russie se précipita pour en occuper un troisième : l'Amérique du Nord. En 1741, le capitaine Vitus Behring, un navigateur danois au service de la Russie et qui donna son nom au détroit, commanda une expédition qui arriva en vue de l'Alaska. Des comptoirs russes s'établirent en Alaska. Jusqu'en 1867, date à laquelle les Etats-Unis l'achetèrent, l'Alaska portait le nom de Russie d'Amérique. L'autorité locale, la Compagnie Russo-Américaine, avait été fondée en 1799 et avait tous pouvoirs pour découvrir et occuper de nouveaux territoires pour la Russie. S'aventurant au sud, la compagnie établit un comptoir et construisit un fort à quatre-vingt-quinze kilomètres de l'actuel San Francisco, près de ce qui s'appelle aujourd'hui la Russian River. Heureusement, le fort fut vendu à John Sutter sept ans seulement avant que la découverte d'or sur ses terres déclenche la grande ruée en Californie. La Compagnie Russo-Américaine essaya aussi de prendre pied dans les îles Hawaii mais échoua.

Pendant ce temps, la Russie poussait son expansion dans deux autres directions. Au XIX° siècle, elle conquit le Caucase, la porte de la Perse, de la Turquie et du Moyen-Orient. Elle poussa également à l'ouest contre l'Europe, où elle se heurta à des forces beaucoup plus sophistiquées et redoutables.

Par l'étendue de son territoire la Russie écrase de sa masse les pays d'Europe, mais pendant des siècles elle s'est trouvée menacée et par moments submergée par ces puissances plus petites mais technologiquement plus avancées. La Russie fut envahie par la Pologne au XVII° siècle, par la Suède au XVIII°, par la France de Napoléon au XIXe et deux fois par l'Allemagne au XXe. Contre chaque ennemi, la Russie essuya des défaites effroyables mais elle reprit l'initiative et finit par triompher.

Tout comme la conquête tartare avait amené les dirigeants russes à adopter des techniques politiques orientales, la menace de l'Ouest les amena à s'« occidentaliser », ce qui signifia principalement l'industrialisation et la modernisation de l'armée russe.

Des architectes italiens furent engagés pour construire le Kremlin. Des ingénieurs militaires allemands ont aidé Ivan IV le Terrible à capturer la ville tartare de Kazan en faisant sauter ses remparts, ouvrant ainsi la voie à la conquête de la Sibérie. Mais ce fut Pierre le Grand, tsar de 1694 à 1725, qui systématisa l'importation des techniques modernes de l'Occident et fit de la Russie une puissance moderne, sur un niveau d'égalité avec les pays d'Europe. Selon l'historien russe Vassily Klioutchevsky, Pierre Ier voulait « la technique occidentale, par la civilisation occidentale » ; les techniques de manufacture, particulièrement des armes, pas les méthodes gouvernementales. « Pendant quelques vingtaines d'années seulement, nous aurons besoin de l'Europe, disait Pierre le Grand. Ensuite, nous serons capables de lui tourner le dos. »

Il n'employait pas son « occidentalisation » pour éclairer le peuple mais pour défendre les intérêts de ses dirigeants. Les tsars à qui l'on a donné le titre de « grand », en Russie, ne l'ont pas gagné par leur bienveillance, mais par leurs conquêtes militaires. Pierre Ier ne faisait pas exception. Après avoir obtenu ce qu'il voulait de l'Occident, il guerroya contre la Suède, la Turquie et la Perse pendant vingt-huit années consécutives, dès l'âge de vingt-quatre ans, et ne s'arrêta qu'un an avant sa mort. Il fut acclamé pour avoir vaincu la Suède dans la Grande Guerre du Nord. Cependant, son plus grand succès ne fut pas de conquérir lui-même les territoires, mais d'en faciliter la conquête à ses successeurs. Certains l'ont appelé « le plus grand industrialisateur avant Staline ». C'était son génie : il souda l'industrie occidentale à l'expansionnisme russe. Après son règne, l'armée russe fut capable d'assaillir l'Occident avec succès.

Le « grand » suivant, Catherine II, qui régna de 1762 à 1796, asservit les Tartares de Crimée et assura à la Russie une place permanente sur la mer Noire. C'est un des ministres de Catherine la Grande qui lança l'avertissement classique : « Ce qui cesse de croître commence à pourrir. » Elle partagea trois fois la Pologne avec la Prusse et l'Autriche jusqu'à ce qu'il n'en reste plus rien en 1795. L'avance russe vers l'Europe centrale avait commencé.

Ensuite, la Russie profita du chaos provoqué par les guerres de Napoléon pour s'emparer de la Finlande. Les armées russes poussèrent profondément en Europe centrale, étendant les frontières de la Russie jusqu'à trois cents kilomètres de Berlin. Quand la poussière retomba, la Russie était la puissance militaire prépondérante du continent.

Vers le milieu du xixᵉ siècle, l'implacable expansion de la Russie attira sinistrement l'attention d'un correspondant en Europe du *New York Tribune* qui ne se doutait guère que le futur expansionnisme russe se poursuivrait en son nom : Karl Marx. Le 14 juin 1853, Marx écrivit un article pour le *Tribune* dans lequel il faisait observer que depuis soixante ans à peine la frontière russe avait avancé de 1 120 kilomètres vers Berlin, Dresde et Vienne, de 800 vers Constantinople, de 1 000 vers Stockholm et de 1 600 vers Téhéran. L'allure était implacable. Elle ne s'arrêta pas avec les tsars.

Ce que l'on appelle aujourd'hui l'Union des Républiques socialistes soviétiques est le produit de sept siècles de conquêtes, d'abord par les princes de Moscovie qui investirent ce qui devint la Russie, puis par les tsars et leurs successeurs du XXᵉ siècle à mesure qu'ils étendaient l'empire russe. Quinze « Républiques socialistes soviétiques » composent l'U.R.S.S. ; quatorze sont essentiellement des nations distinctes conquises par la quinzième, la Russie.

Le général russe qui conquit le Turkestan et s'empara de Tachkent, le général Skobelev, résuma brièvement la théorie russe de la conquête : « En Asie, le maître est celui qui saisit impitoyablement les peuples à la gorge. » Voilà comment, non par un congrès continental ou une convention constitutionnelle, ont été formées en « union » ce que l'on appelle aujourd'hui des « républiques socialistes ».

L'Amérique est composée de nombreuses nationalités : les émigrants y sont venus de leur plein gré. Des *nations* entières ont été absorbées par l'empire russe et y sont gardées par la force. Nous avons des Arméniens et des Lituaniens ; l'U.R.S.S. a l'Arménie et la Lituanie.

A part l'ouverture de la Sibérie, il ne s'agissait pas là d'établissements dans des territoires déserts, pas plus que d'une extension de la domination coloniale sur des peuples primitifs. Il s'agissait de conquêtes, de l'assujettissement de nations anciennes à la culture hautement développée, à l'identité distincte, à la longue histoire. Ce fut par ce procédé que se créa l'empire territorial le plus vaste de son temps. Des méthodes impériales étaient nécessaires pour l'acquérir et le gouverner. Elles venaient tout naturellement aux héritiers des Mongols, souverains d'une immense terre dure où le servage était la règle, où la liberté était inconnue et où l'on n'avait jamais entendu parler des « droits de l'homme ».

La tradition tsariste est celle d'un règne brutal, autocrate. Seul un Etat très puissant pouvait organiser la conquête de tant de nations et préserver ensuite la règle impériale russe pour les dominer.

La servitude du peuple était le prix des conquêtes de l'Etat. La conquête militaire était le premier impératif ; la plus grande gloire des maîtres était la raison d'être des asservis. Le peuple était une ressource à utiliser comme toutes les autres ressources du système étatique. En somme, le peuple devenait la propriété de l'Etat et était employé selon ses desseins.

Le premier « tsar de toutes les Russie », Ivan IV le Terrible, fut aussi le premier à faire de la terreur une politique ; on peut lui reconnaître les origines de la police secrète tsariste et du K.G.B. d'aujourd'hui. Ivan IV employait sa propre police secrète privée pour éliminer les rivaux du pouvoir, en particulier ceux de la noblesse russe. Cruellement mais efficacement, il s'assurait que jamais ils ne limiteraient son autorité par une Grande Charte russe.

Ivan IV attaqua Novgorod, une de ses propres villes, et mit à mort des milliers de ses sujets par des moyens aussi variés et singuliers que « le pal, en les faisant écorcher vifs, bouillir, rôtir à la broche, frire dans des poêles gigantesques, par l'éviscération et, plus miséricordieusement, la noyade ». Pendant un certain temps, il plaça carrément la moitié de la Russie sous le contrôle direct de sa police secrète, établissant, tout à fait littéralement, un Etat policier sous sa direction personnelle — méthode qui eut plus tard la faveur de Staline. Staline admirait Ivan le Terrible et il s'attacha à le faire réhabiliter dans les livres d'histoire soviétiques.

Pierre Ier le Grand, passé à la postérité comme modernisateur pour ses ouvertures à l'Ouest, était chez lui un des souverains les plus despotiques. Il se décrivait lui-même comme « un monarque absolu qui n'a à répondre de ses actes devant personne au monde ». C'est lui qui institua le système honni du passeport intérieur, rendant illégal le déplacement sans autorisation des gens dans leur propre pays.

A notre siècle, Joseph Staline a personnifié l'héritage tsariste de la Russie. La dynastie qu'il représentait était un parti, non une famille, mais comme les « grands » tsars qui l'avaient précédé il étendit la domination de la Russie sur de vastes territoires nouveaux. Des pays qui s'étaient libérés de l'empire russe à la suite des révolutions russes furent reconquis par Staline. En 1940, il reprit les Etats baltes, la Lettonie, la Lituanie et l'Estonie, arracha à la Roumanie la Bessarabie et la Boukovine du Nord. A la fin de la Seconde Guerre mondiale, il fit main basse sur la Pologne, tout entière cette fois, ainsi que sur une partie de l'Allemagne. La Hongrie, la Tchécoslovaquie, la Bulgarie et la Roumanie tombèrent toutes pour la première fois sous le joug russe.

Comme Ivan IV le Terrible, Staline créa sa propre police secrète et employa la terreur comme instrument de base de sa politique. Comme Pierre Ier, il sut apprécier la valeur de la technologie occidentale pour forcer une machine de guerre moderne. Comme Pierre aussi, il cimenta son pouvoir sur le peuple au moyen du système du passeport intérieur.

Staline ne sera jamais surnommé « le Grand » ou « le Terrible » mais le peuple d'Union soviétique a sa façon ironique de noter la continuité entre le passé tsariste et le présent communiste. La meilleure formule revient sans doute à un jeune garçon russe qui a dit à un visiteur américain : « Vous avez Jésus-Christ super-star, nous avons Lénine super-tsar. »

La Russie rencontre la Chine

Si l'affrontement russe avec l'Occident plonge profondément ses racines dans le passé, son conflit avec la Chine aussi. Cela remonte au milieu du XVIIe siècle, quand l'expansionnisme russe rencontra la puissance de l'empire chinois. Les Chinois et les Russes livrèrent leur première bataille en 1652. Ironiquement ou prophétiquement, elle se déroula à l'embouchure de ce même Oussouri qui allait être le site de violents incidents de frontière trois siècles plus tard, en 1969, alors que j'avais été élu président. C'est à la table de négociation que les Chinois gagnèrent cette première épreuve de force, donnant par la même occasion aux Russes une bonne leçon sur l'intérêt de négocier en position de force.

Après trente-cinq ans de guerre intermittente, les deux camps se mirent finalement d'accord pour entamer les pourparlers de paix. Les Russes envoyèrent un bataillon de négociateurs, composé de deux mille soldats, diplomates et serviteurs, vers la lointaine frontière. Mais les Chinois, étant bien plus près, arrivèrent à quinze mille. Quand les pourparlers s'embourbèrent, les délégués chinois sortirent de l'impasse en menaçant d'attaquer leurs homologues russes. Face à des forces supérieures, les Russes cédèrent et se retirèrent des territoires disputés, laissant les Chinois en paix pour les cent cinquante ans suivants.

Mais vers le milieu du XIXe siècle, la Chine s'était affaiblie. Les Russes s'emparèrent d'énormes portions de territoire chinois, près d'un million sept cent mille kilomètres carrés, plus que l'Espagne, la France, l'Italie, la Suisse et l'Allemagne réunies. En 1860, le traité de Pékin leur donna droit sans contestation à un port de mer dans leur nouveau territoire, qu'ils appelèrent Vladivostok, ce qui veut dire « Règne de l'Orient ». Le principal conseiller de l'empereur de Chine pour les affaires étrangères l'avertit que « la Russie, avec son territoire contigu au nôtre, visant à grignoter notre territoire comme un ver à soie, peut être considérée comme une menace à notre sein ». A la fin du siècle, le ministre russe des Finances reconnut cette opinion en déclarant : « L'absorption par la Russie d'une considérable portion de l'empire chinois n'est qu'une question de temps. » A la veille de la révolution russe, Sun Yat-sen, le père de la Chine moderne, estima que la zone d'influence russe dans son pays couvrait 42 p. 100 de son territoire.

Après la révolution russe, les Chinois considérèrent avec espoir le nouveau régime communiste qui répudiait l'expansionnisme des tsars et promettait de traiter toutes les nations avec un respect nouveau. En 1919, le jeune Etat soviétique publia la Déclaration de Karakhan : elle « renonçait aux conquêtes du gouvernement tsariste qui avaient privé la Chine de la Mandchourie et d'autres régions », promettait d'annuler tous les traités inégaux signés par les tsars et faisait serment de « rendre au peuple chinois tout ce qui lui avait été pris par le gouvernement tsariste ». La Chine exulta mais bientôt les commissaires soviétiques montrèrent qu'ils n'étaient pas plus généreux que les tsars de Russie.

En 1921, les empiètements de la Russie sur la Chine reprirent d'une façon qui annonçait son invasion et la satellisation de l'Afghanistan en 1979. Les Russes soutinrent quelques Mongols qui formèrent un parti révolutionnaire du peuple mongol, proclamèrent un gouvernement provisoire révolutionnaire et appelèrent Moscou à l'aide. L'Armée rouge arriva au pas cadencé et la Mongolie, qui faisait partie de la Chine depuis des siècles, devint le premier satellite soviétique. La Déclaration de Karakhan fut reniée. En 1929, l'Union soviétique et la Chine livrèrent en Mandchourie une guerre non déclarée qui fit cent mille morts du côté chinois. Plus à l'ouest, la province chinoise du Sinkiang devint, selon un observateur, « virtuellement une colonie soviétique » dans les années 1930.

La brève période d'amitié entre la Chine et la Russie se situe dans les années cinquante ; elle fut l'exception plus que la règle. Tout au long des siècles leurs relations ont été marquées par la rivalité, l'hostilité et la volonté russe d'expansion territoriale.

L'histoire, en abattant ses cartes, nous indique non seulement les orientations que nous avons prises mais aussi ce qui aurait pu être, si à des moments décisifs ceux qui détenaient le pouvoir de changer quelque chose avaient employé ce pouvoir différemment.

L'échec le plus coûteux de l'histoire, nous l'avons subi en n'empêchant pas Lénine de prendre le pouvoir en Russie en 1917. Cet échec fut autant une tragédie pour le peuple russe que pour le reste du monde. Longtemps avant que le dernier tsar soit renversé, les forces du changement libéral étaient puissamment à l'œuvre et la Russie commençait à absorber de l'Occident plus que la technologie militaire. Si le processus n'avait pas été interrompu et détourné, la Russie aurait pu, comme le Japon, devenir une partie libre et prospère du monde occidental.

Au début du XIXe siècle, les idéaux de la Révolution française pénétrèrent en Russie alors que l'armée de Napoléon marchait sur Moscou et que l'armée russe la poursuivait à son tour et la renvoyait à Paris. Les idées occidentales agitèrent l'âme russe, apportant un épanouissement de la culture et une ère de lumières à ce pays jusque-là morne. Une libération de l'esprit se produisit, aboutissant à des réussites remarquables en science, en littérature, dans les arts et l'industrie. Pouchkine, Dostoïevski, Tolstoï, Tchékhov prirent place parmi les grands écrivains du monde. Un étudiant de cette époque écrivit que « la Russie muette depuis longtemps avait trouvé sa voix » et « soudain, à pleine gorge, elle stupéfiait le monde ».

En politique, des changements d'une grande portée commencèrent à introduire une ère nouvelle. Alexandre II, le tsar libérateur, abolit le servage en 1861. La censure s'assouplit, les procès avec jurés furent institués, des gouvernements autonomes et représentatifs au niveau local commencèrent à être mis en place. Le service militaire fut réduit de vingt-cinq ans — autant dire une condamnation à vie — à six. Les germes d'une nouvelle société étaient plantés en Russie. Les premières pousses du printemps annonçant un ordre nouveau commencèrent à apparaître mais, tragiquement, elles furent bientôt déracinées.

Les premières bouffées de liberté sont les plus exaltantes... et les plus enivrantes. Alors que la libéralisation naissait en Russie, la révolution aussi. A côté de ceux qui voulaient construire une nouvelle société, il y avait ceux qui ne songeaient qu'à détruire l'ancienne. Dans la foulée, les révolutionnaires détruisirent aussi la nouvelle encore en bourgeon.

En 1881, Alexandre II fut assassiné par un groupe s'appelant lui-même Narodnaïa Volya, la Volonté du Peuple. Puis en 1887 plusieurs jeunes dissidents complotèrent pour assassiner le nouveau tsar. Ils furent découverts et l'un d'eux s'avança noblement à leur procès pour tenter d'assumer à lui seul la responsabilité. Il avait vingt et un ans et s'appelait Alexandre Oulianov. Son courage impressionna et on lui conseilla de demander sa grâce au tsar. Alexandre refusa et fut pendu ; sa famille fut soumise à l'opprobre et repoussée par la société libérale de l'époque. Alexandre Oulianov avait un frère de seize ans que ces événements marquèrent et qui fut surtout frappé par l'ostracisme soudain dont sa famille était victime de la part de la société respectable. Ce jeune frère s'appelait Vladimir, Vladimir Oulianov. Des années plus tard, il prit un autre nom : Lénine.

L'expérience, écrit Bertram Wolfe, creusa « un fossé infranchissable entre [Lénine] et le régime qui avait pris la vie de son frère. Et elle lui inocula un profond mépris pour la « société libérale » qui avait abandonné la famille Oulianov dans son malheur ». Quand Lénine arriva au pouvoir, tous les gains impressionnants que les forces de libéralisation avaient obtenus dans les derniers jours du tsarisme — un parlement, la réforme agraire et un grand développement de la propriété terrienne individuelle, les fondations économique et politique d'une nouvelle société — furent balayés.

Les Bolcheviques de Lénine abandonnèrent ce que la Russie avait de mieux et adoptèrent ce qu'elle avait de pire. La libéralisation russe, sa nouvelle démocratie fragile, sa nouvelle culture brillante, sa volonté d'apprendre du reste du monde, tout fut jeté par-dessus bord. Les dirigeants communistes en revinrent au terrorisme d'Ivan le Terrible, au despotisme de Pierre le Grand, à l'expansionnisme forcené de Catherine la Grande pour créer leur nouvelle société. Ils déracinèrent tous les changements libéraux qui avaient pris racine au cours du siècle entre l'invasion de Napoléon et la Première Guerre mondiale, ramenant le peuple russe de cent ans ou plus en arrière.

Le peintre espagnol Goya a dit un jour : « Le rêve de raison produit des monstres. » Ainsi en est-il du rêve marxiste. Les monstres qu'il a produits ont fait des choses que les anciens tsars n'auraient jamais rêvé de faire, et les techniques qu'ils ont adoptées ont été copiées par tous les partis communistes à accéder depuis au pouvoir.

Les nouveaux tsars

Les souffrances qu'a subies le peuple russe sous la domination communiste sont stupéfiantes. Citant un document officiel publié en 1920 par la Tchéka, l'ancêtre du K.G.B. actuel, Alexandre Soljenitsyne estime que les communistes exécutèrent plus de 1 000 personnes par mois en 1918-1919, avant l'arrivée au pouvoir de Staline. Vingt ans plus tard, à l'apogée de la terreur en 1937 et 1938, Staline exécutait

40 000 personnes par mois, plus de 1 000 par jour pendant deux ans entiers. Robert Conquest, un expert renommé, estime que les exécutions au cours des cinquante premières années du régime soviétique — sous Lénine, Staline, Khrouchtchev et Brejnev — « ont été au moins cinquante fois plus nombreuses que pendant le dernier demi-siècle du règne des tsars ».

Ces chiffres ne racontent qu'une partie de l'histoire. Il y a eu beaucoup plus de morts dans les camps de travail forcé, qui détenaient une moyenne de 8 millions de personnes sous le règne de Staline et entre 12 et 15 millions après la Seconde Guerre mondiale. De plus, pendant la famine artificiellement créée en Ukraine au début des années 1930, il y aurait eu entre 3 et 5 millions de morts, sinon plus. Pendant que des millions de Russes mouraient de faim, les dirigeants communistes expédiaient du blé à l'étranger pour payer leurs échanges industriels avec l'Occident.

Dans un récit personnel, un ancien officiel du Parti communiste raconte qu'il est entré dans un village où les gens faisaient cuire du crottin de cheval et de l'herbe pour survivre, où l'écorce avait été arrachée des arbres pour se nourrir, où tous les chiens, les chats, les oiseaux et les souris des champs avaient été mangés. Dans ce village, il trouva une fabrique gouvernementale de beurre où le lait était stocké pour que du beurre estampillé « Beurre d'exportation U.R.S.S. » puisse être expédié à l'étranger. Toujours dans cette petite ville, le responsable soviétique découvrit une grange de « réserves d'Etat » bourrée des centaines de quintaux de blé de la moisson de l'année précédente, tout cela dans un village où des chariots passaient chaque matin ramasser les morts.

Un homme qui avait entendu V.M. Molotov, plus tard ministre des Affaires étrangères de Staline, expliquer les raisons du programme de « collectivisation » qui avait créé la famine, se souvenait :

« Le camarade Molotov a réuni les activistes et il a parlé simplement, nettement. Le travail devait être fait, peu importait le nombre de vies qu'il coûterait, nous a-t-il dit. Tant qu'il y aura des millions de petits propriétaires terriens dans le pays, affirma-t-il, la révolution sera en danger. Il y aurait toujours le risque qu'en cas de guerre ils passent dans le camp de l'ennemi afin de défendre leurs biens. »

Pendant les années trente, 70 p. 100 des officiers supérieurs de l'armée russe furent exécutés. Personne n'était à l'abri de la terreur stalinienne, pas même aux plus hauts niveaux du Parti ; sur les cent trente-neuf membres que comptait le Comité central en 1934, quatre-vingt-dix-huit furent tués par la suite. Après la Seconde Guerre mondiale, des millions d'anciens prisonniers de guerre furent directement envoyés dans des camps de travail forcé parce qu'ils avaient connu l'Occident. Staline, l'étudiant de l'histoire russe, ne prenait pas de risques inutiles. Il savait que ses deux plus grandes ennemies étaient celles contre lesquelles les tsars avaient lutté — les armées occidentales et les idées occidentales — et il était aussi résolu à défendre son territoire contre les premières qu'à vaincre les secondes. Selon des estimations modérées, il aurait tué vingt millions de Russes, et la tuerie n'a ni commencé ni fini avec lui.

En plus de la destruction infligée par ses dirigeants communistes, le peuple russe a aussi subi deux grandes invasions allemandes au XXe siècle. Au cours de la Première Guerre mondiale, les Russes ont perdu la moitié de leurs hommes sous les drapeaux : 1 650 000 tués, 3 850 000 blessés et 2 410 000 prisonniers. Au cours de la Seconde Guerre mondiale, la moitié fut de nouveau perdue ; cette fois, 5 000 000 d'hommes furent tués et 11 500 000 blessés. Le total des morts russes pendant cette dernière grande guerre est estimé à vingt millions.

Les combats sur le front de l'Est pendant la Première Guerre mondiale et de nouveau pendant la Seconde furent cataclysmiques. Winston Churchill écrivit de la Première Guerre :

« Par son échelle, par ses massacres, par les efforts des combattants, par son kaléidoscope militaire, [la lutte sur le Front oriental] surpasse de loin en ampleur et en intensité tous les épisodes humains similaires... Ici toute l'Europe centrale s'est mise en pièces et a expiré dans la douleur, pour se relever, méconnaissable... »

En guerre comme en paix, le massacre impitoyable a été omniprésent dans l'aventure russe. Ensemble, la faculté d'endurer le massacre et la faculté d'endurer la souffrance peuvent rendre une nation à la fois ambitieuse et redoutable. Le marquis de Custine visita la Russie dans les années 1830 et remarqua : « Une ambition démesurée, sans bornes, le genre d'ambition qui ne peut prendre racine que dans l'âme d'un peuple opprimé et ne se nourrir que de la misère d'une nation entière anime le cœur des Russes... Pour se laver de son sacrifice impie de toute liberté publique et personnelle, l'esclave agenouillé rêve de domination mondiale. » Et il alla jusqu'à prophétiser : « Le peuple russe deviendra sûrement incapable de toute autre chose que la conquête du monde. Je reviens toujours à cette expression, parce qu'elle est la seule qui puisse expliquer les sacrifices excessifs imposés ici à l'individu par la société. »

Dans son livre *Ideology and Power in Soviet politics*, Zbigniew Brzezinski écrit :

« Les affirmations triomphantes selon lesquelles les dirigeants soviétiques abandonnèrent leur marxisme ou leur communisme, exprimées par l'Occident avec tant de régularité monotone et d'ignorance persistante, pourraient sans doute être plus facilement repoussées si l'habituelle image d'un dogme marxiste abstrait et aride faisait place à une meilleure appréciation du lien inextricablement étroit entre l'environnement social soviétique et l'idéologie soviétique. C'est précisément parce que l'idéologie est à la fois un ensemble de présomptions et de desseins conscients et une partie des antécédents historique, social et personnel des dirigeants soviétiques qu'elle est si envahissante et si importante. »

Ce qui menace le monde, ce n'est pas le « communisme » théorique ni le « marxisme » philosophique, mais plutôt une force totalitaire agressive, expansionniste, qui a adopté ces mots pour désigner une ferveur idéologique qu'elle a greffée sur les racines de l'expansionnisme et du despotisme tsaristes. Karl Marx est mort en 1883, trente-quatre ans avant que le « marxisme » devienne la religion officielle de l'Etat russe. Les auteurs du *Manifeste du parti communiste* n'ont jamais vu leur enseignement « interprété » en une rationalisation de la conquête soviétique ; Marx et Engels n'avaient pas la moindre idée que le drapeau rouge flotterait sur le Kremlin ni que les armées de l'empire russe marcheraient au combat sous ses couleurs.

Les doctrines de Marx sont aux régimes communistes d'aujourd'hui ce que le christianisme était aux souverains séculaires du Saint-Empire romain germanique : commode comme bannière mais inutilisable comme guide. Marx ne reconnaîtrait pas le « marxisme » d'aujourd'hui mais Ivan le Terrible ou Pierre le Grand s'y trouveraient tout à fait à leur aise. Et ce fut de la forteresse du Kremlin de Lénine et Staline, non du grenier londonien de Karl Marx, que le communisme se répandit dans le monde. Les partis communistes étroitement contrôlés d'autres nations répondaient au Staline vivant, pas au fantôme de Marx ; ils servaient les intérêts de l'empire soviétique du xxᵉ siècle, pas les enseignements d'un philosophe allemand du xixᵉ.

Si l'héritage spirituel du communisme actuel vient moins de Marx que des tsars, le revers de cette médaille est que le nouvel empire russe diffère de l'ancien par l'intense zèle missionnaire, la ferveur idéologique du marxisme réinterprété par Lénine et ses héritiers. Cela rationalise la tyrannie, fournit une bannière sous laquelle rallier les désespérés et les mécontents.

La ferveur idéologique, le cadre dans lequel les dirigeants soviétiques approchent le monde, fournit un raisonnement historique, une dialectique, qui est un mandat de changement. Selon celui-ci, la « stabilité » ou la « normalisation » des relations est une contradiction. Il s'allie à un régime politique totalitaire pour rendre obligatoire la « marche en avant » du socialisme ; pour que le socialisme réussisse, pour qu'il soit compatible avec la sécurité du Parti communiste soviétique, il doit être avancé et contrôlé par le Kremlin. Tout cela tend vers une préoccupation de changements dans le monde.

Le communisme a créé une nouvelle alliance entre l'impérialisme russe et les mouvements « révolutionnaires » du monde entier. Il déguise le despotisme au moyen du langage de l'idéalisme de gauche, séduisant ainsi les idéalistes. La bannière de la révolution donne au despotisme un nouveau semblant de légitimité, et le despotisme fournit au mouvement « révolutionnaire » des armes, de l'argent, l'accueil dans un club international et un complet arsenal de techniques modernes de conquête et de domination.

Après 1917, les techniques de la police secrète tsariste furent reprises par les révolutionnaires communistes et une entité infiniment plus puissante fut créée, le K.G.B. La tradition russe du militarisme se souda aux techniques communistes de subversion et l'union produisit un nouveau danger pour les Etats souverains : des partis communistes sans scrupules contrôlés par Moscou. La peur russe traditionnelle de l'invasion redoubla quand le monde entier devint automatiquement l'ennemi idéologique de Moscou. Finalement, les habitudes russes d'expansion et de conquête s'animèrent d'une vie nouvelle quand Moscou proclama que le devoir sacré de la Russie marxiste était de libérer le monde capitaliste « condamné ». L'impérialisme tsariste fusionna avec la révolution communiste et une nouvelle force terrifiante fit son entrée sur la scène du monde : les « révolutionnaires impérialistes. »

Lénine gouverna l'Union soviétique pendant six ans à peine, avant sa mort en janvier 1924 ; Staline régna pendant plus d'un quart de siècle avant de mourir en mars 1953. Lénine pava la voie mais Staline institua le règne de fer. Staline massacra les petits propriétaires terriens, collectivisa les fermes, organisa la police secrète, ordonna les purges des années trente et répandit la terreur de l'archipel du Goulag.

Les dirigeants post-staliniens ont modéré certaines des anciennes brutalités, introduit quelques libertés individuelles — qui ne seraient pas reconnues comme des libertés en Occident mais qui par contraste avec ce qui précédait constituent une amélioration — et sont devenus une force dans le monde plus polie, plus sophistiquée, parfois plus courtoise. Mais la structure du pouvoir demeure. La dictature absolue demeure. L'Etat totalitaire demeure, parce que c'est l'essence même du néotsarisme sur lequel est fondée toute l'autorité de l'Etat soviétique. L'inexorable poussée vers l'expansion demeure. Les dirigeants soviétiques possèdent une machine militaire dépassant les rêves des tsars et ils ont étendu leur pouvoir au-delà des plus lointains confins de l'ambition tsariste.

La Russie rencontre l'Amérique

Au début du XXe siècle, l'implacable poussée vers l'extérieur de l'expansion russe fut bloquée, principalement, par cinq grandes puissances. Les portes étaient gardées par l'Allemagne et l'Autriche-Hongrie en Europe, par l'Empire ottoman au sud, par le Japon en Extrême-Orient. Dans tout le cœur de l'Asie, en Perse, en Afghanistan, en Inde, au Tibet et ailleurs, les Britanniques jouaient à ce que Kipling appelait le « Grand Jeu » avec la Russie, en renforçant les puissances locales pour qu'elles puissent résister aux Russes, montant eux-mêmes sur la brèche quand c'était nécessaire. Ces puissances réussirent à restreindre le géant russe toujours agité ; il demeura grâce à elles une puissance continentale et non mondiale, n'étendant sa domination aux extrémités du continent eurasien que vers ses marches rébarbatives du nord et de l'est.

La Première et la Seconde Guerre mondiale détruisirent l'ordre du monde européen. Elles portèrent les communistes au pouvoir en Russie et en Chine. Elles anéantirent les cinq grandes puissances contraignantes qui avaient gardé la Russie enfermée. Elles catapultèrent les Etats-Unis au cœur de la politique mondiale avant qu'ils soient prêts.

Pour les Etats-Unis, le XXe siècle a signifié la fin de l'innocence. Pour l'Europe, ce fut la fin de l'empire. Pour les peuples de Russie, de Chine et plus de douze autres nations, ce furent les horreurs de la domination communiste. Pour les dirigeants de l'Union soviétique cela a signifié la fin de la contrainte des grandes puissances qui avaient jusque-là jugulé l'expansionnisme russe.

La Première Guerre mondiale abattit l'Allemagne et réduisit son empire. L'Autriche-Hongrie fut démantelée et disparut de la carte. L'Empire ottoman se désintégra. La Grande-Bretagne et la France, vainqueurs pour ce qui est de la forme, furent gravement affaiblies.

Ce que la Première Guerre mondiale avait commencé, la Seconde le compléta. Comme me l'a dit Charles de Gaulle en 1969, « dans la Seconde Guerre mondiale toutes les nations d'Europe ont perdu, deux ont été vaincues ». L'Allemagne fut partagée, le Japon désarmé et la Grande-Bretagne tellement affaiblie que la dissolution de son empire commença presque immédiatement. En trente ans, les puissances qui avaient réprimé la Russie au XIXe siècle se trouvaient estropiées ou rayées de la carte du monde.

Les Américains y prêtèrent peu d'attention. Fidèles à leur passé isolationniste et à l'idéalisme naïf caractérisant leur approche des affaires du monde, ils abordèrent la Seconde Guerre mondiale comme si c'était un match sportif sans autre but que la victoire. Churchill et Staline, par contraste, avaient conscience des changements cataclysmiques qui se produisaient et avaient moins l'œil sur la tâche militaire immédiate que sur les séquelles politiques. Du côté occidental, Churchill était débordé. Staline put déferler en Europe orientale et mettre ses armées en position pour entamer les nouvelles conquêtes qui suivraient la défaite de l'Allemagne nazie. Les États-Unis ne tardèrent pas à payer leur négligence. Après avoir failli à leur devoir de bloquer l'expansionnisme soviétique pendant la guerre, ils durent faire des efforts désespérés pour se rattraper ensuite, alors que beaucoup de territoires avaient déjà été perdus.

En Grèce et en Turquie, où la puissance de l'Empire ottoman et ensuite de la Grande-Bretagne avait précédemment freiné la Russie, un vide du pouvoir se créa en 1947 que les Soviétiques furent avides de combler. Les États-Unis durent riposter par la doctrine Truman. En Europe, à la place de l'Allemagne, de l'Autriche-Hongrie et des autres grandes puissances européennes, c'était le chaos. Les Américains ont imaginé le plan Marshall et l'O.T.A.N. pour remplacer les anciennes puissances contraignantes. En Extrême-Orient, ils rendirent au Japon son rôle de rempart en arrêtant l'invasion de la Corée en 1950, d'accord avec l'O.N.U.

Finalement, avec la retraite mondiale de l'empire par la Grande-Bretagne, la France et les autres puissances européennes, l'Amérique reprit beaucoup de leurs anciennes obligations dans le Moyen-Orient, dans le Sud et le Sud-Est asiatique, en Afrique et dans le golfe Persique. En même temps, elle continuait de jouer son rôle protecteur traditionnel en Amérique latine. Les Etats-Unis étaient devenus le gyroscope du monde, maintenant à eux seuls l'équilibre des forces tout autour du globe, assumant les responsabilités que cinq grands empires avaient précédemment endossées, tant pour contenir la Russie que pour maintenir l'ordre mondial.

Ce fardeau sans précédent n'aurait pas été facile à porter même si les Etats-Unis avaient été bien préparés à assumer leurs nouvelles responsabilités. Dans l'état des choses, les Américains connaissaient mal les nombreuses subtilités à doser en traitant avec les divers peuples du monde, et ils n'étaient pas accoutumés à la puissance sur une échelle mondiale. La fin de l'innocence a été longue, confuse, et parfois difficile pour eux.

En dépit de toute la vigueur de leur esprit de frontière et des durs obstacles à surmonter pour dompter un continent, d'un point de vue international les Etats-Unis avaient grandi dans un environnement protégé. En sa qualité de première démocratie du monde, l'Amérique s'épanouissait dans la foi que, selon un observateur, « les Etats-Unis ne devaient pas être seulement un exemple de démocratie à l'intérieur du pays, mais aussi sur la scène internationale.

Les Etats-Unis devaient rejeter volontairement la politique du pouvoir, impropre à la conduite de leur politique étrangère ».

Abritée par près de cinq mille kilomètres d'océan des guerres et des intrigues d'Europe, l'Amérique put fort bien éviter de s'empêtrer dans ces alliances dénoncées par Washington. Pendant que les nations européennes rivalisaient entre elles pour établir leur domination sur les vastes étendues de l'Asie et de l'Afrique, les Etats-Unis — à de rares exceptions, par exemple, lorsqu'ils prirent les Philippines à l'Espagne comme butin de guerre — consacraient leurs efforts à relier leurs côtes de l'Atlantique et du Pacifique et à développer le territoire entre elles.

Le résultat fut une puissance continentale animée d'un état d'esprit continental, insulaire même. Par un contraste frappant la Grande-Bretagne, de sa petite « île sceptrée » au large de l'Europe, avait au temps de sa gloire régné sur plus d'un cinquième de la masse territoriale du monde et plus d'un quart de sa population. Pour les Britanniques et leurs rivaux dans la course coloniale, l'empire était une source de pouvoir. C'était aussi une conséquence du pouvoir, une raison de pouvoir et une arène pour l'exercice du pouvoir et ils se familiarisèrent tout naturellement avec ses usages.

Des générations d'hommes d'Etat britanniques ont appris à penser naturellement, automatiquement, en termes mondiaux. Ce qui se passait à l'autre bout du monde était une nouvelle en Grande-Bretagne parce que cela touchait la Grande-Bretagne. Pour l'esprit britannique, l'empire n'était pas une « exploitation », mais une destinée. La Grande-Bretagne se trouvait à la tête d'une Europe qui était, comme l'a dit l'historien Hajo Holborn, « le centre de l'économie mondiale en expansion ainsi que le cœur et le cerveau de la civilisation occidentale, que l'on croyait destinée à transformer toutes les autres civilisations à son image ». Victoria régnait, Britannia régnait et si des soldats mouraient sur des champs poussiéreux lointains, les Britanniques voyaient en cela le prix du progrès mais aussi de la paix. Ceux qui administraient l'empire cherchaient à brider les anciennes rivalités et à freiner les guerres tribales, souvent avec un succès considérable. Et la Grande-Bretagne elle-même faisait porter son poids tantôt d'un côté, tantôt de l'autre, pour maintenir un équilibre du pouvoir en Europe et assurer ainsi la paix.

Les Américains, en revanche, considéraient l'intervention dans les affaires — et les guerres — de l'Europe comme une aberration, un fardeau à ne porter que le temps nécessaire et à rejeter ensuite pour revenir à leur isolement habituel dans l'hémisphère occidental.

Le vieux diplomate Charles E. Bohlen écrivit :

« Quand je suis entré dans la carrière le 1er mars 1929, les Etats-Unis avaient eu une position aussi sûre, aussi abritée et facile que n'importe quelle grande nation à la surface du globe. Nous avions des voisins au nord et au sud qui ne constituaient aucune menace concevable. Nous étions protégés par deux larges océans, ce qui en ce temps signifiait qu'aucune nation étrangère ne pouvait nous atteindre. Au sud, nous avions l'Amérique latine, avec qui nous entretenions des relations dans l'ensemble amicales et même protectrices. Mais, plus important, de vastes régions du monde étaient aux mains des deux démocraties qui avaient été les alliées des Etats-Unis dans la Première Guerre mondiale, à savoir l'Angleterre et la France... A la fin des années 1920, nous étions totalement protégés et nous nous comportions en conséquence. »

A cette époque, le budget militaire total de la nation était de moins d'un milliard de dollars et celui du Département d'Etat, c'est-à-dire des Affaires étrangères, de moins de quatorze millions.

Dans les années 1930, l'isolationnisme américain

était tel qu'en 1938 la Chambre des Représentants fut à vingt et une voix d'adopter l'amendement Ludlow, qui aurait exigé un référendum national avant qu'une guerre puisse être déclarée. Un sondage Roper a révélé en septembre 1939 que seulement 2,5 p. 100 d'Américains étaient en faveur d'une quelconque forme d'intervention dans la guerre en Europe. En octobre 1940, faisant campagne pour sa réélection à un troisième mandat de président, Franklin Roosevelt a provoqué des ovations en déclarant : vos garçons ne vont pas être envoyés dans une guerre étrangère. »

Pendant la Seconde Guerre mondiale, la naïveté dont témoignait l'Amérique dans son analyse du monde d'après-guerre fut résumée par le secrétaire d'Etat Cordell Hull déclarant au Congrès qu'avec la création des Nations unies « il n'y aura plus désormais besoin de zones d'influence, d'alliances, d'équilibre des forces ou d'aucune autre des alliances séparées au moyen desquelles, dans le triste passé, les nations ont cherché à sauvegarder leur sécurité ou à promouvoir leurs intérêts ».

La Seconde Guerre mondiale a radicalement changé la situation du monde sans profondément modifier l'attitude de la plupart des Américains. Après la guerre, seule l'Amérique restait pour diriger mais les Américains avaient peu de goût pour le leadership. C'était difficile. C'était un fardeau. Cela exigeait des sacrifices.

Le leadership mondial exige aussi quelque chose qui, par bien des côtés, est étranger à l'état d'esprit américain. Il exige que l'on fixe des limites à l'idéalisme, qu'on use de compromis avec la réalité, que l'on réponde parfois à la duplicité par la duplicité, à la brutalité par la brutalité. Après avoir pendant un siècle et demi réussi à tenir le monde à distance, évité toute contamination en refusant le contact avec ses intrigues et ses tyrannies, cela exigeait de s'avancer sur le terrain et de jouer au jeu de la diplomatie du pouvoir comme à un sport de contact, sans se soucier des joueurs de l'équipe adverse. Et cela exigeait de le faire même quand les règles du jeu étaient celles que nous n'aurions jamais choisies.

Moraliser est toujours plus facile à l'arrière qu'au front et nombreux sont ceux qui ont l'habitude d'attribuer leur bonne fortune à leur propre vertu. Ayant grandi sous la protection de deux océans, l'Amérique pouvait toiser avec dédain les conflits de l'Europe tout en chérissant l'illusion que sa propre sécurité venait en quelque sorte de son système démocratique. En fait, les Etats-Unis étaient dans leur jeunesse un des principaux bénéficiaires de la British Navy. Tant que la Grande-Bretagne régnait sur les mers, l'« île continent » ne risquait rien.

Les leçons du leadership mondial ont été dures. Dans les premiers temps, les Américains pouvaient considérer avec une fascination curieuse les manières étrangères de la lointaine Russie. Maintenant ils doivent affronter la puissance massée de l'Union soviétique. Dans les premiers temps, ils pouvaient être fiers de leur tradition démocratique, en sécurité dans leur isolationnisme. Maintenant ils doivent défendre cette tradition, non seulement pour eux-mêmes mais encore pour tous les autres qui partagent cette tradition. Dans sa prescience, Tocqueville a défini le défi, la gageure. Mais les Américains doivent fournir la riposte, la solution. Des deux nations, chacune « appelée par un dessein secret de la Providence à tenir un jour dans ses mains les destinées de la moitié du monde », laquelle l'emportera ?

IV

LA JUGULAIRE DU PETROLE

> Aucun bras de mer n'a été ou n'est d'un plus grand intérêt autant pour le géologue que l'archéologue, l'historien que le géographe, le négociant que le stratège, que cette mer intérieure appelée golfe Persique.
>
> Sir Arnold Wilson.

> La région au sud de Batoum et de Bakou dans la direction générale du golfe Persique [est...] le centre des aspirations de l'Union soviétique.
>
> Vyatcheslav M. Molotov,
> *ministre soviétique des Affaires étrangères*

LES événements du golfe Persique démontrent spectaculairement comment, dans des lieux qui jusqu'à ces derniers temps semblaient lointains et exotiques, peuvent soudain éclater des crises d'une gravité considérable ; comment nous pouvons nous réveiller un beau matin et découvrir qu'une région, naguère célébrée surtout dans de romanesques fantasmes, tient maintenant le sort du monde entre ses mains ou, plus précisément, dans ses sables.

L'histoire du golfe Persique remonte à des millénaires, au premier éveil de la civilisation occidentale. Les relations complexes, souvent tendues et parfois amères entre ses diverses cultures et religions franchissent les siècles pour former le présent. Mais son importance stratégique actuelle s'appuie sur deux facteurs : sa situation et son pétrole.

La puissance militaire et économique dépend aujourd'hui du pétrole. Cette vérité élémentaire fait du golfe Persique l'œil de la tempête en ces dernières décennies du XXᵉ siècle. Si l'Union soviétique obtient le pouvoir de fermer les robinets du pétrole au Moyen-Orient, elle gagnera le pouvoir de mettre à genoux la plus grande partie de l'Occident industrialisé. Pour y arriver, il n'est pas nécessaire que les Soviétiques s'emparent réellement des nations du golfe Persique comme ils se sont emparés de l'Afghanistan. Leur but peut tout aussi bien être atteint par des pressions externes ou des soulèvements internes qui aboutissent à priver l'Occident des ressources de ces pays.

Les Soviétiques en ont conscience depuis longtemps. Le physicien soviétique dissident Andréi Sakharov se souvient d'une conférence faite au Kremlin en 1955 par une haute personnalité soviétique, qui expliquait que le but à long terme de la politique soviétique au Moyen-Orient était « d'exploiter le nationalisme arabe afin de créer des difficultés aux pays européens pour leurs fournitures de pétrole et par conséquent gagner de l'influence sur eux ». Cela se passait dix-huit ans avant l'embargo sur le pétrole de 1973.

Au cours du XXIᵉ siècle des sources d'énergie nucléaire, solaire, géothermique ou autres seront peut-être suffisamment développées pour subvenir à la plupart des besoins du monde. Mais pour le moment nous vivons à l'ère du pétrole. Dans les prochaines décennies, la région du golfe Persique va prendre une prodigieuse importance stratégique. Cela signifie qu'une des régions du monde les plus troublées, les plus instables, les plus menacées est aussi l'une des plus vitales.

A l'ère industrielle, l'énergie est le sang du système économique et la puissance économique est la fondation de la puissance militaire. La Grande-

Bretagne a été la première grande puissance industrielle et au XIXᵉ siècle elle est devenue la première puissance politique et militaire du monde. Elle a pris une longueur d'avance sur le monde parce qu'elle est une île pratiquement faite de charbon et parce que le charbon était le moteur de la révolution industrielle.

Alors que l'ère du charbon cédait la place à celle du pétrole, la Grande-Bretagne, la première super-puissance mondiale du charbon, a cédé la place aux Etats-Unis, la première super-puissance mondiale du pétrole. Le premier puits de pétrole du monde fut creusé en 1859 à Titusville, en Pennsylvanie. La Standard Oil Trust de John D. Rockefeller était l'O.P.E.P. de son époque et les Etats-Unis le plus grand exportateur de pétrole du monde.

Le pétrole a fait naître l'automobile. Depuis, il a ausssi rendu possibles les avions, les bateaux, les chars et les camions de la guerre du XXᵉ siècle ; l'accès aux sources de pétrole est devenu une nécessité militaire. Pendant la Première Guerre mondiale, Georges Clemenceau a déclaré que « le pétrole est aussi nécessaire que le sang ». Le maréchal Foch a averti : « Il nous faut du pétrole sinon nous perdrons la guerre. » Lord Curzon a proclamé plus tard : « Les Alliés ont flotté vers la victoire sur une vague de pétrole. » Dans les premières semaines de la guerre, le maréchal Joffre a gagné la bataille de la Marne en dépêchant sur le front des renforts convoyés dans des taxis réquisitionnés à Paris.

Pendant la Seconde Guerre mondiale, alors que le général George Patton traversait la France comme un éclair, des spécialistes texans des pipelines suivaient dans le sillage de ses chars, posant des tuyaux à raison de quatre-vingts kilomètres par jour. Un des principaux avantages stratégiques des puissances alliées, pendant cette guerre, c'était qu'elles contrôlaient 86 p. 100 du pétrole mondial.

Le pétrole après la Seconde Guerre mondiale

Les canons de la Seconde Guerre mondiale s'étaient à peine tus que Staline entreprenait sa première poussée vers le golfe Persique. Après leur occupation du nord de l'Iran, pendant la guerre, les Soviétiques refusèrent sans vergogne de retirer leurs troupes, créèrent une République « autonome » d'Azerbaïdjan et une République populaire kurde sous leur contrôle, puis exigèrent la création d'une « compagnie mutuelle » pour exploiter les réserves de pétrole du nord de l'Iran, avec 51 p. 100 des actions aux mains de l'U.R.S.S.

Harry Truman, président des Etats-Unis à l'époque, écrivit plus tard :

« L'Union soviétique a persisté dans son occupation jusqu'à ce que je veille personnellement à ce que Staline soit informé que j'avais donné l'ordre à nos chefs militaires de se préparer au mouvement de nos forces de terre, d'air et de mer. Staline a fait alors ce que je savais qu'il ferait. Il a retiré ses troupes. »

La menace suivante des Soviétiques sur le golfe Persique, le « centre des aspirations de l'Union soviétique », se précisa dans la Méditerranée orientale, en Grèce et en Turquie, où la Grande-Bretagne revenait sur ses engagements étrangers.

Encore une fois le président Truman réagit, se présentant à une session des deux Chambres du Congrès pour réclamer l'aide américaine pour les deux pays. La doctrine Truman était née ; la puissance américaine chercherait à refréner la puissance soviétique dans la Méditerranée orientale. Quand vint l'été 1948 la Sixième Unité de Choc, avant-courrière de la Sixième Flotte U.S. — la flotte américaine en Méditerranée — avait été formée et des avions américains ne tardèrent pas à utiliser des bases en Libye, en Turquie et en Arabie Saoudite. Une présence militaire américaine s'était établie dans le Moyen-Orient.

Dans ces années d'après-guerre désespérées et décisives, le pétrole devint, selon un observateur, « le lien entre la doctrine Truman pour le Moyen-Orient et le plan Marshall pour l'Europe ». Pour une Europe luttant pour reconstruire ses industries, le pétrole était crucial et c'était celui du Moyen-Orient. En 1948, le ministre américain de la Défense James Forrestal envoya une note au président Truman déclarant : « Sans le pétrole du Moyen-Orient le programme de reconstruction de l'Europe a très peu de chances de réussir. »

Le passage de l'Europe de son propre charbon au pétrole importé, comme principale source d'énergie, changea spectaculairement la structure géopolitique du monde. Le Moyen-Orient avait longtemps été le carrefour où se rencontraient l'Asie, l'Afrique et l'Europe. A présent, son pétrole est le sang de l'industrie moderne, la région du golfe Persique est le cœur qui le pompe et les voies maritimes autour du Golfe sont la jugulaire par laquelle passe ce sang vital.

Le Japon compte sur ce que le chroniqueur James Reston a appelé un « pont de pétroliers, un tous les cent milles, en provenance du Golfe, chaque jour de l'année ». Le Golfe fournit 70 p. 100 des besoins pétroliers du Japon ainsi que ceux de la moitié de l'Europe.

Les Etats-Unis dépendent de plus en plus du pétrole comme source d'énergie et de plus en plus des importations. Le pétrole fournit aujourd'hui 50 p. 100 de leur énergie et alors qu'ils dépendaient des importations pour un tiers de leur pétrole en 1973, ils doivent maintenant en importer la moitié. De plus, le Canada était un de leurs principaux fournisseurs en 1973 ; cinq ans plus tard, l'Organisation des pays exportateurs de pétrole — l'O.P.E.P. — fournit plus de 80 p. 100 des importations des

Etats-Unis. Naguère le principal fournisseur de pétrole du monde, les Etats-Unis, est devenu le plus gros client de l'O.P.E.P. en achetant un cinquième de son pétrole.

Plus que jamais, savoir qui contrôle quoi dans le golfe Persique et au Moyen-Orient est la clef qui permet de savoir qui contrôle quoi dans le monde.

Il y a longtemps que les Britanniques l'avaient pressenti. Dans les premières années de la décennie 1950, ils ont essayé de convaincre les Etats-Unis que les problèmes du Golfe étaient « hautement stratégiques et politiques, pas simplement économiques ». Les Britanniques étaient plus vulnérables que les Américains, ils avaient donc besoin de comprendre plus clairement ces problèmes ; mais ils étaient aussi plus expérimentés, surtout dans le Golfe, et pouvaient par conséquent les voir plus nettement.

Alors que la plus grande partie du monde ne commença à prendre en considération les petits émirats du Golfe qu'après l'embargo arabe sur le pétrole de 1973, les dirigeants britanniques s'intéressaient aux moindres détails de leurs affaires depuis cent cinquante ans.

Les Britanniques s'installèrent pour la première fois dans le Golfe au début du XIXᵉ siècle pour empêcher les pirates de compromettre leur négoce. Depuis lors, jusqu'au début des années 1970, la puissance militaire britannique a maintenu l'ordre, fourni sa protection et réglé les disputes dans les divers émirats jalonnant les côtes du golfe Persique.

Dans tout le Golfe et autour de la péninsule arabique, la Grande-Bretagne régnait en maître. A Aden, Oman, au Qatar, à Bahrein, au Koweit et dans les Emirats arabes unis, un groupe de petites seigneuries jadis appelées la côte des Pirates, les Britanniques étaient le lien entre les émirs et le reste du monde. Ils accomplissaient leur tâche avec tact, consciencieusement et sans mollesse. En 1934, au cours d'une campagne pour sauvegarder leur port d'Aden, ils eurent recours à la flatterie, à la corruption et à des épreuves de force bien calculées pour conclure pas moins de mille quatre cents « traités de paix » avec les divers chefs dans l'arrière-pays de ce qui est aujourd'hui le Sud-Yémen. Ce fut sous le parapluie de la protection britannique que les grandes compagnies multinationales commencèrent à explorer la région à la recherche de pétrole.

La Grande-Bretagne contrôlait non seulement le golfe Persique, mais aussi ses accès de toutes les régions de l'océan Indien, de Singapour, de la Malaisie, de la Birmanie, de l'Inde, de Ceylan, d'Aden, de Suez, du Kenya, d'Afrique du Sud, d'Australie, de Diego Garcia et des autres îles de l'océan Indien, toutes possessions britanniques à un moment ou un autre. Le golfe Persique et l'océan Indien qui y conduisait étaient tous deux des « lacs britanniques ».

La Grande-Bretagne a maintenu sa présence dans le Golfe jusqu'en 1971. Mais par phases successives elle se dégagea de sa responsabilité « à l'est de Suez » après que la Seconde Guerre mondiale eut créé une suite de vacances de pouvoir promptement comblée par des nationalistes antibritanniques aiguillonnés par les Soviétiques.

L'Iran : prélude aux ennuis

On eut un avant-goût des troubles en Iran en 1951, quand Mohammed Mossadegh fit adopter par la législature iranienne une mesure nationalisant la Compagnie anglo-iranienne des pétroles et devint lui-même premier ministre. Sous l'anti-occidental et extrêmement émotionnel Mossadegh, l'Iran sombra dans le chaos. La production pétrolière cessa presque entièrement. Les plans de développement économique furent sabrés. La réforme agraire, précédemment commencée par le Chah, stagna. Le mécontentement se répandit, le parti Toudeh communiste s'épanouit et l'Iran menaça de tomber dans l'orbite soviétique.

En 1953, Mossadegh tenta de renverser le Chah. La C.I.A. et d'autres services secrets alliés apportèrent discrètement leur aide au général Fazollah Zahedi dans sa tentative, réussie, de renverser Mossadegh. Mossadegh fut expulsé et le Chah raffermi sur son trône ; dès lors, il prit personnellement le contrôle des affaires de l'Iran. Bien plus tard — pendant ma présidence — le fils du général Zahedi, Ardeshir, devint ambassadeur d'Iran à Washington.

L'Iran revenu dans le camp pro-occidental, il était possible d'unir les pays de la « protection nord », la Turquie, l'Irak, l'Iran et le Pakistan, par une alliance militaire avec la Grande-Bretagne appelée le Pacte de Bagdad, et plus tard la Central Treaty Organization (C.E.N.T.O.). Cela bloqua efficacement les poussées directes de la Russie vers le golfe Persique.

La crise de Suez

Le coup de semonce suivant vint d'Egypte. Le président Gamal Abdel Nasser, un nationaliste charismatique à tendance de gauche, déclencha une fureur mondiale en nationalisant le canal de Suez en 1956.

Il y avait beaucoup plus en jeu dans la prise de Suez que les intérêts économiques des actionnaires du canal. Le canal avait fonctionné en association au profit de toutes les nations. Les Européens en dépendaient tant pour leur commerce vital que pour le transport de 70 p. 100 de leur pétrole. Ils ne croyaient guère que ses opérations seraient en sécurité entre les mains de l'inconstant Nasser. Israël ne tarda pas à frapper en franchissant la frontière égyptienne et la France et la

Grande-Bretagne agirent immédiatement, avec des forces de terre, de mer et de l'air pour s'emparer du canal. Du point de vue américain, ils n'auraient pu choisir plus mal leur moment. Les forces britanniques et françaises débarquèrent juste au moment où les Etats-Unis condamnaient l'Union soviétique pour sa brutale répression de la révolution hongroise, et à la veille d'une élection présidentielle où le slogan d'Eisenhower était « paix et prospérité ». Avec le mouvement anticolonialiste qui prenait de la vigueur et les Soviétiques menaçant d'intervenir, les Etats-Unis, plutôt que de rejoindre leurs alliés, firent lourdement pression sur eux et les forcèrent à se retirer.

Il n'y eut pas que le canal de perdu. Cette humiliante défaite de Suez eut un effet dévastateur sur la bonne volonté de la France et de la Grande-Bretagne à jouer un rôle majeur non seulement au Moyen-Orient mais dans d'autres régions du monde. L'action américaine, au lieu de gagner l'amitié de Nasser, provoqua son mépris et accrut son hostilité envers Israël, d'autres pays arabes et même les Etats-Unis. Bien des années après, Eisenhower allait reconnaître que la réserve américaine à l'égard de la Grande-Bretagne, de la France et d'Israël alors qu'ils cherchaient à protéger leurs intérêts à Suez, avait été une tragique erreur.

Excités par la crise de Suez, des ouvriers gauchistes mirent le feu à de nombreux puits et pipelines du Koweit. Une action rapide et dure des forces de sécurité du Koweit prévint de plus sérieux dégâts ; cent bombes à retardement, déposées pour faire sauter les pipelines de l'émirat, furent découvertes. Certains de ces gauchistes étaient palestiniens. La crise iranienne, Suez et la conflagration au Koweit avaient montré au monde qu'au Moyen-Orient pétrole et politique peuvent former un mélange explosif.

La découverte de plusieurs autres gisements vers la fin des années cinquante fit de nouveau paraître la source sûre. Il devint si abondant qu'en 1960 Exxon baissa le prix à payer aux pays producteurs de quatorze *cents* le baril, une somme qui paraît aujourd'hui infime, mais qui avait de l'importance alors. Les pays producteurs de pétrole s'affolèrent. Cinq d'entre eux s'allièrent pour former une organisation qui attira fort peu l'attention à l'époque mais qui a fait beaucoup de bruit depuis : l'Organisation des pays producteurs de pétrole.

Dans ses premières années, l'O.P.E.P. ne parvint qu'à un impact mineur sur les prix. Au moment de la guerre arabo-israélienne des Six Jours, en 1967, les membres arabes de l'O.P.E.P. déclarèrent leur premier embargo contre l'Occident. Il s'effondra rapidement, toutefois, quand les producteurs non arabes, menés par l'Iran et le Venezuela, comblèrent la brèche ; ceux qui avaient tenté l'embargo s'aperçurent qu'ils s'étaient fait plus de tort qu'à n'importe qui d'autre.

Mais des changements se produisaient et la balance ne tarda pas à basculer.

En 1967, la production pétrolière réunie de l'Iran, de l'Irak, du Koweit et de l'Arabie Saoudite — devenus les quatre principaux producteurs de l'O.P.E.P. — excéda pour la première fois celle des Etats-Unis. En 1970, la production pétrolière américaine atteignit son point culminant, 11 300 000 barils par jour, et commença ensuite à baisser. L'Europe et le Japon augmentaient rapidement leurs importations et la consommation augmentait aussi aux Etats-Unis. Le marché des acheteurs devenait un marché de vendeurs et les vendeurs se faisaient plus retors.

Un brandon enflammé de vingt-sept ans nommé Muammal al-Kadhafi s'empara du pouvoir en Libye, en 1969, et commença à faire pression là-bas sur les petites sociétés pétrolières. Il obtint d'un producteur qu'il rompe les rangs et annonça une hausse de trente *cents* par baril. Le génie était sorti de la bouteille. Les autres producteurs libyens se mirent bientôt au pas puis les autres membres de l'O.P.E.P. imitèrent la hausse de Kadhafi et firent encore monter les enjeux. Un « saute-mouton » des prix commençait entre la Libye et les pays du golfe Persique.

De la Seconde Guerre mondiale à 1970, le prix du pétrole était resté assez constant, ne montant en vingt-cinq ans que d'environ 1,45 dollar le baril à 1,80 dollar. En 1971, les principaux producteurs payaient 3,30 dollars pour un pétrole libyen de haute qualité. Les nations de l'O.P.E.P. apprenaient à se servir de leurs muscles et l'exercice les enchantait.

L'embargo arabe sur le pétrole de 1973

A l'automne de 1973, l'Occident reçut une leçon stupéfiante, spectaculaire et extrêmement douloureuse sur les nouvelles réalités de l'âge du pétrole. Dans le contexte d'une reprise des combats israélo-arabes, les producteurs arabes du Moyen-Orient déclarèrent un boycott sélectif contre les pays consommateurs, y compris les Etats-Unis. Et l'O.P.E.P., sentant sa force, quadrupla le prix du pétrole. Le baril qui se vendait 3 dollars en septembre passa à 5,12 dollars en octobre et à 11,65 en décembre ; ce même pétrole s'était vendu 1,80 dollar trois ans plus tôt. Du jour au lendemain, la structure économique du monde était sens dessus dessous.

Il fut démontré à l'évidence que les économies de l'Europe occidentale et du Japon pouvaient être ravagées presque aussi totalement par une suppression du pétrole que par une attaque nucléaire. Il devint péniblement évident que les pays consommateurs dépendaient maintenant tellement de l'O.P.E.P. — et les gouvernements de l'O.P.E.P. avaient pris une position si autoritaire dans les décisions pétrolières — qu'à court terme au moins l'Occident était virtuellement sans défense, face aux exigences que ces gouvernements pourraient avoir le caprice de formuler. Le contrôle du pétrole du Moyen-Orient était passé des multinationales aux pays hôtes et la façon de gouverner ou la retenue des dirigeants arabes devenait soudain la clef de la survie de l'Occident.

Les compagnies pétrolières ni les gouvernements occidentaux ne pouvaient plus dicter leurs conditions aux pays de l'O.P.E.P. Tout ce que les nations occidentales pouvaient faire, au mieux, était d'essayer de persuader les pays producteurs que leurs propres intérêts à long terme étaient liés à ceux de l'Occident ; que si leurs actes détruisaient l'économie occidentale, ou détruisaient le dollar, ou affaiblissaient tellement l'Occident qu'il ne pourrait plus protéger leurs intérêts comme les siens, alors ces actes seraient finalement suicidaires.

Certains dirigeants de l'O.P.E.P. virent la logique de ce raisonnement et surent retenir leurs collègues de prendre des mesures qui auraient pu autrement être encore plus radicales. Mais l'Occident avait découvert son talon d'Achille. Le pétrole, tellement bon marché à la production et d'un usage si divers, avait remplacé si largement d'autres sources d'énergie que les économies industrielles en dépendaient ; et maintenant les sources du pétrole n'étaient plus assurées.

Lors de la crise immédiate de l'embargo de 1973, alors que les usines s'éteignaient en Europe, alors que les files d'attente s'allongeaient aux stations-service d'Amérique, alors que les prix montaient en flèche dans le monde entier, la plupart des gens perçurent principalement le problème économique. Il était sérieux, mais c'était bien loin d'être le seul. Les problèmes stratégiques et politiques auxquels les Britanniques avaient fait allusion vingt ans auparavant devenaient subitement aveuglants.

Les nations du golfe Persique voyaient croître leur puissance — et leurs immenses richesses — mais elles étaient aussi plus vulnérables. Le retrait britannique de l'« est de Suez » avait été annoncé en 1968 et achevé en 1971. Quand la Grande-Bretagne avait déclaré qu'elle ne pourrait plus servir de soutien à la Grèce et à la Turquie, Truman avait comblé la brèche laissée en Méditerranée orientale avec la puissance américaine afin d'en écarter les Soviétiques. Maintenant, ce récent départ menaçait de laisser un nouveau vide que les Soviétiques ne seraient que trop empressés de combler si on leur en donnait l'occasion. En fait, dans les deux mois suivant l'annonce de la Grande-Bretagne, en janvier 1968, de son intention de se retirer, l'U.R.S.S. commença à introduire sa puissance navale dans la région : une flottille soviétique est en poste permanent dans l'océan Indien depuis mars 1968.

Malheureusement, au même moment, les vociférations contre la guerre au Vietnam inspiraient de graves doutes sur la volonté du peuple américain de supporter un nouvel engagement majeur des Etats-Unis dans un lointain creuset de troubles comme le golfe Persique.

Plutôt que de remplacer la présence britannique par une présence américaine directe, les Etats-Unis choisirent de compter sur les puissances locales, principalement l'Iran et l'Arabie Saoudite, pour fournir la sécurité au Golfe, en les aidant par des fournitures d'armes et autre matériel. La « politique des deux piliers » fonctionna relativement bien jusqu'à ce qu'un des piliers — l'Iran — s'écroule en 1979.

En plus de la menace représentée par leur présence navale, les Soviétiques ont convergé ces dernières années en un audacieux mouvement de tenaille sur le Golfe. Ils effectuent deux vastes manœuvres de flanc, essayant de se rapprocher pour le coup de grâce et de couper la jugulaire du pétrole de l'Occident.

Le premier mouvement de tenaille vint à travers l'Afrique, par la Corne, jusque dans la péninsule arabique. Il débuta en Angola, où les Soviétiques avaient fait venir plus de quinze mille Cubains afin d'y installer le régime de leur choix. Il se poursuivit en Ethiopie où près de vingt mille Cubains débarquèrent, cette fois juste en face de l'Arabie Saoudite de l'autre côté de l'étroite mer Rouge. En 1978, le mouvement de tenaille déferla dans la péninsule arabique elle-même tandis qu'un groupe prosoviétique du Sud-Yémen, naguère colonie britannique d'Aden, éliminait ses adversaires et déclenchait peu après une guerre contre le Nord-Yémen, source d'une grande partie de la main-d'œuvre d'Arabie Saoudite et l'un de ses principaux soucis de sécurité nationale. A la fin de 1979, des groupes terroristes, dont certains armés et entraînés au Sud-Yémen, frappèrent en Arabie elle-même en s'emparant du sanctuaire le plus sacré de l'Islam, la Grande Mosquée de La Mecque, dans un effort apparent de saper le régime saoudien.

Ne rencontrant pas d'opposition dans leur avance en tourbillon à travers l'Afrique et sur les rives de la péninsule arabique, les Soviétiques mirent en marche un second mouvement de tenaille à partir du nord. En 1978, un groupe prosoviétique prit le pouvoir en Afghanistan et accepta avidement les offres d'aides de Moscou. Alors, entre les pinces, le Chah fut chassé du trône d'Iran. Dans les derniers jours de 1979, le Chah parti, le Pakistan en pleine agitation et repoussé par les Etats-Unis, les Soviétiques firent pénétrer sans vergogne l'Armée rouge en Afghanistan, amenant les avions et les blindés russes à portée de tir facile de l'étoite entrée du golfe Persique.

Henry Kissinger remarqua à la fin de 1978 que « l'on ne peut pas considérer ce qui est arrivé en Afghanistan, à Aden, en Ethiopie et en Angola ni relier d'un trait ces divers pays sans parvenir à certaines conclusions géopolitiques ». Une ligne tracée à travers ces pays passe directement par l'Arabie Saoudite, l'Iran, les Emirats arabes unis et le détroit d'Ormuz, le goulet étranglé stratégique par lequel passent 40 p. 100 du pétrole du monde libre, vingt millions de barils par jour, huit cent mille barils à l'heure. Comme un lion traquant sa proie, les Soviétiques s'approchent de la leur. En 1979, la Lloyd's de Londres annonça que les armateurs envoyant des pétroliers par le détroit auraient besoin d'une assurance spéciale pour zone de guerre.

La chute du Chah fut un événement aussi stupéfiant que menaçant pour les autres monarques du Golfe ainsi que pour les pays de l'Occident industrialisé. Après le départ des Britanniques en 1971, l'Iran avait pris leur place en tant que force militaire, garantissant la stabilité dans le golfe Persique. A la veille du retrait britannique, les forces iraniennes occupèrent les îles stratégiquement situées d'Abou-Moussa et de Toumbs, dominant le détroit d'Ormuz. En 1973, le Chah envoya des troupes iraniennes dans la province de Dhofar en Oman, où des guérilleros marxistes ravitaillés par le Sud-Yémen voisin menaçaient le régime du sultan d'Oman. Le Chah fit commencer les travaux sur une base navale, à Tchah Bahar, dans le Balouchistan iranien, pour garder l'entrée du détroit d'Ormuz.

Non seulement, il avait refusé de participer aux embargos arabes sur le pétrole de 1967 et de 1973, mais le Chah avait continué de reconnaître Israël, de fournir du pétrole pour la flotte américaine de la Méditerranée et empêché l'Irak de jouer un rôle significatif dans la guerre du Kippour en portant ses troupes sur la frontière irako-iranienne et en aidant discrètement les rebelles kurdes, clouant ainsi sur place l'armée irakienne. Pendant cette guerre, son pays fut le seul de la région à interdire son survol par les Soviétiques ; il dépêcha aussi de toute urgence du pétrole à un transport de troupes américaines dans l'océan Indien pour lui permettre de rester en opération. Quand les Américains avaient demandé à leurs alliés d'envoyer des armes au Sud-Vietnam, avant que les accords de Paris l'interdisent, le Chah se dépouilla de ses F-5 pour leur rendre service.

Le Chah avait assez de muscle pour protéger les Saoudiens riches et néanmoins vulnérables. Il réglait les disputes territoriales entre le Bahrein et l'Irak. Il encourageait la mise en place de dispositifs de sécurité régionale dans les autres Etats du Golfe. Quand le premier coup d'Etat en Afghanistan interrompit ses efforts, il travaillait à détourner ce pays de sa dépendance sur les Soviétiques pour l'aide militaire et économique.

Le règne du Chah terminé, tous ces efforts ont pris fin. Et l'éventuelle direction politique de l'Iran en plein conflit — son existence même de nation unifiée — est incertaine. Comme l'a dit au début de 1979 un ancien fonctionnaire de la C.I.A., Cord Meyer :

« ... la désintégration de l'armée iranienne est considérée comme un fait accompli qui a déjà provoqué un bouleversement sismique de l'équilibre du pouvoir dans toute la région. Pendant de nombreuses années, l'armée iranienne servait à juguler les ambitions de l'Irak contre Israël et le Koweit, à protéger le sultan d'Oman contre les guérilleros du Dhofar armés par le Sud-Yémen et à raffermir Sadate en Egypte et les princes saoudiens. Un vide tentant se creuse aujourd'hui là où naguère se dressait l'armée du Chah. »

Quand les Britanniques sont partis en 1971, seul l'Iran possédait la main-d'œuvre entraînée, les ressources et la volonté de reprendre le rôle stabilisateur de la Grande-Bretagne. Avec la chute du Chah, la désintégration de l'armée iranienne, les coupes massives dans le budget militaire de l'Iran et la plongée de ce pays dans le chaos, toutes les forces que le Chah avait tenues en échec peuvent se précipiter sans rencontrer de résistance. Le nouveau régime iranien a fait de ses voisins des ennemis en jetant les musulmans chi'ites contre les musulmans sunnis et en ravivant des disputes territoriales que le Chah avait réglées.

Les successeurs du Chah ont abandonné les travaux à la base navale de Tchah Bahar et annulé la plupart des milliards de dollars d'achats d'armes qu'ils projetait. Les guérilleros dhofaris basés au Sud-Yémen ont juré de renouveler leurs tentatives pour renverser le sultan d'Oman. Les Russes ont envahi l'Afghanistan, ce qu'ils n'auraient sans doute pas osé faire si le Chah était encore sur son trône, allié des Etats-Unis et maître de l'armée iranienne naguère redoutable. Le Pakistan sent maintenant l'haleine brûlante de l'ours russe à ses propres frontières et doit s'attendre que les Soviétiques tentent bientôt de le subvertir en encourageant et en dirigeant les révoltes des Balouchis et des Poushtouns, ce qui ne pourrait aboutir qu'à la désintégration de ce qui reste de ce pays. Toute la région est en plein bouleversement et la question que tout le monde se pose est : Qui remplacera l'Iran ? L'Arabie Saoudite, avec près d'un quart de pétrole récupérable connu du monde, est particulièrement concernée par cette question.

L'Irak, extrémiste, représente maintenant la plus puissante force militaire du Golfe. Ses effectifs sont écrasants, en termes strictement régionaux. Il possède quatre divisions blindées et deux divisions mécanisées avec trois mille chars soviétiques et français et véhicules blindés, plus quatre divisions d'infanterie. Même sans soutien supplémentaire des Soviétiques, l'Irak pourrait avancer impunément au Koweit, en Arabie Saoudite ou en Iran.

Les forces militaires irakiennes ont déjà été déployées contre le Koweit, en 1961 et de nouveau en 1973. Au cours de l'incident de 1961, les Britanniques et les autres Arabes forcèrent les Irakiens à retirer leurs troupes de la frontière du Koweit. Mais en 1973, les Irakiens ne cédèrent pas et s'emparèrent d'une partie du territoire koweitien. L'Irak a depuis réglé ses différends territoriaux avec le Koweit mais il est probable que l'avenir réserve encore des problèmes.

La majorité des immenses réserves de pétrole brut dans le golfe Persique sont à quelques centaines de kilomètres de la frontière irakienne, dans les régions voisines d'Iran, du Koweit, d'Arabie Saoudite et des Emirats arabes unis. Si jamais l'Irak réussit une opération dans l'une de ces régions ou dans toutes il en résulterait un transfert massif de capitaux.

L'Irak se place aujourd'hui sur les rangs pour la prédominance politique dans le Golfe. Bien que son régime autoritaire et extrémiste ait été anti-américain, elle ne veut pas voir les Russes établir leur hégémonie dans le Golfe et pourrait par conséquent modérer sa prise de position passée. Nous avons donc de bonnes raisons de chercher à améliorer nos relations avec l'Irak. De leur côté, les Soviétiques tiennent toujours à acquérir le contrôle de l'Irak, bien que les Irakiens se fussent montrés vigilants en coupant les ailes au parti communiste irakien. En 1977 et 1978, les tentatives communistes de former des cellules du Parti dans l'armée ont été écrasées et les organisateurs exécutés. Ces initiatives ont sans doute échoué mais l'histoire de l'Irak accablé par les factions a comporté au cours des vingt dernières années de nombreux coups d'Etat ou tentatives de coups d'Etat. On peut s'attendre que les Soviétiques essaient d'accroître par tous les moyens leur influence dans l'armée, tout en bénéficiant des efforts que fait l'Irak pour entraîner le reste du monde arabe dans une direction plus extrémiste et plus anti-occidentale.

Un appât alléchant

Avec leurs énormes richesses pétrolières, leur vaste territoire peu peuplé et leur petite armée, les Saoudiens ont été décrits avec à-propos par le chroniqueur John P. Roche comme un « appât pour le coup de force ». Leur situation a été bien résumée par une personnalité américaine qui disait : « Supposez que vous soyez une femme riche vivant seule dans une petite ville, entourée de voyous. Tout le monde sait que vous avez des millions de dollars en diamants sous votre lit et aucune police pour vous protéger. De temps en temps, le shérif passe, toutes sirènes hurlantes, saute à terre, vous fait un gros baiser et repart en trombe. Vous sentiriez-vous en sécurité ? »

Géographiquement, il y a quatre voies d'accès à l'Arabie Saoudite : 1. Les « États du front » dans le conflit israélo-arabe, l'Egypte, la Jordanie, la Syrie et Israël ; 2. Le golfe Persique, Iran, Irak ou l'un des petits émirats du Golfe ; 3. La Corne de l'Afrique, de l'autre côté de la mer Rouge ; 4. Oman ou le Nord ou Sud-Yémen, à l'extrémité de la péninsule arabique.

Tout événement venant troubler ces régions inquiète les Saoudiens.

Ils craignent qu'un règlement du conflit israélo-arabe ne résolvant pas le problème palestinien ne fasse qu'accroître le militantisme des Palestiniens. En 1976, l'O.L.P. a bouleversé le Liban en le plongeant dans la guerre civile. Au cours de ma présidence, ils ont tenté deux fois en trois mois d'assassiner le roi Hussein de Jordanie, ils ont déclenché une guerre civile dans ce pays et failli provoquer la chute de son gouvernement. Le terrorisme est l'arme première de l'O.L.P. et l'Arabie Saoudite est extrêmement vulnérable aux activités terroristes ; deux tiers des ouvriers de ses exploitations pétrolières sont palestiniens. De plus, tout ce qui renforce la position des Arabes extrémistes — comme le ferait un règlement insatisfaisant — affaiblit la position d'un gouvernement saoudien modéré.

Du côté du Golfe, les Saoudiens ont de multiples sujets d'inquiétude. Ils craignent la puissance militaire voisine de l'Irak. Le renversement de la monarchie iranienne a ébranlé beaucoup d'autres couronnes de la région, y compris celle de l'Arabie Saoudite. Les problèmes intérieurs dans les petits émirats du Golfe rendent ceux-là aussi potentiellement instables. Au Koweit, par exemple, moins de la moitié de la population d'un million d'habitants est formée de Koweitiens ; il y a plus de 250 000 Palestiniens et 250 000 étrangers. Dans les Emirats arabes unis ainsi qu'au Qatar, un quart seulement de la population est autochtone. Des tensions parmi les sept minuscules principautés qui forment les Emirats arabes unis depuis 1971 pourraient bien provoquer dans l'avenir des conflits exploitables.

En regardant au-delà de la mer Rouge la Corne de l'Afrique, les Saoudiens ont vu en Ethiopie le régime soutenu par Moscou livrer une guerre sur deux fronts : pour reprendre la province rebelle d'Erythrée — avec ses ports sur la mer Rouge — et contre la Somalie à propos de l'Ogaden. Les Saoudiens étaient en partie responsables du « sevrage » de l'Egypte et du Soudan de leurs précédents liens avec l'U.R.S.S. et ils ont aussi apporté de l'aide aux Somaliens pour la même raison. Ils ont été profondément déçus par la mauvaise grâce des Etats-Unis à fournir des armes aux Somaliens et aux Erythréens. L'Ethiopie a trente millions d'habitants, quatre fois plus que l'Arabie Saoudite. Les ports d'Erythrée gardent l'extrémité méridionale de la mer Rouge, où se trouvent les trois quarts des côtes d'Arabie.

Du côté de l'extrémité de la péninsule où sont situés Oman et les deux Yémen, les troubles ont plus été la règle que l'exception. Le Sud-Yémen demeure l'instrument le plus docile des Soviétiques dans le monde arabe. Cette nation aride est l'hôte de conseillers soviétiques et cubains et de spécialistes est-allemands de l'organisation policière, qui aident les quelques milliers de membres du parti communiste à contrôler les deux millions d'habitants du pays, tout en aidant aussi le Sud-Yémen à faire la guerre à ses voisins, le Nord-Yémen et Oman.

Le Nord-Yémen n'a pas de pétrole et peu d'industrie, mais avec six millions d'habitants sa population est presque aussi importante que celle de l'Arabie Saoudite.

Tout en restant pro-occidental, le Nord-Yémen a récemment acheté des armes soviétiques et donne des signes de vouloir jouer sur les deux tableaux. Si par subversion, conquête ou unification avec le Sud-Yémen, le Nord-Yémen tombait sous le contrôle communiste, les Saoudiens seraient gravement menacés. Un million de Nord-Yéménites travaillent en Arabie Saoudite.

Le Sud-Yémen — en somme le Cuba de la péninsule arabique — a aussi des vues actives sur son voisin de l'est, Oman. Oman a jadis régné sur un vaste empire. Quand les Etats-Unis nouèrent pour la première fois des relations commerciales avec ce pays en 1820, sa marine était plus importante que la leur et à un moment donné il étendait sa domination jusqu'à l'île de Zanzibar, à près de 3 500 kilomètres. Il contrôle encore ce qui, géopolitiquement, est un des territoires les plus précieux du monde : la pointe de la péninsule de Ras Moussandam qui forme la rive sud du détroit d'Ormuz, cette porte si convoitée du golfe Persique.

Pendant des années, les Soviétiques et les Sud-

Yéménites ont soutenu une révolte dans la province d'Oman du Dhofar. Les Omaniens n'ont pu la réprimer que lorsque le Chah a envoyé des troupes à leur secours. La frontière avec le Sud-Yémen fut alors bouclée et vers la fin de 1976 la rébellion prit fin et Oman retrouva la sécurité... provisoirement. Mais lorsque le Chah fut renversé au début de 1979, un porte-parole des guérilleros du Dhofar opérant à partir du Sud-Yémen annonça la reprise de la guérilla.

Le plus menaçant, c'est que Moscou a récemment équipé l'armée cubaine de ce que l'on fait de plus moderne en armement blindé et la brigade soviétique découverte à Cuba en 1979 pourrait fort bien entraîner les Cubains à la guerre des blindés qui exige une coordination au niveau des unités tactiques. Selon des rapports des services de renseignements, les Soviétiques amassent au Sud-Yémen le genre de chars modernes, de transports de troupes et d'équipement nécessaires à une offensive de blindés dans le désert. Le stratège Edward Luttwark a indiqué :

« Les pièces sont sur l'échiquier ; l'opération pourrait se dérouler n'importe quand. Avec un mouvement dhofarien ranimé fournissant le camouflage politique d'un soulèvement intérieur et le gouvernement chroniquement agressif du Sud-Yémen montant une attaque militaire sous le prétexte d'un affrontement inter-arabe, les Cubains pourraient porter le coup de grâce d'une menace blindée à laquelle la petite armée d'Oman ne saurait résister... Tout le pétrole de l'Arabie serait à la merci d'un régime de gauche soutenu par Cuba (et donc par les Soviétiques) dont la simple accession au pouvoir pourrait suffire à inspirer d'autres prises de pouvoir dans les petits émirats cruciaux qui possèdent énormément de pétrole. »

Cela amènerait aussi l'U.R.S.S. sur le détroit d'Ormuz.

La menace soviétique

La richesse et la faiblesse sont des fléaux pour les pays du golfe Persique. Leur fortune et leur vulnérabilité s'allient pour en faire des objectifs doublement tentants pour l'Union soviétique.

En voyant l'U.R.S.S. écraser l'Afghanistan à la fin des années 1970, le président égyptien Anouar el-Sadate a observé : « La bataille pour les réserves de pétrole a déjà commencé. » Moscou a frappé à 480 kilomètres du détroit d'Ormuz, le point d'étranglement stratégique de la jugulaire pétrolière de l'Occident. A partir de bases situées dans le sud-ouest de l'Afghanistan, les chasseurs Mig peuvent atteindre le détroit, ce qui leur était impossible auparavant.

De la Turquie au Pakistan, les pays de la « protection nord » qui avaient jadis tenu les Soviétiques en échec sont en plein bouleversement ou gravement affaiblis. Sir Robert Thompson a noté que la Russie a trois fronts : un front européen ou occidental, un front à l'est face à la Chine et au Japon et un front méridional face aux pays entre la Turquie et l'Afghanistan. La brèche a maintenant été faite dans le troisième et la Russie marche en direction du sud vers la région qui est, comme le disait Molotov, « le centre des aspirations de l'Union soviétique ».

Depuis la fin de la Seconde Guerre mondiale le pétrole du Moyen-Orient a été vital pour l'Europe occidentale et le Japon. Depuis 1970, l'apogée de la production nationale américaine, il est devenu de plus en plus important pour les Etats-Unis. L'Union soviétique exporte aujourd'hui trois millions de barils par jour ; la moitié de ses devises étrangères de 1978 venait des exportations de pétrole. Les prévisions de la production soviétique indiquent qu'elle pourrait atteindre bientôt son apogée et décliner pendant les années quatre-vingts ; les Soviétiques eux-mêmes risqueraient alors de devenir importateurs. Cela influerait fatalement sur leurs calculs coût-bénéfices, dans une tentative de mainmise sur les richesses du golfe Persique.

Avant qu'ils s'emparent de l'Afghanistan, la base soviétique la plus proche du détroit d'Ormuz était Mary, anciennement Merv, au Turkménistan soviétique. Quand les Russes s'installèrent pour la première fois dans l'oasis de Merv en 1884, il y eut un grand débat en Grande-Bretagne sur les intentions russes et la menace contre l'empire britannique. Ceux qui regardaient d'un œil complaisant les conquêtes tsaristes étaient semblables à l'école américaine des « et alors ? » de l'époque actuelle ; ils accusèrent les tenants de la manière dure de « mervosité ». L'ambassadeur de Russie à Londres argua qu'il était difficile pour « une puissance civilisée de freiner son expansion territoriale là où des tribus non civilisées étaient ses voisins immédiats ».

Les Russes furent arrêtés le long de l'Amou-Daria à la fin du XIX\ :superscript:\ `e` siècle et ce fleuve a formé la frontière avec l'Afghanistan jusqu'à ce que les chars russes la franchissent à la fin de 1979. Il n'y a pas de barrières naturelles séparant l'Afghanistan de la mer d'Oman et du détroit d'Ormuz. Il n'y a que du désert aride et, menaçante, une zone d'instabilité.

Cette zone d'instabilité s'appelle le Baloutchistan. Cinq millions de nomades baloutchistanais vivent dans le sud de l'Afghanistan, le Pakistan de l'ouest et le sud-est de l'Iran. Au cours de ces dernières années, les Baloutchistanais du Pakistan se sont rebellés à plusieurs reprises contre le gouvernement central. A la fin de 1979, un conflit a éclaté entre le gouvernement de Téhéran et le Baloutchistan iranien. Comme la plupart des Baloutchistanais sont des musulmans sunnis, la dictature théocratique de Khomeiny leur a donné de nouveaux griefs. Avant même que les Soviétiques envahissent sans vergogne l'Afghanistan, le bruit courait qu'ils se servaient de camps, dans ce pays, pour entraîner, endoctriner et ravitailler des rebelles baloutchistanais séparatistes du Pakistan. Le Baloutchistan a 1 200 kilomètres de côtes stratégiques le long de la mer d'Oman, allant presque jusqu'au détroit d'Ormuz. Une République populaire du Baloutchistan fournirait aux Soviétiques une ouverture vers l'océan Indien. Cela pourrait être un pas décisif des Soviétiques dans leur mouvement en tenaille au nord vers le détroit.

Toute l'économie industrielle de l'Occident dépend aujourd'hui du pétrole et toute la machine militaire de l'Occident marche au pétrole. Contrôler l'acheminement du pétrole, c'est contrôler la vie de l'Occident. Jamais la région du golfe Persique n'a été aussi vitale pour l'avenir du monde. Jamais les nations du Golfe n'ont été aussi vulnérables à une puissance agressive qui cherche à imposer sa volonté au monde.

L'une après l'autre, les nations du golfe Persique et le croissant islamique sont tombés aux mains de forces révolutionnaires qui, d'une façon ou d'une autre, sont anti-occidentales sinon activement pro-soviétiques. L'extrême inconstance de la politique du Moyen-Orient a rendu cette région à la fois plus tentante pour les aventuriers et plus vulnérable aux prises de possession. Si les Soviétiques réussissent à contrôler effectivement le golfe Persique, l'Europe et le Japon seront à leur merci. Et la merci n'est pas une de leurs plus notoires vertus.

Les exigences du futur

Pendant des siècles, de grandes forces se sont heurtées au Moyen-Orient et dans le golfe Persique, de grands intérêts ont rivalisé et les querelles locales ont fait rage. Cela continuera dans les années 1980.

Ce conflit d'intérêts pour l'accès au pétrole de la région à des prix raisonnables menace de dépasser de loin tous les conflits précédents.

Notre fourniture de pétrole du Moyen-Orient est vulnérable à trois menaces majeures : le conflit arabo-israélien potentiellement explosif, l'aventurisme soviétique et les forces révolutionnaires locales comme celles qui ont renversé le Chah.

Pendant des années, les Américains ont exclusivement considéré les conflits du Moyen-Orient à la lumière de la lutte israélo-arabe. Mais la région est déchirée depuis des siècles par des querelles ; pendant des siècles elle a été le carrefour du monde, mais aussi un monde en soi. Maintenant ses conflits se sont intensifiés tandis que se heurtent, parfois explosivement, les anciens et les nouveaux modes de vie alors que les contraintes extérieures qui réprimaient les rivalités locales ont été retirées. Le fait est que le produit d'importation le plus important de l'Occident lui vient de la région la plus instable du monde.

Il y a de l'agitation ou un danger d'agitation dans tous les pays du Moyen-Orient. Aucune frontière n'est sûre, aucun Etat n'est dégagé de tout souci de sécurité intérieure. Les disputes font rage entre les chi'ites et les sunnis, entre les Iraniens et les Arabes ; il y a des affrontements entre nationalités, sectes, tribus et classes ainsi qu'une révolte croissante de l'islam traditionnel contre le modernisme ; et tout cela aboutit souvent à la violence. A la fin de 1979, l'ancien ambassadeur d'Israël aux Etats-Unis, Chaïm Herzog, a résumé en partie l'instabilité :

« Depuis dix-huit mois seulement, quatre présidents arabes ont été supprimés, un assassiné au Yémen, un autre exécuté par des assassins au Sud-Yémen, un éliminé par un coup d'Etat en Mauritanie et un dernier récemment par un autre coup d'Etat en Irak. Treize des actuels chefs d'Etat arabes, soit plus de 50 p. 100 d'entre eux, ont succédé à des prédécesseurs immédiats qui avaient été privés de leur fonction dans la violence, et dans la plupart des cas tués. Depuis quinze ans, il y a eu douze guerres atroces, amères, où des Arabes luttaient contre des Arabes dans des querelles intestines sanglantes. »

Les Soviétiques sont habiles à exploiter les troubles mais sans eux il y aurait quand même des troubles au Moyen-Orient. Le conflit israélo-arabe est une source d'aigre dispute mais il y aurait conflit même sans la querelle israélo-arabe.

La « révolution islamique » elle-même défie la simple catégorisation. Parmi les huit cents millions de musulmans du monde, il y a moins d'Arabes que de non-Arabes : les musulmans forment une majorité ou une importante minorité dans soixante-dix pays. Le pays musulman le plus peuplé est l'Indonésie. Il y en a davantage en Inde, au Nigeria, en Union soviétique et même en Chine que dans la plupart des nations du Moyen-Orient.

La modernisation — qui signifie souvent l'occidentalisation — a été une expérience déchirante pour ces sociétés traditionnelles et les Etats-Unis sont devenus un bouc émissaire commode pour ceux qui sont partagés entre les stricts enseignements du passé et les attraits ou les exigences du monde moderne. Conserver le meilleur de l'islam traditionnel tout en satisfaisant les besoins des XXe et XXIe siècles, ce sera une gageure pour les réformateurs les plus sages. Mais cela doit être fait.

En ce qui concerne le conflit israélo-arabe, une des prémisses d'où doit découler la politique des Etats-Unis est leur fort engagement moral à la préservation de l'Etat d'Israël. Israël a démontré au cours de quatre guerres, depuis trente ans, qu'il peut mieux que tenir tête à ses voisins. Maintenant que la menace égyptienne a été neutralisée, c'est encore plus vrai. Mais si l'Union soviétique devait se lancer dans une intervention à grande échelle, comme elle menaçait de le faire en 1973, Israël serait perdu. Même si Israël possède ou acquiert des armes nucléaires, sa modeste capacité atomique ne serait pas une dissuasion contre la puissance nucléaire de l'U.R.S.S. La clef de la survie d'Israël, par conséquent, est la détermination des Etats-Unis de tenir bon contre les Soviétiques.

Le pont aérien vers Israël et la mise en état d'alerte des forces américaines que j'ai décrétée en 1973 en sachant que ces décisions pouvaient aboutir à un embargo arabe sur le pétrole, démontraient jusqu'où les Etats-Unis étaient prêts à aller pour respecter leur engagement à la survie d'Israël et empêcher une intervention soviétique dans cette région.

Mais il s'en était fallu de peu et ce sera encore plus difficile à l'avenir si les Soviétiques arrivent à une nette supériorité nucléaire. La bombe à retardement palestinienne doit être désamorcée avant que nous affrontions une nouvelle crise du Kippour.

Il serait présomptueux et téméraire de suggérer qu'il existe une formule magique, un « truc » rapide, pour résoudre le conflit israélo-palestinien. Il existe toutefois quelques principes fondamentaux qui doivent former les bases d'une politique viable. Tout d'abord, le groupe, quel qu'il soit, qui représente en fait ou déclare représenter les Palestiniens doit reconnaître à Israël le droit d'exister en paix et doit renoncer au terrorisme ou à toute action armée contre Israël ou les citoyens israéliens. Ensuite, Israël doit se conformer aux clauses de la Résolution 242 de l'O.N.U. pour ce qui est de la restitution des territoires occupés. Cependant, Israël a le droit d'assurer la sécurité de ses frontières et l'on ne peut et ne doit pas exiger qu'il accepte la création d'un Etat armé hostile en son sein, en Cisjordanie. Troisièmement, les territoires occupés rendus devraient être démilitarisés. Enfin, la Jordanie pourrait jouer

133

un rôle constructif dans la solution de la question palestinienne.

En tenant compte de ces conditions de base, nous devons reconnaître que la question palestinienne est un cri de ralliement pour toutes les forces extrémistes de la région, constamment exploitée par l'Union soviétique. Il y va de l'intérêt d'Israël et de tous les gouvernements modérés du Moyen-Orient de faire un maximum d'efforts pour la résoudre. Si l'on ne progresse pas rapidement, le président égyptien Anouar el-Sadate, la plus forte voix de la modération au Moyen-Orient, trouvera sa position intenable. Lors de la crise de Suez de 1956 nous avons appris combien un dirigeant égyptien extrémiste peut être déstabilisant. Après la nécessité du maintien des Soviétiques hors du Moyen-Orient, le plus important pour Israël et les gouvernements arabes modérés est de faire tout ce qui est possible pour désamorcer la bombe palestinienne afin que Sadate et les autres dirigeants modérés ne soient pas chassés du pouvoir.

A long terme, le problème de cette région est l'Union soviétique. Les Soviétiques peuvent fort bien avoir eux-mêmes besoin d'un accès au pétrole du Moyen-Orient pendant les années quatre-vingts. Ils veulent certainement avoir le pouvoir de contrôler l'acheminement de ce pétrole à l'Europe et au Japon. Avec leurs bombardiers Backfire porteurs d'armes nucléaires et leurs missiles SS-20, leurs escadres en Méditerranée et dans l'océan Indien, leurs forces aériennes à déploiement rapide dans le Caucase, leur utilisation des ports du Sud-Yémen et de la Corne de l'Afrique et leurs nouvelles bases aériennes en Afghanistan, les Soviétiques seront capables de projeter leur puissance militaire dans la région, comme ne pourront le faire les Etats-Unis, et à une rapidité que les Etats-Unis ne peuvent pas égaler. A cet égard, il nous faudrait au moins une décennie pour les rattraper. Ce déséquilibre jette une ombre très noire sur la politique de la région.

La position stratégique de toute l'alliance occidentale dépend d'un accès sûr au pétrole brut du golfe Persique. Cela, à son tour, exige que les Américains réussissent à bloquer la poussée soviétique vers l'influence dominante dans cette zone.

Comme le pétrole n'est pas pour l'Occident un luxe mais une nécessité, les Etats-Unis et leurs alliés d'Europe et du Japon doivent en priorité fournir une aide économique et militaire aux gouvernements de cette région qui sont menacés d'agression intérieure ou extérieure. Ils doivent être prêts et consentir à prendre les mesures qui s'imposent pour protéger leurs intérêts, y compris une forte présence militaire et même une intervention armée. Ils doivent aussi être capables de joindre le geste à la parole. Enoncer une grandiose « doctrine » selon laquelle les Etats-Unis résisteront à toute menace sur la région en réagissant militairement n'est qu'un canon sans munitions s'ils n'ont pas les forces en place pour rendre crédible cet engagement. S'ils disent clairement qu'ils sont prêts à aller aussi loin, et s'ils montrent qu'ils le peuvent, alors ils ne seront pas forcés d'en venir là.

Il est essentiel que les Etats-Unis aient des bases situées de manière à projeter une image de puissance de façon convaincante dans la région et de réagir rapidement aux menaces soudaines. Ils doivent aussi assurer leur accès à des bases en Europe occidentale qui pourraient être employées pour faciliter un pont aérien et des opérations de transport navales entre les Etats-Unis et le golfe Persique. De plus, s'ils veulent montrer leur puissance, ils doivent le faire avec détermination. Annoncer l'envoi d'urgence d'un porte-avions dans le Golfe et lui faire faire demi-tour pour éviter toute provocation, envoyer des chasseurs F-15 en Arabie Saoudite pour un déploiement de force mais prendre soin de les envoyer désarmés, sont des actions plus nuisibles que vaines. En suscitant le mépris ils encouragent l'agression.

Par-dessus tout, les dirigeants d'Arabie Saoudite, d'Oman, du Koweit et d'autres Etats clefs doivent avoir l'assurance, sans équivoque, que s'ils sont menacés par des forces révolutionnaires, tant à l'intérieur qu'à l'extérieur, les Etats-Unis les épauleront fortement afin qu'ils ne subissent pas le même sort que le Chah.

Il sera non seulement nécessaire d'être préparé mais de montrer que l'on est préparé. Les Américains ne doivent pas seulement avoir la volonté d'employer la force s'il le faut mais démontrer qu'ils le feront. Ils doivent aussi posséder les forces nécessaires. Ils courront peut-être des risques en défendant leurs intérêts dans le golfe Persique. Ils en courraient de bien plus graves s'ils ne défendaient pas ces intérêts.

V

LE SYNDROME VIETNAMIEN

> La bombe H est davantage un handicap qu'une aide, pour la politique d'endiguement. Dans la mesure où elle réduit la probabilité d'une guerre totale, elle *accroît* les possibilités de « guerre limitée » poursuivie en agressions indirectes et localisées un peu partout dans le monde.
>
> B.H. Liddell Hart

> Quand elle sera finie, elle [la guerre du Vietnam] se révélera indiscutablement une des guerres les plus décisives du siècle et, par son influence, d'une beaucoup plus grande portée que toute autre de ce type... et ses effets réels sont encore indéterminés.
>
> Sir Robert Thompson

> Je considère la guerre en Indochine comme la plus grande bévue militaire, politique, économique et morale de notre histoire nationale.
>
> Sénateur George McGovern

LES derniers chapitres restent à écrire sur la guerre du Vietnam. Ce fut pour les Américains une expérience traumatisante, pour les Vietnamiens une expérience de brutalité, pour les Soviétiques une occasion exploitable. Ce fut aussi une des batailles cruciales de la Troisième Guerre mondiale.

Des dizaines de livres ont été écrits sur la guerre du Vietnam. Maintenant, Hollywood y puise des sujets de scénarios et y tisse par la même occasion ses propres interprétations. Chaque point de vue différent reflète dans une certaine mesure l'expérience particulière de cette guerre ou le manque d'expérience de l'auteur.

En qualité de commandant en chef pendant les cinq dernières années de la guerre, mon point de vue est exceptionnel. Je crois comprendre pourquoi nous avons échoué au Vietnam. Je savais alors pour quels enjeux nous nous battions. Je connais maintenant le prix que nous avons payé à cause de notre échec et, plus important, je crois savoir comment nous pouvons tirer un enseignement de ces erreurs et éviter de les commettre à nouveau.

La « guerre révolutionnaire » — la guérilla — est un des instruments favoris employés par les Soviétiques dans la Troisième Guerre mondiale.

Pendant la période de démantèlement des empires coloniaux européens, il était relativement simple de rassembler les appels à la « libération » ; et des nations nouvelles et instables fournissent encore un terrain fertile aux graines de la guerre révolutionnaire. De plus, ce type de guerre peut être poursuivi sans avoir pour conséquence, militaire ou diplomatique, d'engager des troupes soviétiques dans la bataille.

Liddell Hart remarquait en 1954 que la bombe H accroîtrait la probabilité de « guerre limitée » poursuivie en agressions indirectes et localisées un peu partout dans le monde. Sir Robert Thompson était du même avis et a écrit que « l'invention des armes atomiques et la levée du nationalisme » ont eu une influence considérable sur le développement de la politique étrangère soviétique depuis la Seconde Guerre mondiale. Il observe : « Le grand avantage de la guerre révolutionnaire comme instrument de politique à l'ère nucléaire devait être qu'elle évitait la confrontation directe... Pour les puissances communistes, donc, la guerre révolutionnaire était une guerre à risque réduit » — considération vitale à l'ère nucléaire. L'autre grand avantage de la guerre révolutionnaire était qu'elle profitait du nationalisme du tiers monde, une force qui a rapidement déferlé sur le monde après la Seconde Guerre mondiale et qui continue aujourd'hui. Le message « anti-impérialiste » du communisme était une habile façade pour les partis totalitaires et beaucoup de nationalistes sincères ont été abusés par cette réaction apparemment légitime et patriotique au colonialisme européen. Le premier terrain d'essai pour cette nouvelle arme soviétique fut l'Extrême-Orient.

Après la Seconde Guerre mondiale, la vacance du pouvoir fut laissée en Extrême-Orient. Parmi les nations non communistes, seuls les Etats-Unis étaient capables de le combler. La défaite et la démilitarisation du Japon, la consolidation du pouvoir par Mao Tsé-toung en Chine et la mise d'armes soviétiques et chinoises à la disposition de n'importe quelle force de guérilla, communiste ou nationaliste, lançant une offensive intérieure ou extérieure contre les gouvernements non communistes, concoururent à créer dans toute cette région une situation extrêmement dangereuse. Seule l'aide américaine — et même l'intervention armée — pouvait empêcher une conquête communiste de tout l'Est asiatique.

La première épreuve eut lieu dans le Nord-Est asiatique, en Corée. Les forces de l'O.N.U. y tinrent tête aux communistes nord-coréens armés de matériels soviétiques et aidés dans les derniers stades de la guerre par l'armée communiste chinoise. Les forces de l'O.N.U. étaient en majeure partie américaines.

Dans le Sud-Est asiatique, les conquêtes japonaises de la Seconde Guerre mondiale — au cours de laquelle des Asiatiques avaient mis en déroute des Européens jusqu'alors invincibles — firent naître ensuite un nouvel esprit d'indépendance. Quand les Européens essayèrent de récupérer leurs colonies, ils s'aperçurent qu'ils n'étaient plus craints ni respectés ; leurs anciens sujets ne voulaient plus tolérer la domination coloniale. Les Européens se retirèrent volontairement ou furent chassés. L'Indonésie se libéra des Pays-Bas et gagna son indépendance en 1949. Les Britanniques, affaiblis par les terribles efforts de la Seconde Guerre mondiale, entamèrent leur long processus de retrait de l'« est de Suez ». A leur grand honneur, ils jouèrent un rôle prépondérant en aidant les Malais à développer un programme efficace de liquidation des forces de guérilla communiste de Malaisie. Malheureusement, au Vietnam, ni les Français ni les Américains qui les suivirent n'avaient bien tiré la leçon de l'expérience britannique.

Les Philippines et la Thaïlande réussirent à maîtiser leurs propres guérillas insurrectionnelles sans l'aide de troupes américaines mais avec une généreuse aide militaire et économique américaine.

L'Indochine — Vietnam, Cambodge et Laos — se trouvait entièrement dans la zone d'influence française. Comme les Français ne donnaient pas de garanties adéquates d'indépendance, beaucoup de Vietnamiens qui ne l'auraient pas fait autrement rejoignirent ouvertement les forces communistes d'Hô Chi Minh, un chef charismatique qui s'était taillé une impressionnante réputation nationaliste en luttant contre les Français.

Entre 1946 et 1954, dans leurs efforts pour conserver l'Indochine, les Français perdirent cent cinquante mille hommes. En mars 1954, dix mille soldats français furent encerclés à Diên Biên Phu. Ils ne représentaient que 5 p. 100 des forces françaises au Vietnam mais leur sort scella celui de la France. Pendant cinquante-cinq jours, ils se défendirent courageusement jusqu'à ce qu'ils soient forcés de capituler. On a estimé qu'un engagement limité de la puissance militaire conventionnelle américaine aurait pu renverser le cours de la bataille. Le président Eisenhower l'envisagea mais insista pour que les Etats-Unis n'agissent pas seuls. Winston Churchill refusa d'engager les forces britanniques, en disant que si les Britanniques ne luttaient pas pour rester en Inde il ne voyait pas pourquoi ils devraient se battre pour aider les Français à rester en Indochine. Même si cette aide avait été apportée il est probable que la France aurait fini par perdre l'Indochine, à cause de son refus obstiné de fournir les garanties adéquates d'une éventuelle indépendance.

Le Vietnam était destiné à devenir indépendant après la Seconde Guerre mondiale. La vraie question était de savoir qui le contrôlerait. La meilleure voie pour la France eût été de promettre l'indépendance au Vietnam, et puis d'aider les Vietnamiens non communistes à l'emporter sur leurs compatriotes communistes. Même sans la promesse formelle d'indépendance, il aurait quand même mieux valu, et de loin, tant pour les Vietnamiens que pour l'Occident, que la France gagne sa guerre contre les forces d'Hô Chi Minh. Ensuite, quand l'indépendance se serait faite — comme c'était inévitable — le Vietnam aurait émergé comme une nation libre, non communiste. Ayant assumé la responsabilité de gagner la guerre, cependant, la France la perdit, pas au Vietnam mais à Paris. Après Diên Biên Phu, les Français n'avaient plus la volonté de continuer et le gouvernement français sauta sur l'occasion de se retirer d'Indochine.

Le Vietnam fut partagé en 1954, avec un gouvernement communiste au Nord présidé par Hô Chi Minh et un gouvernement non communiste au Sud dont la capitale était Saigon. Entre les deux, il y avait une zone tampon démilitarisée. Le gouvernement de Hô à Hanoï ne tarda pas à infiltrer dans le Sud un grand nombre d'agents qui travaillèrent avec les forces de la guérilla pour créer des réseaux de subversion et de terrorisme afin de saper le gouvernement de Saigon.

Le premier ministre par intérim du Sud-Vietnam, Ngo Dinh Diem, devint son premier président en 1955. Il fut un chef efficace et fort, particulièrement en contenant les forces de guérilla communistes directement soutenues par le Nord, en violation flagrante de l'accord de 1954. Le gouvernement Eisenhower fournit une aide économique généreuse ainsi qu'un peu d'aide militaire et des conseillers techniques mais Eisenhower rejeta les propositions d'engager des forces de combat américaines.

L'infiltration par le nord sur une grande échelle débuta en 1959 et, en 1964, les communistes avaient déjà obtenu des gains substantiels. Sir Robert Thompson arriva cette année-là au Vietnam pour diriger la Mission conseillère britannique. Il avait été ministre de la Défense de la Fédération malaise à l'époque où le soulèvement communiste y avait été maté. Thompson et les agents de la C.I.A. en poste sur place comprenaient l'importance des réalités politiques locales dans la guérilla. En mettant douze ans à écraser la révolte en Malaisie, de 1948 à 1960, les Britanniques avaient appris que l'agression locale à un niveau réduit était le mieux contrée par une défense locale à un niveau réduit. La Grande-Bretagne n'avait utilisé que trente mille soldats en Malaisie mais avait employé aussi soixante mille policiers et deux cent cinquante mille hommes dans une garde nationale.

Grâce aux excellents conseils qu'il recevait, Diem fut capable de renverser le cours de la guerre et de placer les communistes sur la défensive. De la même manière que la guerre de Malaisie avait été gagnée, celle du Vietnam était en voie de l'être au début des années 1960. Mais alors survinrent trois événements décisifs qui allaient transformer la promesse de victoire en réalité de défaite.

Le premier se situa loin du Vietnam, à Cuba, en 1961 : ce fut l'invasion de la baie des Cochons. Cet échec désastreux poussa le président John Kennedy à ordonner une analyse *a posteriori* et le général Maxwell en fut chargé. Il conclut que la C.I.A. n'était pas équipée pour mener des opérations paramilitaires sur une grande échelle et décida que l'effort américain au Vietnam entrait dans cette catégorie. Il recommanda en conséquence que son contrôle soit confié au Pentagone, une décision qui allait avoir d'énormes conséquences. La connaissance politique approfondie et le « sens » des réalités locales que possédait la C.I.A. se trouvèrent négligés tandis que ceux qui voyaient le monde à travers des lunettes technologiques reprenaient la responsabilité opérationnelle de la guerre.

Un autre tournant clef eut lieu l'année suivante au Laos, en 1962. Lors d'une conférence de presse, deux mois après son installation à la Maison Blanche, Kennedy avait déclaré avec justesse qu'une tentative communiste de prise en main du Laos « affectait de toute évidence la sécurité des Etats-Unis ». Il déclara aussi : « Nous ne serons pas provoqués, piégés ou entraînés dans cette situation ou aucune autre ; mais je sais que chaque Américain voudra que son pays respecte ses engagements. » A la conférence de Genève en juillet 1962, quinze nations signèrent un accord par lequel les détenteurs de forces militaires au Laos s'engageaient à les retirer et toutes s'accordèrent pour cesser leur assistance para-militaire. Tous ces pays le respectèrent sauf un, le Nord-Vietnam. Hanoi ne prit jamais de mesures sérieuses pour retirer du Laos son contingent de sept mille hommes — seuls quarante partirent officiellement — et les Etats-Unis furent obligés finalement de se remettre à aider discrètement le Laos pour empêcher les Nord-Vietnamiens de s'emparer du pays.

L'obstination que mettait le Nord-Vietnam à garder ses forces au Laos — elles atteignaient soixante-dix mille hommes en 1972 — rendit la situation extrêmement difficile pour les Sud-Vietnamiens. Les communistes utilisaient les hauts plateaux presque inhabités du Laos oriental et du Cambodge comme route pour ravitailler leurs forces au Sud-Vietnam. Ces régions leur offraient un asile privilégié, une base d'où lancer leurs opérations, leur permettant de concentrer des forces d'une supériorité écrasante contre un seul objectif local puis de refranchir la frontière avant que des renforts puissent être acheminés. La « piste Hô Chi Minh » du Laos permettait aux communistes de contourner la zone démilitarisée entre le Nord et le Sud et de frapper là où les défenseurs s'y attendaient le moins.

Si le Sud-Vietnam n'avait eu à affronter que l'invasion et l'infiltration du Nord le long des quelque soixante-dix kilomètres de la zone démilitarisée, il aurait pu le faire sans l'aide des forces américaines. Pendant la guerre de Corée, l'ennemi avait dû attaquer directement sur la frontière ; la Corée du Nord ne pouvait guère utiliser l'océan de part et d'autre de la Corée du Sud comme « asile privilégié » d'où lancer ses attaques. Mais Hanoi disposait de ceux du Laos et du Cambodge comme tremplins pour ses offensives contre le Sud-Vietnam. Non seulement ils rendaient possibles ces tactiques de frappe suivie de retrait immédiat, mais ils allongeaient la frontière que le Sud devait défendre, de soixante-dix à plus de mille kilomètres, sans compter les enclaves. Le long de ces mille kilomètres, il y avait peu de frontières naturelles. Les Nord-Vietnamiens étaient libres de choisir leurs points d'attaque en attendant d'avoir un avantage local écrasant, comme toujours dans la stratégie de la guérilla. L'incapacité des Américains d'empêcher le Nord-Vietnam d'établir la piste Hô Chi Minh le long de la frontière orientale du Laos en 1962 eut une influence considérable sur les étapes suivantes de la guerre.

Le troisième événement clef qui décida de l'issue de la guerre fut l'assassinat de Diem. C'était un chef fort dont la réputation de nationalisme valait largement celle d'Hô Chi Minh. Il avait la mission diffi-

144

cile de forger une nation tout en faisant la guerre. Comme beaucoup de dirigeants post-coloniaux, il était à la tête d'un régime inspiré en partie des modèles parlementaires européens, en partie des modèles traditionnels asiatiques, et en partie de la nécessité. Cet amalgame convenait pour le Vietnam mais offensait les puristes américains, ceux qui inspectent le monde avec des gants blancs et dédaignent toute association avec ce qui n'est pas immaculé. Malheureusement pour Diem, les représentants de la presse américaine au Vietnam portaient des gants blancs et, bien que le Nord ne fût pas ouvert à son inspection, le Sud l'était. Diem lui-même pressentait l'incompatibilité fatale, lui qui déclara à Sir Robert Thompson en 1962 : « La presse américaine sera la seule perdante de cette guerre. »

Le Sud-Vietnam sous Diem était substantiellement libre, mais pas totalement selon les normes américaines. Le reporter responsable s'applique à garder aux événements leur proportion. La marque du reportage irresponsable est l'exagération hors de toute proportion. Il atteint ainsi le spectaculaire et son but n'est pas la vérité mais le drame. Les défauts du régime de Diem, comme d'autres aspects de la guerre, furent grossièrement exagérés.

« La caméra, a-t-on dit, a un point de vue encore plus limité que le caméraman et s'appuie toujours sur l'événement particulier pour conclure au général. » Le 11 juin 1963, la caméra offrit un point de vue très étroit aux téléspectateurs des Etats-Unis. Ce jour-là, dans un rituel soigneusement mis en scène pour la caméra, un moine bouddhiste du Sud-Vietnam s'arrosa d'essence et y mit le feu. Cette image, bien sélectionnée, imprima un seul mot dans l'esprit de nombreux Américains : répression. La caméra braquée sur cet acte d'immolation d'un moine ne révélait pas une vue générale de la réalité du Sud-Vietnam, elle la rétrécissait. La situation au

Nord-Vietnam, où les journalistes hostiles n'étaient pas reçus, fut encore plus dissimulée aux yeux des téléspectateurs.

Récemment, en Union soviétique, un Tartare de Crimée s'est immolé par le feu pour protester contre les trente-cinq ans d'exil de son peuple hors de sa terre ancestrale. Cette image n'est pas passée dans les journaux télévisés ; elle n'a même pas été reproduite dans la presse écrite ; j'ai lu ce récit, sans photos, perdu à la page 21 du *Los Angeles Times*.

Les régimes communistes enfouissent leurs erreurs ; nous proclamons les nôtres. Pendant la guerre du Vietnam, beaucoup d'Américains bien intentionnés furent abusés par nos erreurs trop bien publiées.

Quelques temples bouddhistes du Vietnam abritaient, en réalité, des quartiers généraux de l'opposition politique et certaines sectes bouddhistes étaient plus politiques que religieuses. Le fait que Diem fût un catholique pratiquant faisait de lui un candidat idéal pour être représenté comme un oppresseur des bouddhistes. Ceux-ci avaient aussi mis en scène une pièce de théâtre politique très adroite ; l'incident du « bonze en feu » en constitua une forme particulièrement macabre. Mais la presse s'appliqua à dépeindre les bouddhistes comme de saints hommes opprimés et le monde rejeta le blâme sur leur cible, Diem. La presse a l'art de se concentrer sur un seul aspect d'une situation complexe pour en faire l'événement central : en 1963 au Vietnam, l'événement était la « répression ».

Le président Kennedy était de plus en plus ennuyé d'être l'allié d'un gouvernement dépeint comme brutal et oppresseur. Sans réfléchir sérieusement aux conséquences à long terme, semble-t-il, les Etats-Unis commencèrent à prendre leurs distances avec Diem.

Le 1er novembre 1963, Diem fut renversé par un

coup d'Etat et assassiné. Les accusations selon lesquelles le gouvernement américain y était directement mêlé peuvent être fausses et injustes. Cependant, l'interprétation la plus charitable du rôle du gouvernement Kennedy dans cette affaire est qu'il a savonné le toboggan pour faciliter la chute de Diem et n'a rien fait pour empêcher son assassinat. Ce fut un épisode sordide de la politique étrangère américaine. La chute de Diem fut suivie par l'instabilité politique et le chaos au Sud-Vietnam et l'événement eut des répercussions dans toute l'Asie. Le président Ayoub Khan du Pakistan me dit quelques mois plus tard : « Le meurtre de Diem signifia trois choses pour de nombreux dirigeants asiatiques : qu'il est dangereux d'être un ami des Etats-Unis ; que la neutralité paie, que parfois il vaut mieux être un ennemi. »

Les mois de pressions et d'intrigues précédant le coup d'Etat avaient paralysé le gouvernement de Diem et permis aux communistes de prendre l'initiative dans la guerre. Une fois Diem éliminé, les grilles du palais présidentiel devinrent une porte tournante. Quels que fussent ses défauts, Diem avait représenté la « légitimité ». Une fois le symbole de la légitimité disparu, le pouvoir au Sud-Vietnam était à qui pouvait s'en emparer. Pendant deux ans, les coups d'Etat se succédèrent jusqu'à ce que Nguyen Van Thieu et Nguyen Cao Ky prennent le pouvoir en 1965. Les forces de guérilla avaient profité de cette situation chaotique et acquis dans l'intervalle une puissance considérable.

Le président Kennedy avait envoyé seize mille hommes au Vietnam en qualité de « conseillers » militaires des unités régulières du Sud-Vietnam mais après l'assassinat de Diem la situation continua de se détériorer. En 1964, Hanoi mit des troupes en action afin de se préparer à prendre le pouvoir quand le gouvernement du Sud-Vietnam tomberait.

En 1965, le Sud-Vietnam était sur le point de s'effondrer. Pour empêcher la conquête par le Nord-Vietnam, le président Johnson commença en février à bombarder le Nord et en mars les premières unités combattantes américaines indépendantes débarquèrent à Danang. A mesure que s'accroissait notre engagement, atteignant un total de cinq cent cinquante mille hommes quand Johnson quitta la présidence, des erreurs fatales dans la méthode américaine étaient devenues évidentes.

Les Américains avaient gagné la Seconde Guerre mondiale essentiellement en produisant plus que l'adversaire. Ils fabriquaient des armes meilleures et en plus grande quantité, ils étaient capables d'en bombarder l'ennemi à un tel rythme que celui-ci fut contraint de capituler. Une puissance de feu écrasante, des capacités logistiques sans égales, les opérations militaires massives rendues possibles par leur talent de l'organisation furent les clefs de la réussite. Mais dans la Seconde Guerre mondiale, nous livrions une guerre conventionnelle contre un ennemi conventionnel. Nous livrions aussi une guerre totale et, par conséquent, tout comme l'ennemi, nous n'éprouvions pas de remords pour le carnage que nous causions. Avant même Hiroshima, les bombardements alliés sur Dresde avaient provoqué, a-t-on estimé, trente-cinq mille morts ; plus de quatre-vingt mille personnes périrent sous les bombes incendiaires, lâchées pendant deux jours sur Tokyo, deux mois plus tard.

Au Vietnam, comme en Corée, c'était une guerre limitée. Les Etats-Unis s'y plongèrent trop impulsivement dans les années soixante et se conduisirent ensuite avec trop d'indécision. Ils essayaient de livrer une guerre conventionnelle contre un ennemi engagé dans une guerre non conventionnelle. Ils cherchaient à modeler l'armée sud-vietnamienne en une grande force conventionnelle alors que la principale menace était encore celle de la guérilla, qui demandait en réponse de petites unités, comme celles qui avaient été si efficaces en Malaisie. Les responsables américains de la politique militaire avaient tendance à négliger les aspects politiques et psychologiques plus subtils de la guérilla et cherchaient à gagner en lançant sur l'objectif des quantités massives d'hommes et d'armement. L'impact même en fut réduit par un accroissement progressif plutôt que soudain de la pression américaine, donnant ainsi à l'ennemi le temps de s'adapter. Eisenhower, qui s'abstenait de critiquer publiquement la conduite de la guerre, fulminait en privé contre cette action progressive. Il s'en plaignit un jour à moi : « Si l'ennemi tient une colline avec un bataillon, donnez-moi deux bataillons et je la prendrai mais au prix de lourdes pertes. Donnez-moi une division et je la prendrai sans combat. »

Au Vietnam, pendant cette période, les Américains n'ont pas été assez subtils pour affronter la guérilla ; ils l'étaient trop en livrant une guerre conventionnelle. Ils étaient trop condescendants, même méprisants envers leur allié, ils avaient trop de sollicitude pour leur ennemi. Le moral vietnamien était sapé par l'« américanisation » de la guerre, le moral américain par la persistance de la guerre.

Les démocraties sont mal équipées pour livrer des guerres prolongées. Une démocratie peut bien se battre lorsque le moral est galvanisé par une attaque ennemie et qu'elle organise sa production de guerre. Une puissance totalitaire peut forcer sa population à combattre indéfiniment. Mais une démocratie ne se bat bien que tant que l'opinion publique soutient la guerre et elle ne continuera pas à supporter le conflit qui se traîne sans signes tangibles de progrès. C'est doublement vrai quand la guerre se déroule à l'autre bout du monde. Il y a 2 500 ans, le stratège chinois Sun Tzu a écrit : « Il n'y a jamais eu de guerre prolongée dont un pays ait bénéficié. Ce qu'il y a d'essentiel dans la guerre, c'est la victoire, et non les opérations qui durent. » La victoire était ce que n'obtenait pas le peuple américain.

Les Américains sont un peuple « faites-le-vous-même ». Pendant cette période, ils n'ont pas compris qu'ils ne pouvaient gagner la guerre pour les Sud-Vietnamiens ; que, dans l'analyse finale, les Sud-Vietnamiens devraient la gagner eux-mêmes. Les Etats-Unis foncèrent au Vietnam et tentèrent de mener la guerre à leur façon au lieu de reconnaître que leur mission aurait dû être d'aider les Sud-Vietnamiens à renforcer leur armée de manière à remporter la victoire.

Lors d'une conversation que j'eus, avant de devenir président, avec un dirigeant asiatique, il me fit observer les faiblesses de la politique américaine d'alors à l'égard du Sud-Vietnam : « Quand vous essayez d'assister une autre nation pour défendre sa liberté, la politique U.S. devrait être de l'aider à se battre mais pas de se battre pour elle. » C'était précisément ce qui n'allait pas au Vietnam. Comme l'a dit plus tard le vice-président sud-vietnamien Ky : « Vous vous êtes approprié *notre* guerre. »

Quand je suis entré en fonctions en 1969, il était évident que la stratégie américaine au Vietnam avait besoin d'être sérieusement révisée. Mon gouvernement dut formuler une stratégie qui mettrait fin à l'engagement américain dans la guerre et permettrait au Sud-Vietnam de la gagner.

Nos objectifs étaient :

— D'arrêter l'« américanisation » de la guerre qui s'était faite de 1965 à 1968 et de nous concentrer plutôt sur la vietnamisation.

— D'accorder une plus grande priorité à la pacification pour que les Sud-Vietnamiens puissent mieux étendre leur contrôle sur la campagne.

— De réduire la menace d'invasion en détruisant les asiles ennemis et les voies de ravitaillement au Cambodge et au Laos.

— De retirer du Vietnam le demi-million de soldats américains d'une façon qui ne provoquerait pas un effondrement du Sud.

— De négocier un cessez-le-feu et un traité de paix.

— De démontrer notre volonté et notre détermination de soutenir notre allié si l'accord de paix était violé par Hanoi et assurer le Sud-Vietnam qu'il continuerait de recevoir notre aide militaire comme la recevait Hanoi de ses alliées, l'Union soviétique et, dans une moindre mesure, la Chine.

En route vers le Vietnam pour ma première visite de président, je donnai une conférence de presse à Guam le 25 juillet 1969 au cours de laquelle je traçai ce qui allait être appelé la doctrine Nixon. Au cœur de la doctrine Nixon, il y a le principe que les pays menacés par l'agression communiste doivent assumer au départ la responsabilité de leur défense. Cela ne veut pas dire que les forces américaines n'ont aucun rôle militaire ; cela signifie que les pays menacés doivent consentir à supporter le fardeau primordial du contingent d'hommes. Nous mettions déjà à exécution la doctrine Nixon au Vietnam en nous concentrant sur la vietnamisation. C'est-à-dire, comme l'a formulé le ministre de la Défense Melvin Laird, en aidant le Sud-Vietnam à « développer un gouvernement plus fort, une économie plus solide, des forces militaires plus importantes et une police plus forte pour assurer la sécurité intérieure. »

L'aspect le plus important de la vietnamisation était le développement de l'armée sud-vietnamienne en une force de combat indépendante, forte, capable de résister par elle-même aux communistes, tant aux forces de guérilla qu'aux unités régulières du Nord qui livraient alors une guerre conventionnelle.

En octobre 1969, j'envoyai Sir Robert Thompson au Vietnam comme conseiller spécial personnel, en le priant de me faire une évaluation franche, directe et indépendante de la situation. Il me rapporta qu'il avait pu se promener sans danger dans de nombreux villages qui avaient été pendant des années sous le contrôle du Viet-cong. Il était tellement impressionné par les progrès qui avaient été accomplis qu'il pensait que nous étions en « position de victoire » pour conclure une juste paix, si nous acceptions de poursuivre jusqu'au bout nos desseins.

Après avoir vivement augmenté les efforts sur la vietnamisation et la pacification, la priorité de l'action militaire était de frapper les asiles ennemis et les voies de ravitaillement du Laos et du Cambodge.

Le Cambodge

Après l'accord laotien de 1962 permettant en fait au Nord-Vietnam de continuer d'utiliser les asiles du Laos, le prince Sihanouk du Cambodge manœuvra pour apaiser les Nord-Vietnamiens, qui lui semblaient représenter le camp le plus susceptible de gagner. En 1965, il rompit les relations avec les Etats-Unis et donna son accord à l'établissement de bases nord-vietnamiennes dans l'est du Cambodge, d'où plus de cent mille Nord-Vietnamiens et soldats du Viet-cong lancèrent des attaques contre les troupes sud-vietnamiennes et américaines pendant quatre ans, avant que j'entre en fonctions.

En janvier 1968, Sihanouk commença à s'inquiéter du nombre de Vietnamiens au Cambodge et il déclara à l'émissaire présidentiel Chester Bowles : « Nous ne voulons pas de Vietnamiens au Cambodge... Nous serons très heureux si vous pouvez résoudre notre problème... Je veux que vous forciez le Viet-cong à quitter le Cambodge. »

En mars 1969, en réponse à une nouvelle offensive majeure que les Nord-Vietnamiens avaient lancée contre nos forces au Sud-Vietnam, j'ordonnai le bombardement des bases occupées par l'ennemi au Cambodge. Le bombardement ne fut pas annoncé publiquement parce que nous avions peur que Sihanouk soit alors forcé de protester. Toutefois, après que des fuites eurent autorisé son dévoilement par le *New York Times* en avril, Sihanouk n'opposa pas d'objections. Au contraire. En mai 1969, deux mois après le commencement des bombardements, il dit : « Le Cambodge ne proteste que contre la destruction des biens et de la vie de Cambodgiens... Si un buffle ou un Cambodgien est tué, je serai immédiatement informé... [et] je protesterai. »

En juin de la même année, Sihanouk déclara à une conférence de presse qu'une des provinces nord-est du Cambodge était « pratiquement un territoire nord-vietnamien » et le mois suivant il m'invita à visiter le Cambodge pour marquer l'amélioration des relations entre nos deux pays. Mais le rapprochement de Sihanouk avec les Etats-Unis ne satisfit pas l'opinion publique cambodgienne. Les Cambodgiens s'opposaient violemment à la violation de leur souveraineté par le Nord-Vietnam. Au cours d'une suite d'événements précipités, en mars 1970, des manifestations contre l'occupation nord-vietnamienne du Cambodge aboutirent au sac des ambassades nord-vietnamiennes et du Viet-cong à Phnom Penh. En quelques jours, les Nord-Vietnamiens reçurent l'ordre d'évacuer le pays dans les quarante-huit heures. Las du numéro d'équilibriste de Sihanouk, le Parlement cambodgien vota à l'unanimité son renversement.

C'était une manœuvre courageuse mais dangereuse. Les Nord-Vietnamiens ne firent pas leurs valises pour quitter le Cambodge. Au contraire : ils avancèrent vers Phnom Penh. En 1978, le régime communiste du Cambodge publia un rapport officiel estimant qu'il y avait environ deux cent cinquante mille hommes des forces communistes vietnamiennes dans le nord-est du Cambodge quand on leur avait ordonné de quitter le pays — un nombre beaucoup plus important que nos propres estimations déjà substantielles.

Au début d'avril, les forces communistes vietnamiennes commencèrent leur offensive, étendant posément leurs zones de bases jusqu'à ce qu'à la fin de ce mois elles menacent de transformer tout l'est du Cambodge en une énorme base d'où elles pourraient frapper à volonté aussi bien Phnom Penh que le Sud-Vietnam. Acquiescer à ce développement aurait signé un arrêt de mort, non seulement pour les Cambodgiens mais aussi pour les Sud-Vietnamiens. Un Cambodge dominé par les communistes aurait placé le Sud-Vietnam dans une situation militaire intenable et mis en péril la vie de milliers de soldats américains.

Pendant tout le mois d'avril, nous avons fait preuve de retenue alors que les forces communistes vietnamiennes se déployaient dans tout le Cambodge. Notre aide militaire au Cambodge se résumait à trois mille fusils de guerre fournis discrètement. Les communistes n'eurent pas cette retenue ; ils exprimèrent clairement que leur unique objectif était la domination du Cambodge.

Finalement, le 30 avril, j'annonçai notre décision de riposter à l'offensive communiste en attaquant les bases occupées par les Nord-Vietnamiens au Cambodge, le long de la frontière du Sud-Vietnam. Notre principal but était d'endiguer l'invasion nord-vietnamienne de ce pays pour que la vietnamisation et l'organisation du retrait des troupes américaines puissent se poursuivre au Sud-Vietnam. Le dessein secondaire était de soulager la pression militaire exercée sur le Cambodge par les forces nord-vietnamiennes qui l'envahissaient rapidement. Les Nord-Vietnamiens occupaient des régions du Cambodge de l'est depuis plus de cinq ans et ils y retournèrent après notre départ ; en revanche, nous avions limité notre présence à deux mois et n'avions avancé que sur une profondeur de trente-quatre kilomètres. Pour n'importe quel observateur objectif, l'agresseur ne faisait aucun doute. Prétendre, comme beaucoup le font encore, que les Etats-Unis et le Sud-Vietnam ont « envahi » le Cambodge — dans le sens de commettre un acte d'agression — est aussi absurde que d'accuser Eisenhower d'avoir commis une agression contre la France en ordonnant le débarquement en Normandie. Le chroniqueur du *New York Times* William Safire observait en 1979 :

« Les Etats-Unis n'ont pas envahi le Cambodge en 1970 ; au contraire, nous savons maintenant que les Vietnamiens ont envahi le Cambodge et que nous avons frappé leurs positions avec un certain succès. Les Etats-Unis n'ont pas brutalisé le Cambodge avec leurs bombardements, au contraire, nous savons maintenant que nous avons bombardé un agresseur qui, maintenant que nous sommes partis, ravage aujourd'hui ce pays. »

Dernièrement, dans une lettre au *New York Times*, un homme dont le fils unique a été tué au Vietnam écrivait :

« Si les pères de ces jeunes hommes avaient su que cette nation autoriserait un « sanctuaire » à quatre-vingts kilomètres à peine de Saïgon, nous les aurions conseillés contre cette installation. Ne pas l'avoir fait est un fardeau que nous porterons toujours. Un grand pourcentage de nos morts au sol de 1965 à 1970 est le fait d'un ennemi qui fut impunément posté, entraîné et équipé dans le Bec de Perroquet au Cambodge.

La perfidie... est tout sauf le bombardement U.S. du sanctuaire lui-même. La perfidie réside dans le fait que pendant plus de quatre ans les Etats-Unis d'Amérique, sans exprimer de souci sérieux, ont laissé attaquer, blesser et tuer leurs combattants d'une position qui était elle-même privilégiée et à l'abri des représailles par terre ou par air. »

Les opérations communes de l'armée U.S. et de l'A.R.V.N. (armée sud-vietnamienne) anéantirent d'énormes dépôts d'équipement nord-vietnamiens... Quinze millions de munitions (des fournitures pour une année entière), huit millions de kilos de riz (quatre mois de provisions), vingt-trois mille armes (de quoi équiper soixante-quatorze bataillons nord-vietnamiens) et bien davantage.

Grâce à cela et à l'opération de Lam Son l'année suivante, au Laos, par les forces sud-vietnamiennes, Hanoi fut incapable d'amasser assez de matériel pour une offensive majeure sur le Sud-Vietnam avant deux ans, en 1972. Un temps précieux avait été gagné pour achever la vietnamisation. Et même quand l'offensive de 1972 se déclencha, elle fut plus faible et plus facile à contenir de la direction des asiles du Cambodge, ce qui témoigne de l'efficacité de nos mesures.

Militairement, l'opération au Cambodge fut un immense succès. Sur le moment pourtant nous fûmes impitoyablement attaqués chez nous pour les efforts que nous faisions afin d'aider le Sud-Vietnam et le Cambodge à survivre. Beaucoup de gens considéraient les opérations communes comme une expansion américaine de la guerre, ignorant l'invasion nord-vietnamienne qui les avait précédées en nous forçant à riposter. Maintenant que le Cambodge a été ravagé par deux armées communistes différentes, sa population chassée des villes dans des marches à la mort et systématiquement affamée par politique, des voix se font l'écho de celles d'il y a dix ans pour dire que c'est notre faute, que les Etats-Unis sont à blâmer. Peut-être est-ce la culpabilité qui pousse ces gens à ignorer l'évidence et leur fait rejeter la responsabilité du génocide auquel se sont livrés les communistes cambodgiens et vietnamiens sur ces mesures militaires limitées prises à l'époque par le gouvernement américain.

En fait, si les Etats-Unis n'avaient pas attaqué les asiles nord-vietnamiens, les communistes auraient ravagé le Cambodge en 1970 plutôt que cinq ans plus tard, quand le Congrès a refusé de fournir une aide militaire au gouvernement anticommuniste Lon Nol. Henry Kissinger a fait remarquer :

« Les horreurs du génocide perpétré par les Khmers rouges au Cambodge en 1975 (avant même que les bateaux de réfugiés révèlent dramatiquement la brutalité du Vietnam communiste) ont été de toute évidence profondément irritantes pour ceux qui étaient opposés à la guerre et qui prônaient depuis si longtemps l'abandon de l'Indochine à son sort. Mais ceux dont les pressions ont radicalement réduit l'assistance américaine au Cambodge, qui ont arrêté toute action militaire américaine pour aider à résister aux Khmers rouges et qui ont finalement réussi à couper toute aide à un pays qui continuait de résister en 1975, ne peuvent échapper à leur responsabilité en récrivant l'histoire. »

Les actions militaires américaines entreprises pour la défense contre des agresseurs totalitaires n'ont pas rendu ces agresseurs totalitaires ; c'est la guerre déclenchée et implacablement poursuivie par les Nord-Vietnamiens qui a provoqué les violences des Khmers rouges.

L'invasion de 1972

Les opérations des Américains et des Sud-Vietnamiens au Cambodge et au Laos en 1970 et 1971 ont réussi à empêcher des offensives majeures du Nord-Vietnam et du Viet-cong au Sud-Vietnam, pendant ces années, et ont permis aux Etats-Unis de retirer leurs forces à la date prévue.

Au printemps de 1972, Hanoi avait déjà reconnu qu'il ne pouvait conquérir le Sud-Vietnam par la tactique de la guérilla, même avec l'aide d'unités régulières, et qu'il ne pouvait gagner le soutien du peuple sud-vietnamien. Hanoi ne pouvait plus prétendre de manière vraisemblable que la guerre dans le Sud était une guerre civile entre le gouvernement de Saigon et le Viet-cong, alors le Nord-Vietnam laissa tomber le masque de la « guerre civile » et lança une invasion conventionnelle générale contre le Sud. Quatorze divisions et vingt-six régiments indépendants envahirent le pays. Cela ne laissait qu'une division et quatre régiments indépendants au Laos et aucune force d'infanterie régulière du tout dans le Nord-Vietnam.

Sir Robert Thompson observe : « C'était un signe des temps, que cette invasion communiste de type coréen, qui vingt ans plus tôt aurait provoqué une action occidentale commune et dix ans auparavant une croisade Kennedy, mît immédiatement en doute la résolution américaine et fît probablement gagner les primaires du Wisconsin au sénateur George McGovern. »

Le minage par les Américains de la rade de Haiphong et l'utilisation de notre puissance aérienne contre des objectifs au Nord-Vietnam aidèrent à sauver la mise mais les combats au sol furent exclusivement livrés par les forces sud-vietnamiennes. Le Nord-Vietnam subit des pertes estimées à cent trente mille tués et blessés. L'invasion fut un échec.

Quand j'ordonnai le minage de la rade de Haiphong et l'intensification des bombardements du Nord-Vietnam le 8 mai 1972, beaucoup de gens supposèrent que cela aboutirait à l'annulation par les Soviétiques de la rencontre au sommet prévue pour le mois de juin. Pas du tout. Brejnev et ses collègues se portèrent au secours de leur allié avec des mots ; ils s'opposèrent laborieusement à nos actions en public. Mais ils maintinrent le sommet, parce qu'ils désiraient avoir de meilleures relations avec nous et en avaient besoin, particulièrement à la suite de notre initiative chinoise. De plus, nos actions au Vietnam avaient non seulement démontré que nous possédions la puissance mais aussi que nous avions la volonté de nous en servir quand nos intérêts étaient menacés, et de ce fait nous méritions qu'on nous parle. Nous pûmes aller au sommet en position de force. Si nous avions failli à entreprendre ces actions et si nous étions allés à Moscou alors que des chars de fabrication soviétique grondaient dans les rues de Hué et de Saigon, nous aurions été dans une position de faiblesse intolérable. Les dirigeants soviétiques auraient pensé que si nous pouvions être bousculés au Vietnam, nous pouvions l'être aussi à Moscou.

Les Chinois condamnèrent aussi, publiquement, notre action du 8 mai. D'un point · de vue idéologique, ils n'avaient pas le choix. Du point de vue de leur survie, néanmoins, ils avaient désespérément besoin de relations avec un pays non seulement solide mais également déterminé et sûr.

En un mot, nos actions de 1972 ont renforcé au lieu d'affaiblir nos nouvelles relations avec les Soviétiques et les Chinois. Tous deux pouvaient voir que nous avions la puissance, la volonté de l'utiliser et l'habileté de nous en servir efficacement. Cela voulait dire que nous valions la peine que l'on nous parle. Nous pouvions être un ami sûr ou un dangereux ennemi. Cela ne signifiait pas qu'ils pouvaient abandonner publiquement leurs alliés communistes de Hanoi. Cependant, leur soutien à Hanoi se refroidit visiblement, ce qui accrut le désir des dirigeants nord-vietnamiens de conclure un accord de paix.

A la suite de leur défaite concluante lors de l'offensive de 1972 et de leur inquiétude croissante sur la confiance qu'ils pouvaient avoir dans leurs alliés soviétiques et chinois, les Nord-Vietnamiens commencèrent enfin de négocier sérieusement. Mais ils étaient aussi obstinés à la table de conférence que sur le champ de bataille. Ils voulaient la victoire plus que la paix. Malgré l'écrasante défaite du candidat de la paix-à-n'importe-quel-prix aux élections américaines de novembre, ils continuaient d'être rétifs à nos conditions minimales.

Le 14 décembre, je pris la décision de reprendre et d'intensifier les bombardements d'objectifs militaires au Nord-Vietnam. Ils débutèrent le 18 décembre. C'était une mesure nécessaire et la décision se révéla bonne. Bien que ce fût un choix très difficile, les réalités de la guerre, et non les désirs illusoires de personnes mal informées, exigeaient cette action. Le bombardement fit sortir les négociations de l'impasse. Les Nord-Vietnamiens revinrent à la table de conférence et le 23 janvier 1973 l'accord de paix tant attendu fut enfin conclu.

Après leur défaite décisive au sol par les forces sud-vietnamiennes lors de l'offensive de printemps et après la destruction de leurs installations de guerre par les bombardements de décembre, les Nord-Vietnamiens savaient que, militairement, ils luttaient contre des forces presque impossibles à vaincre. Alors que l'économie sud-vietnamienne continuait de prospérer, bien plus que celle du Nord, l'idéologie communiste d'Hanoi perdait de plus en plus de sa séduction. Le programme de Thieu, « la terre pour le laboureur », par exemple, avait réduit l'affermage de 60 à 7 p. 100 en 1973, développement vraiment révolutionnaire qui sapait l'argument des communistes selon lequel le gouvernement s'alliait avec les riches et opprimait le peuple. De plus, les Nord-Vietnamiens savaient que les Soviétiques comme les Chinois avaient un enjeu dans leurs nouvelles relations avec les Etats-Unis et ne voudraient sans doute pas les compromettre en fournissant du matériel militaire supérieur à ce qui était autorisé par les accords de paix de Paris de janvier 1973.

Nous avions gagné la guerre, militairement et politiquement, au Vietnam. Mais la défaite se substitua à la victoire parce que nous avions perdu la guerre politiquement aux Etats-Unis. La paix finalement gagnée en janvier 1973 aurait pu être imposée et le Sud-Vietnam serait aujourd'hui une nation libre. Mais dans un spasme de courte vue et de dépit, les Etats-Unis jetèrent ce qu'ils avaient gagné à un prix si élevé.

Après la désillusion du milieu des années 60, beaucoup d'Américains refusèrent de croire que les Etats-Unis pourraient gagner au Vietnam. Après avoir pendant des années fait la guerre d'une mauvaise façon et perdu, nombreux étaient les gens persuadés que nous ne pouvions pas nous battre comme il fallait et gagner. Harcelée par la presse et souvent par des « dissidents » tourmentés par le remords, eux qui avaient été les premiers responsables d'erreurs politiques, l'opinion publique américaine était empoisonnée. Pendant les années 60, les « meilleurs et les plus intelligents » nous disaient que nous pourrions gagner au Vietnam du jour au lendemain ; que nous pourrions gagner la guerre comme on installe une chaîne de montage, comme si des nations entières fonctionnaient comme une usine Ford. Et voilà qu'à présent les « meilleurs et les plus intelligents » déclaraient que nous n'avions aucune chance de gagner la guerre et que nous devions nous retirer le plus vite possible, abandonnant le Sud-Vietnam à son sort. Cela signifiait en réalité que puisque eux-mêmes ne pouvaient vaincre au Vietnam personne ne le pouvait. Arrogants jusque dans la défaite, avec leurs récriminations inspirées par la culpabilité, ils empoisonnaient une opinion publique déjà désillusionnée et frustraient tous les efforts militaires et politiques que nous faisions au Vietnam pour gagner. A présent, choqués par le bain de sang du Cambodge et le sort tragique des bateaux de réfugiés fuyant le Sud-Vietnam « libéré », ils cherchent fébrilement quelqu'un à blâmer. Qu'ils se regardent donc dans la glace.

Rétrospectivement, il est remarquable que le public ait continué de soutenir aussi vigoureusement nos efforts au Vietnam et pendant si longtemps. Comme l'a observé le chroniqueur de *Newsweek*, Kenneth Crawford, c'était la première guerre de l'histoire américaine pendant laquelle les média américains étaient plus favorables à nos ennemis qu'à nos alliés. Des victoires américaines et sud-vietnamiennes, telles que l'écrasement de l'offensive du Têt en 1968, étaient présentées comme des défaites. Les Etats-Unis, dont l'unique intention était d'aider le Sud-Vietnam à se défendre lui-même, étaient condamnés et traités d'agresseurs. Les Nord-Vietnamiens soutenus par les Soviétiques étaient acclamés comme des libérateurs.

Les atrocités de My Lai contre deux cents Vietnamiens furent justement déplorées et le capitaine William Calley jugé et condamné pour le rôle qu'il y joua, mais l'assassinat brutal de dizaines de milliers de civils par les Nord-Vietnamiens fut, on peut le dire, ignoré. En février 1968, une force Viet-cong-nord-vietnamienne occupa Hué et 5 800 civils furent exécutés ou kidnappés. A la suite de la reprise de la ville, au moins 2 800 furent découverts dans des fosses communes, dont beaucoup avaient été apparemment enterrés vivants.

L'accusation cynique et absolument fausse de Hanoi, prétendant que les Etats-Unis avaient une politique de bombardement des digues du Nord, pour causer des milliers de noyades, reçut une publicité fantastique et le résultat de cette publicité de la presse fut que l'accusation fut largement acceptée comme une vérité. La vérité — qu'il n'existait aucune politique de ce genre et que personne ne fut noyé — retint à peine l'attention.

Les Sud-Vietnamiens étaient bruyamment condamnés pour leur façon de traiter les prisonniers. Quand l'actrice Jane Fonda et l'ancien ministre de la Justice Ramsey Clark se rendirent à Hanoï, la presse américaine réagit massivement et en général positivement à leurs déclarations louant le traitement des prisonniers de guerre américains, alors qu'en réalité ils étaient soumis par leurs geôliers nord-vietnamiens à la plus barbare et à la plus brutale des tortures.

La présentation malhonnête faisant deux poids et deux mesures de la guerre du Vietnam ne fut pas à la gloire des média américains. Elle déforma considérablement le point de vue du public qui se réfléchit dans l'attitude du Congrès.

Le 2 janvier 1973, la réunion préliminaire du parti démocrate de la Chambre des représentants vota par 154 voix contre 75 la suppression de tous crédits pour les opérations militaires en Indochine dès que des dispositions seraient prises pour le retrait en sécurité des troupes U.S. et le retour des prisonniers. Deux jours plus tard, une résolution semblable fut votée par la Réunion préliminaire démocrate du Sénat par 36 voix contre 12. Il convient de noter que cela se passait avant que le Watergate n'affaiblisse ma propre position de président et trois mois seulement avant la fin du retrait des forces américaines et le retour des derniers des 550 000 soldats qui se trouvaient au Vietnam quand j'étais entré en fonctions en 1969.

Thompson a observé :

« Le fait est que le président Nixon, ayant acquis une position dominante de négociateur par l'arrêt des bombardements le 29 décembre 1972, ne pouvait utiliser cet avantage à cause de l'hostilité provoquée aux Etats-Unis par les bombardements. Du fait de sa position forte dans les négociations, il était soumis à des pressions croissantes au Congrès et dans tout le pays pour accepter un cessez-le-feu à n'importe quelles conditions, apparemment honorables, qui mettraient immédiatement fin à l'engagement américain direct...

« Le président Nixon fut par conséquent contraint d'accepter des conditions qui coïncidaient, sur le papier au moins, avec les termes reconnus comme définissant la « paix avec l'honneur ». Même alors, si ces conditions avaient été méticuleusement respectées ou avaient été imposables, il y aurait eu une fin à la guerre et une « paix avec honneur ».

Pour que l'accord de paix ait une chance d'être efficace, il était essentiel qu'Hanoi fût dissuadé de le rompre. Dans une lettre privée à Thieu, j'avais déclaré que « si Hanoi ne respecte pas les termes de cet accord, mon intention est de prendre des mesures de représailles rapides et sévères ». A une conférence de presse, le 15 mars, je dis à propos de l'infiltration nord-vietnamienne au Sud-Vietnam et de la violation de l'accord : « Je voudrais seulement souligner que d'après les actions que j'ai ordonnées au cours des quatre dernières années, les Nord-Vietnamiens ne devraient pas prendre à la légère l'expression de notre inquiétude lorsqu'il s'agit d'une violation. »

En avril, mai et juin 1973, alors que mon autorité de président était affaiblie par la crise du Watergate, il y eut des menaces de représailles mais aucune action entreprise. Puis le Congrès vota une motion fixant au 15 août la fin du bombardement américain du Cambodge et exigeant l'approbation du Congrès pour les crédits de toute action militaire U.S. dans n'importe quelle partie de l'Indochine. La motion eut pour effet de retirer au président les moyens de faire respecter l'accord de paix du Vietnam en bloquant toutes représailles contre les violations d'Hanoi.

Une fois que le Congrès eut supprimé la possibilité d'action militaire contre les violations de l'accord de paix, je compris que je n'avais plus que des mots pour menacer. Les communistes le savaient aussi. Par la suppression des bombardements et la résolution des Puissances en guerre de novembre 1973, le Congrès me refusait ainsi qu'à mon successeur, le président Ford, les moyens de faire respecter l'accord de Paris, à un moment où les Nord-Vietnamiens le violaient ouvertement, sans vergogne. Il faut souligner que, pendant les deux ans qui suivirent la signature de l'accord de paix en janvier 1973, les Sud-Vietnamiens résistèrent de façon remarquable contre le Nord bien ravitaillé, sans soutien militaire américain terrestre ou aérien et avec un matériel de plus en plus réduit.

Durant toute l'année 1974, les Russes déversèrent sur le Nord-Vietnam d'énormes quantités de munitions, d'armes et de matériel militaire et le Nord, à son tour, les déversa sur le Sud. En mars 1974, on estimait que Hanoi avait dans le Sud 185 000 hommes, 500 à 700 chars et 24 régiments anti-aériens. La menace de la puissance aérienne américaine disparue, les Nord-Vietnamiens construisirent de nouvelles routes et des pipe-lines pour déplacer leurs armées et leur matériel. Alors que l'Union soviétique armait Hanoi pour l'attaque finale, le Congrès des Etats-Unis restreignait sévèrement l'aide au Sud-Vietnam. Elle fut diminuée de moitié en 1974 et encore d'un tiers en 1975. L'ambassadeur des Etats-Unis au Sud-Vietnam, Graham Martin, avertit la commission des Affaires étrangères du Sénat que ces restrictions de l'aide militaire allaient « sérieusement inciter le Nord à miser sur une offensive militaire générale ». Son avertissement fut tragiquement prophétique.

Le plan original des Nord-Vietnamiens était de lancer leur offensive finale en 1976. Mais ils avancèrent l'horaire. Au début de 1975, la province de

Phuoc Long tomba aux mains des communistes, la première que le Sud-Vietnam perdait totalement depuis 1954. Il y eut relativement peu de réaction aux Etats-Unis. Hanoi décida de se livrer à des attaques plus importantes en 1975, en préparant l'offensive finale de 1976. Le 11 mars, Ban Me Thout tomba et le même jour la Chambre des représentants U.S. refusa un crédit supplémentaire d'aide militaire de 300 millions de dollars qu'avait proposé le président Ford. Ajoutée aux restrictions de crédits précédentes, cette décision affecta terriblement le moral des Sud-Vietnamiens, et les priva aussi des moyens de se défendre eux-mêmes ; ils étaient désespérément à court de matériel militaire et dépendaient en cela des Etats-Unis. Ces mesures furent en revanche un formidable aiguillon psychologique pour le Nord. Hanoi jeta toutes ses troupes restantes dans la bataille. Thieu essaya de regrouper ses forces sous-ravitaillées dans des périmètres plus défendables et la manœuvre exécutée à la hâte se transforma en déroute. A la fin d'avril, tout était fini et Saigon devenait Hô Chi Minh-Ville.

Hanoi avait subi une défaite écrasante quand il avait lancé une offensive conventionnelle contre le Sud en 1972. Les Nord-Vietnamiens avaient alors été arrêtés au sol par les Sud-Vietnamiens, tandis que le bombardement par l'aviation américaine et le minage des ports par l'U.S. Navy anéantissaient leurs efforts pour ravitailler leurs forces dans le Sud. Des raids de B-52 auraient pu avoir des conséquences dévastatrices sur les importantes concentrations de troupes que Hanoi utilisait dans son offensive finale, mais en 1975 le Nord-Vietnam n'avait pas à craindre les forces aériennes et navales américaines et grâce à une importante aide militaire soviétique il possédait un avantage écrasant, en chars et en artillerie, sur les forces terrestres du Sud-Vietnam. Après la victoire du Nord-Vietnam, le général Dung, commandant en chef de l'offensive finale de Hanoi, observa que « la réduction de l'aide

U.S. a mis les soldats fantoches dans l'impossibilité de réaliser leurs plans de combat et d'armer leurs forces... Thieu fut alors forcé de livrer une guerre du pauvre. La puissance de feu ennemie avait décru de près de 60 p. 100 à cause de la pénurie de bombes et de munitions. Sa mobilité fut également réduite de moitié par le manque d'avions, de véhicules et de carburant ».

On peut rejeter la responsabilité de notre défaite au Vietnam en partie sur les Soviétiques, parce qu'ils ont fourni des armes à Hanoi en violation de l'accord de paix, donnant au Nord un énorme avantage sur le Sud dans l'offensive finale du printemps 1975. Elle peut être rejetée en partie sur les erreurs tactiques et stratégiques commises par le président Thieu et ses généraux. Il est foncièrement injuste de blâmer les combattants sud-vietnamiens, dont l'immense majorité s'est battue bien et courageusement contre des forces d'une écrasante supériorité. La majeure partie du blâme doit retomber sur les épaules de ces membres du Congrès responsables d'avoir refusé au président des Etats-Unis, moi d'abord, puis le président Ford, les moyens de faire respecter les accords de paix, et d'avoir refusé aux Sud-Vietnamiens l'aide militaire dont ils avaient besoin pour contrer l'offensive nord-vietnamienne dans des conditions d'égalité.

Mais le Congrès était en quelque sorte prisonnier des événements. Les dirigeants des Etats-Unis au cours des années cruciales du début et du milieu de la décennie 1960, ne surent pas proposer une stratégie aboutissant à la victoire. Au contraire, ils commencèrent par saper un régime fort, puis ils se contentèrent de déverser de plus en plus de soldats et de matériel U.S. dans le Sud-Vietnam, dans un effort inefficace pour soutenir les régimes plus faibles qui suivirent. Ils abusèrent le public en affirmant que nous étions en train de gagner la guerre, pavant ainsi la voie au défaitisme et à la démagogie qui allaient suivre. On ne pouvait attendre du peuple américain qu'il continuât indéfiniment à soutenir une guerre dont on lui avait dit que la victoire était à portée de la main, mais qui exigeait des efforts de plus en plus grands sans aucun signe visible d'amélioration.

En suivant la stratégie que j'avais proposée en 1969, les Américains et les Sud-Vietnamiens avaient pu gagner la guerre sur le plan militaire au moment des accords de Paris de janvier 1973. Les 550 000 soldats américains qui étaient au Vietnam quand j'entrai en fonctions en 1969 avaient été retirés et le Sud-Vietnam était capable de se défendre... si nous lui fournissions les armes qu'autorisaient les accords de Paris.

Mais le public avait été si mal informé et abusé par des actions inconsidérées du gouvernement et par l'interprétation superficielle et irritante des événements par les media, que le moral des Etats-Unis s'effondra alors que le Nord était écrasé et vaincu sur le champ de bataille. Nous avons remporté une victoire après une longue et dure lutte mais alors nous l'avons jetée au panier. Les communistes avaient saisi ce que le stratège et analyste Brian Crozier appelait le point central de la guerre révolutionnaire : « Elle est gagnée ou perdue sur le front intérieur. » La capacité de combat du Nord-Vietnam avait été virtuellement détruite par les bombardements de décembre 1972 et nous avions les moyens de conclure une paix juste, une paix dans l'honneur et de la faire respecter. Mais ces moyens nous ont été refusés quand le Congrès a interdit les opérations militaires terrestres et aériennes en Indochine et réduit radicalement l'aide au Sud-Vietnam indispensable à sa défense. Finalement, la majeure partie du blâme doit revenir à ceux qui encouragèrent les décisions fatales ou y participèrent, ces décisions qui plongèrent les Etats-Unis

dans la guerre pendant les années 60 et qui sabotè-
rent par la suite nos efforts pour nous retirer d'une
manière honorable dans les années 70.

Par leur inaction au moment crucial, les Etats-
Unis ont sapé un allié et l'ont abandonné à son sort.
L'effet produit sur les millions de Cambodgiens, de
Laotiens et de Sud-Vietnamien qui comptaient sur
eux et qui ont maintenant payé le prix des représailles communistes est assez grave. Mais les doutes
éveillés chez les alliés de l'Amérique sur la confiance
qu'on peut lui accorder, l'encouragement de ses
ennemis en puissance à agresser ses amis dans les
autres parties du monde, constituent un tribut dévastateur pour la politique américaine pendant les
futures décennies.
Les répercussions dans le monde furent cruellement résumées par un ministre indonésien diplômé
d'une université américaine. L'analyste international
Pierre Rinfret rapporte les paroles que ce ministre
prononça juste avant la chute du Vietnam : « Vous,
les Américains, vous avez perdu votre cran. Vous
vous êtes fait flanquer à la porte du Vietnam à
coups de pied. Vous ne voulez pas résoudre vos
problèmes énergétiques. Nous vous ferons payer et
repayer le pétrole et vous paierez. Vous avez perdu
votre courage. Le Vietnam a été votre Waterloo. »
Et, pour les Soviétiques, cela signifiait qu'en Afghanistan, en Ethiopie et en Angola la détente devenait
une rue à sens unique.

Essentiellement, la dernière bataille décisive à la
fin de la lutte qui durait depuis vingt-cinq ans se
décida en faveur des communistes parce que, au
moment de l'épreuve de force, l'Union soviétique
a soutenu ses alliés alors que les Etats-Unis ne l'ont
pas fait. Comme je le disais en 1972 : « Toute la
puissance énorme que possèdent les Etats-Unis ne
veut rien dire... à moins qu'il y ait une assurance,

une foi, une confiance que les Etats-Unis seront crédibles, que l'on pourra compter sur eux. »

Une des conséquences secondaires de notre abandon du Sud-Vietnam pourrait bien être la prolifération des armes nucléaires chez les petites nations affrontant des forces hostiles écrasantes, elles qui avaient l'habitude de se fier à la garantie U.S. et n'ont plus confiance. Ceux qui protestaient contre le Vietnam pour éviter une guerre nucléaire ont peut-être contribué à nous en rapprocher.

En Indochine, les conséquences de la défaite américaine ont été tragiques et profondes. Les Etats-Unis se sont retirés de la guerre mais le massacre ne s'est pas arrêté. Au Cambodge, il s'est accéléré quand le régime Pol Pot a déclenché le bain de sang le plus brutal de l'histoire contemporaine.

Les estimations du nombre de morts sont confondantes, comme le sont les souffrances du peuple. Des réfugiés ont rapporté que pour des « fautes graves, comme le vol d'une banane... on était immédiatement exécuté ». D'autres rapports indiquent que les Khmers rouges réservaient une période de deux jours, une ou deux fois par an, pour l'accouplement. C'était uniquement pendant ces deux jours que les hommes et les femmes avaient le droit de se parler, « sauf de ce qui concernait le développement du pays ». Quant à ceux qui violaient ce règlement, un réfugié déclare : « Je connais au moins vingt jeunes hommes et femmes surpris à flirter, qui ont été exécutés. » Se plaindre de la nourriture était aussi devenu un crime passible de la peine de mort dans le meilleur des mondes que bâtissaient les Khmers rouges, un monde qu'ils vantaient en ces termes : « Notre communisme sera meilleur qu'en Russie ou en Chine, où il y a encore des classes... » Plaisanter était interdit : un réfugié a raconté qu'un homme a été exécuté parce qu'il était « trop jovial ». A un moment donné il fut annoncé que se tenir par la main était désormais un crime passible de mort.

En 1979, une nouvelle vague de désastres submergea le Cambodge quand la tactique de la terre brûlée de Pol Pot et la politique de famine du Nord-Vietnam enserrèrent le peuple cambodgien dans un étau d'horreur. Le monde atterré regarda les factions communistes mettre en pièces ce qui restait du pays. Certains estiment que la moitié de la population du Cambodge a sans doute déjà péri.

Au Sud-Vietnam les communistes ont usé de méthodes plus subtiles mais ils ont agi tout aussi implacablement pour déraciner l'ordre ancien et le remplacer par le leur. Les milliers de réfugiés fuyant en bateau ont servi à nous rappeler tragiquement les terreurs de la vie sous cet ordre nouveau, d'autant plus qu'un quart ou plus, estime-t-on, s'est noyé avant de toucher terre.

En juin 1979, l'ambassadeur américain à l'O.N.U. Andrew Young, parlant à Bonn en Allemagne fédérale, déclara qu'il « ne servait à rien de tenter de rejeter le blâme ou de condamner quelqu'un » pour les atrocités commises par les nouveaux gouvernements communistes du Sud-Est asiatique. Il suggéra même que ces atrocités pouvaient être « automatiquement » dues à l'engagement américain au Vietnam. C'est un non-sens malveillant. Pire, c'est un non-sens intéressé. Beaucoup de ceux qui désirent fermer les yeux devant les horreurs d'aujourd'hui dans le Sud-Est asiatique désirent aussi fermer les yeux du monde entier devant leur propre sabotage de l'effort américain dans cette région et devant les effets épouvantables de ce sabotage. Mais, comme le sang sur la main de lady Macbeth, c'est une tache indélébile.

L'échec des Etats-Unis à respecter leurs engagements au Sud-Vietnam aboutit à des tragédies nationales, à mesure que les pays d'Indochine étaient entraînés dans un nouvel holocauste. Mais les conséquences sur la classe dirigeante des Etats-Unis peuvent transformer la défaite au Vietnam en tragédie internationale encore plus étendue. Certains pensent que les « leçons » du Vietnam sont, d'une part, qu'il est dangereux pour les Etats-Unis d'être puissants car ils risquent de mal se servir de ce pouvoir : d'autre part, qu'ils doivent éviter de nouveaux Vietnam en n'intervenant pas quand de petites nations, même amies et alliées, sont menacées d'agression communiste ; que de plus les Etats-Unis vont « en sens contraire » de l'histoire en s'opposant aux forces révolutionnaires communistes en Asie, en Afrique et en Amérique latine, qu'il est impossible de gagner des guerres contre des guérilleros soutenus par les communistes ; qu'enfin les Etats-Unis doivent s'occuper de leurs propres affaires et laisser à d'autres la responsabilité de la direction du monde libre.

Ce sont là de mauvaises leçons et si notre classe dirigeante les suit, notre pays et l'Occident s'engageront sur la pente de la destruction. Ces leçons confondent l'abus du pouvoir avec son application intelligente.

Depuis leur échec au Vietnam, les Américains ont été indûment pusillanimes sur l'emploi de la force, une inhibition que n'ont pas partagée les Soviétiques et leurs satellites. Nous nous sommes écartés et nous avons laissé les Soviétiques agir à leur guise en Angola, en Ethiopie, en Afghanistan et dans le golfe Persique. Ils ne se sont pas embourbés, malheureusement pour nous, car ils pratiquent en experts les arts de la guerre et ils ont utilisé leur puissance avec adresse. Si les Etats-Unis ne réfutent pas les fausses leçons du Vitenam et s'ils ne se débarrassent pas du « syndrome vietnamien », ils compromettront la sécurité de leurs alliés et finalement la leur. Voilà la véritable leçon du Vietnam ; ce n'est pas que les Américains abandonnent le pouvoir mais, à moins qu'ils apprennent à s'en servir pour défendre efficacement leurs intérêts, l'histoire se retournera contre eux et contre toutes les valeurs auxquelles ils croient.

Une plus importante puissance nucléaire dans l'arsenal américain n'aurait pas sauvé le Vietnam. Davantage de forces conventionnelles américaines ne l'auraient pas sauvé non plus. Le Vietnam était perdu, non par manque de puissance, mais par manque d'adresse et de détermination à user de la puissance. Ces manquements ont ouvert une brèche dans la confiance du public et provoqué l'effondrement de la volonté nationale américaine. Finalement, la présidence des Etats-Unis a été affaiblie par les restrictions imposées par le Congrès aux pouvoirs militaires présidentiels et par les effets nuisibles de la crise du Watergate. Les Sud-Vietnamiens démontrèrent en 1972 qu'ils pouvaient efficacement arrêter une invasion au sol s'ils étaient suffisamment armés et s'ils avaient un soutien aérien. Les guerres révolutionnaires ne peuvent être livrées et gagnées par des armées étrangères. Mais si des nations menacées par la guérilla sont bien armées, entraînées et ravitaillées, elles peuvent affronter et vaincre une attaque de guérilleros, à la condition qu'elles luttent pour leur propre indépendance et leur liberté. Selon la doctrine Nixon, nous aurions certainement dû faire pour ceux qui défendaient leur indépendance autant que l'Union soviétique pour ceux qui tentent de la détruire.

Le Vietnam *n'a pas* prouvé que les guérillas sont impossibles à gagner, ou les forces « révolutionnaires » invincibles. Tout au contraire ; notre camp avait gagné la guérilla et il gagnait la guerre normale... jusqu'à ce que les Etats-Unis coupent l'herbe sous le pied de leur allié en réduisant radicalement les fournitures alors que les Soviétiques déversaient d'énormes quantités d'armes et de munitions dans les arsenaux du leur. A ce moment, le Vietnam finalement succomba au même genre d'assaut conventionnel sur une grande échelle que nous avions repoussé avec succès en Corée.

Comme l'a fait observer William Colby, « par une ironie asymétrique, les communistes ont déclenché la guerre contre Diem à la fin des années 1950 comme une guerre populaire et les Américains et les Vietnamiens y ont initialement riposté comme à une guerre militaire conventionnelle ; à la fin, le gouvernement Thieu livrait une guerre populaire enthousiaste, mais perdait une bataille militaire. Le palais présidentiel de Saigon ne fut pas investi par des guérilleros nu-pieds, mais par un char nord-vietnamien pourvu d'un énorme canon ».

La guerre révolutionnaire demeurera dans le répertoire soviétique mais maintenant — en partie à cause du Vietnam — les Russes se sont enhardis jusqu'à employer aussi de plus grands moyens plus directs.

Les Soviétiques ont débuté au Vietnam en donnant du matériel aux guérilleros communistes ; plus tard, ils sont passés à la fourniture massive d'armes pour l'invasion nord-vietnamienne conventionnelle du Sud. Puis, en 1975, ayant réussi dans le Sud-Est asiatique, ils ont haussé d'un cran leur mire en expédiant des troupes cubaines à travers l'Atlantique pour effectuer par procuration la conquête de l'Angola. A la veille de Noël 1979, ils escaladent un nouvel échelon en envoyant l'Armée rouge elle-même en Afghanistan, la « charnière du sort de l'Asie », pour écraser une révolte contre un régime communiste imposé par un coup d'Etat moins de deux ans auparavant. En toute logique, le prochain pas des Soviétiques sera d'employer l'Armée rouge contre un ami ou un allié de l'Occident.

Hanoi semble plus résolu que jamais à réaliser son ambition, proclamée depuis longtemps, de conquérir non seulement le Sud-Vietnam mais toute l'Indochine. Au Cambodge, les Vietnamiens accélèrent ce qui pourrait être l'offensive finale contre les Cambodgiens qui s'opposent à eux. Au Laos, ils ont lâché des gaz toxiques sur des tribus montagnardes qui s'opposaient à leur domination. La Thaïlande sent la brûlure des ambitions vietnamiennes ; ses forces armées de 216 000 hommes sont surpassées à 5 contre 1 par la machine de guerre nord-vietnamienne. Les forces armées du Vietnam sont maintenant presque aussi importantes que celles de l'Inde, le second pays le plus peuplé du monde. S'ils achèvent la conquête de l'Indochine et s'ils décident de s'attaquer ensuite au reste du Sud-Est asiatique, il faudra un effort prodigieux pour les arrêter.

Si les Etats-Unis avaient tenu jusqu'au bout et pris les mesures nécessaires pour assurer le respect de l'accord de paix du 23 janvier 1973, les dirigeants soviétiques auraient été moins tentés de lancer leurs coups de sonde agressifs dans d'autres parties du monde. Nos amis et alliés douteraient moins de la volonté américaine et de l'efficacité de la puissance américaine. Et, plus important encore, le peuple américain pourrait considérer avec fierté les dix dernières années de sacrifices d'hommes et d'argent au Vietnam, plutôt qu'avec amertume et en s'excusant, ce qui conduit tant de gens à dire, même quand des intérêts américains vitaux sont en jeu : « Ne bougeons pas — plus de Vietnam ! »

VI

LE GEANT QUI S'EVEILLE

La Chine ? Voilà un géant endormi. Laissons-le
dormir. Car lorsqu'il s'éveillera, il ébranlera le
monde.

Napoléon

Cherchez la vérité dans les faits.

Teng Hsiao-Ping

La Chine s'éveille en ce moment et elle pourra bientôt ébranler le monde.

Exotique, mystérieuse, fascinante, la Chine galva-
nise depuis des temps immémoriaux l'imagination
des Occidentaux. Cependant, même le clairvoyant
Tocqueville, qui a prédit il y a cent cinquante ans
que les Etats-Unis et la Russie émergeraient comme
deux grandes puissances mondiales rivales, n'a pu
prévoir que la nation qui aurait la capacité virtuelle
de décider de l'équilibre mondial du pouvoir pendant les dernières décennies du xxᵉ siècle et pourrait
devenir la plus puissante nation du monde au
xxiᵉ, serait la Chine.

La Chine est une nation aux possibilités presque
illimitées qui commence à peine à se rendre compte
de ces possibilités. Les xviiᵉ, xviiiᵉ, xixᵉ et xxᵉ siècles
y existent tous côte à côte. Les paysans se courbent
toujours dans les rizières comme ils l'ont fait
depuis des siècles, plantant une à une les pousses
à la main. Ils marchent pieds nus par des sentiers
poussiéreux, une longue perche sur l'épaule à

laquelle sont accrochés des paniers. Beaucoup vivent dans des huttes de terre. Dans les grandes villes, les automobiles et les camions partagent la chaussée avec de rustiques voitures à chevaux, des charrettes à bras et des vélos-pousses, ainsi qu'avec une foule de piétons et des essaims de bicyclettes. Malgré son énorme population, la Chine ne possède encore qu'une force militaire limitée, une agriculture primitive et une économie généralement pré-industrielle. Mais elle a de considérables ressources naturelles et un des peuples les plus capables du monde, un quart de toute la population de la planète. Elle pourrait émerger au XXIe siècle comme la plus forte puissance du monde, et aussi une des plus avancées du point de vue économique, si elle réussit sa transition dans le monde moderne et si elle continue de s'écarter des théories économiques communistes doctrinaires.

Entre toutes ses voies possibles, celle que choisira la Chine pourrait éventuellement déterminer la survie ou la mort de l'Occident.

Connaître la Chine est plus que le travail d'une vie entière. Le mieux que l'on puisse espérer est une certaine compréhension de certaines parties de l'aventure chinoise ; et plus on sonde profondément cette aventure, plus il devient évident que les mystères sont infinis. Teilhard de Chardin a conseillé un jour : « Ecrivez sur la Chine avant d'y être resté trop longtemps ; plus tard, vous briseriez votre plume. »

Mais si nous ne pouvons jamais tout savoir de la Chine, il nous est possible d'en apprendre quelque chose, en particulier ce que nous pouvons raisonnablement attendre du comportement chinois. Les actuels dirigeants chinois sont des hommes d'Etat possédant un sens aigu du monde, qui pensent en termes mondiaux. Ils sont également communistes. Ils sont également chinois. Depuis la mort de Mao, ils semblent devenir moins communistes et plus chinois, moins prisonniers de l'idéologie et plus pragmatiques, moins révolutionnaires et plus traditionnels.

J'ai visité la Chine trois fois, en 1972, 1976 et 1979. La première fois, en 1972, Mao Tsé-toung et Chou En-lai étaient au pouvoir. La deuxième fois, en 1976, Chou était mort, Mao et Hua Guo-feng au pouvoir. La troisième fois, en 1979, Mao était mort à son tour et le pouvoir se partageait entre Hua et Teng Hsiao-ping.

En Chine, quand les dirigeants changent, la politique fait de même... reste à savoir si c'est temporairement ou définitivement. On pourrait même dire que pour les observateurs de la Chine, aujourd'hui, le mot clef est le *changement* : la Chine change et les changements en Chine, s'ils continuent, risquent de profondément transformer le monde.

Comme avec la Russie, nous ne pouvons espérer comprendre la Chine actuelle que si nous connaissons un peu de son passé. Même les changements actuels ont leurs racines dans le passé et, par certains aspects, sont un retour à la tradition. Plus que la plupart des pays, la Chine est un produit de son passé et son histoire est unique. D'autres nations apparaissent et disparaissent, d'autres empires s'élèvent et s'écroulent mais la Chine demeure, la Chine est éternelle.

La civilisation chinoise remonte à quatre mille ans ; dans le sens de la continuité c'est la plus vieille civilisation du monde. Alors que les civilisations grecque et romaine s'épanouissaient et disparaissaient, celle de la Chine persistait. Alors que l'Europe était plongée dans la barbarie, la culture, la science, la philosophie chinoise demeuraient inaltérablement florissante. La Chine est la seule grande région du monde qui n'a jamais été sous la domination occidentale. Même le Japon, qui n'a jamais perdu son indépendance a été gouverné par le général MacArthur dans les années suivant la

Seconde Guerre mondiale. La Chine a été envahie à plusieurs reprises mais à chaque fois elle a absorbé les envahisseurs et a fini par les convertir. Au cours des siècles, elle a produit une sorte de stoïcisme ; en 1976, Hua Guo-feng m'a dit : « Laissez venir les Russes. Ils feront peut-être un long chemin mais ils ne ressortiront jamais. »

Le passé de la Chine ne se distingue pas seulement par sa longévité, son ressort et sa culture. Historiquement, les Chinois considèrent la Chine comme l'« Empire du Milieu », comme le centre du monde, le céleste empire, « tout sous le Ciel ». D'autres nations existaient mais elles étaient barbares, sans importance. Les Chinois prirent conscience de l'existence d'autres civilisations mais elles étaient trop lointaines pour présenter une menace ou une tentation. Pour les Chinois la leur n'était pas *une* civilisation mais *la* civilisation. En 1793, l'empereur Quian Long repoussa une mission commerciale britannique en écrivant au roi George III : « Le Céleste Empire, régnant sur tout entre les quatre mers... n'attache pas de valeur aux choses rares et précieuses... Nous n'avons jamais attaché de valeur aux articles ingénieux, et n'avons pas le moindre besoin des manufactures de votre pays. » Au XIXᵉ siècle encore, les cartes chinoises représentaient une immense Chine au centre du monde, avec un éparpillement de petites îles dans la mer alentour, portant des noms comme France, Angleterre, Amérique.

L'empire chinois dura plus de deux mille ans, depuis sa fondation en 221 avant J.-C. jusqu'à son renversement au début du XXᵉ siècle. Ce fut par moments le plus vaste empire du monde. Cependant, il ne s'étendit jamais au-delà de la Chine, sauf dans des régions frontalières. Il n'y avait pas d'avant-postes de l'empire au-delà des mers. Les Grecs, les Romains et d'autres bâtisseurs d'empires partaient à la recherche de mondes à conquérir ; les empereurs de Chine régnaient déjà sur « le monde » et leur principal dessein était de garder les barbares à la porte. En notre propre temps, les Russes ont construit le mur de Berlin pour garder leurs sujets à l'intérieur ; pendant plus de deux mille ans, les Chinois ont entretenu la Grande Muraille pour se garder des envahisseurs. Au-delà de la Grande Muraille, il n'y a pas assez de pluie pour l'agriculture ; en deçà, il y en a à satiété. Au nord, des tribus nomades ont toujours erré, développant les arts de l'équitation, des raids et de la guerre. Au sud, des villes et des civilisations sédentaires se développaient avec toutes leurs richesses. Pendant toute l'histoire de la Chine, à part les cent cinquante dernières années, la menace contre la civilisation chinoise est toujours venue du nord, des barbares nomades qui déferlaient périodiquement pour conquérir et pour piller. Quand les Chinois se tournent aujourd'hui vers les nouveaux « barbares » qui menacent une fois de plus au nord, le spectre évoque des souvenirs nationaux si profondéments enracinés qu'ils sont presque instinctifs.

Pour la Chine, les XIXᵉ et XXᵉ siècles ont été une époque de collision fracassante avec le monde extérieur et de changement fracassant à l'intérieur.

Du point de vue de la Chine, ses premiers contacts avec l'Occident — et nombreux des plus récents aussi — ont été à la fois humiliants et désastreux et n'ont servi qu'à affermir l'hostilité à l'égard des « diables étrangers » tout en intensifiant un sentiment de supériorité culturelle. Certains Occidentaux vinrent pour coloniser, d'autres pour convertir, la majorité pour exploiter. L'impact le plus démoralisant, toutefois, ne fut pas économique ni politique mais plutôt un affront à la dignité du peuple chinois. Lors de ma première visite à Hong Kong en 1953, j'ai demandé à un homme d'affaires chinois très prospère et pro-britannique comment le peuple de Hong Kong voterait s'il avait à choisir entre acquérir l'indépendance ou rester colonie britannique. Il m'a répliqué que bien que la population chinoise de Hong Kong vécût mieux sur le plan économique que les habitants d'autres pays indépendants de l'Asie non communiste, elle voterait probablement à 95 p. 100 pour l'indépendance. Je lui ai demandé pourquoi. Il m'a dit que les Britanniques étaient certainement les plus respectés et les plus progressistes des colonisateurs européens mais qu'il y avait un dicton courant chez les Chinois, dans toute l'Asie, qui veut que lorsque les Britanniques installent une colonie ils fondent avant tout trois institutions, dans l'ordre suivant : premièrement, une église, deuxièmement, un hippodrome et enfin, un club dont les Orientaux ne peuvent faire partie. En 1972, en m'escortant à l'aéroport, le secrétaire du parti communiste de Shanghai, de la ligne dure, me montra fièrement un terrain de jeu pour les enfants, magnifique, en me disant que cela avait été un terrain de golf avec une pancarte à l'entrée : « Interdit aux chiens et aux Chinois. » Rien de plus ne fut dit, c'était suffisant. Au cours de ma troisième visite en 1979, mon hôte dans la troisième plus grande ville de Chine me montra des hôpitaux, des écoles, d'autres bâtiments qui avient jadis fait partie des « concessions » européennes, britannique, allemande, française, hollandaise ou autre, où les Chinois n'avaient le droit d'entrer que sur invitation des Européens. Pour les Chinois, avec leur colossale fierté, ces affronts étaient impardonnables.

Les lecteurs de romans américains associent la Chine aux fumeries d'opium et s'imaginent probablement que la drogue qui fit plus tard des ravages dans la jeunesse américaine était insidieusement introduite de là-bas. En apprenant que la Grande-Bretagne fit à la Chine, au milieu du XIXe siècle, deux « guerres de l'opium », l'Américain d'aujourd'hui pourrait supposer que c'était là de vertueux efforts des Britanniques pour mettre fin au trafic de l'opium. En réalité, l'opium fut imposé à la Chine, contre de violentes objections chinoises, par les marchands britanniques ; les Chinois essayèrent d'interdire son importation et son utilisation. La Grande-Bretagne fit la guerre à la Chine en partie pour contraindre les Chinois à accepter la poursuite de la vente de l'opium. Les guerres de l'opium étaient aussi des prétextes pour forcer la Chine à s'ouvrir au commerce et à l'exploitation étrangers et pour lui soutirer des privilèges particuliers, commerciaux ou autres. La Grande-Bretagne s'empara de Hong Kong au cours de la première de ces guerres, assura la désignation de cinq « ports ouverts » et gagna le privilège d'exterritorialité pour ses citoyens en Chine ; par la seconde guerre de l'opium, la Grande-Bretagne et la France ensemble forcèrent une plus grande partie de la Chine à s'ouvrir au commerce étranger et acquièrent de nouveaux privilèges pour les Occidentaux. Ces humiliations furent suivies par de nouvelles saisies territoriales et l'établissement de « zones d'influence » étrangères en Chine, tandis que la Russie et le Japon se joignaient dans la mêlée aux nations occidentales.

Les Chinois eux-mêmes étaient aigrement divisés sur la riposte à opposer aux empiètements occidentaux, les uns penchant pour le retour à l'isolationnisme chinois, les autres pour l'adoption de la technologie occidentale dans l'espoir de devenir suffisamment forts pour chasser les étrangers. Mais même ces derniers considéraient les manières occidentales comme une influence corruptrice importune. Le fait que les Occidentaux arrivaient avec un armement plus puissant, et pouvaient par conséquent imposer leur volonté à la Chine, n'amoindrissait guère la tendance des Chinois à les considérer comme des barbares et des diables. Une dénonciation cantonaise des Britanniques, en 1841, précisait : « Nous notons que vous, Anglais barbares, avez pris les habitudes et développé la nature des loups, pillant et vous emparant des choses par la force... A part la solidité de vos vaisseaux, la férocité de vos canons et la puissance de vos obus, quels autres talents possédez-vous ? »

La haine de l'étranger explosa dramatiquement au début du siècle dans la révolte des Boxers. Les « Boxers » étaient un groupe qui s'intitulait les « Poings de l'Harmonie vertueuse » et qui ressentait amèrement l'ingérence occidentale dans les manières traditionnelles chinoises. Ils considéraient les étrangers comme des profanateurs de lieux saints et beaucoup croyaient que les hauts bâtiments construits par les « diables étrangers » l'avaient été pour que de bons esprits volant bas se tuent en s'écrasant contre eux ; ils étaient certains que l'eau rouillée qui ruisselait des voies de chemin de fer et des lignes télégraphiques quand il pleuvait était le sang des bons esprits qui y étaient morts. La ferveur religieuse s'alliait à la xénophobie. Les bandes errantes de Boxers ne se contentaient pas d'incendier et de piller, elles tuaient aussi des Chinois convertis au christianisme. En 1900, ils envahirent Pékin, assassinèrent les ministres allemand et japonais et assiégèrent les légations étrangères. Les puissances occidentales intervinrent avec des forces écrasantes, jugulèrent la révolte et punirent les Chinois en leur arrachant encore plus de concessions, ainsi que des réparations.

La Chine était mûre pour la révolution en 1911 parce qu'elle avait besoin d'une révolution. Elle avait été trop longtemps accablée par des gouvernements incapables de contrôler les brutalités et les larcins des seigneurs de guerre ou de résister aux usurpateurs et aux exploiteurs étrangers. Après des années de lutte, les forces révolutionnaires sous le commandement de Sun Yat-sen — un médecin qui avait fait ses premières études à Hawaii —

finirent par triompher et l'empire de plus de deux mille ans d'âge fut renversé. Mais la victoire de la révolution ne fit que précipiter la Chine dans une nouvelle période de chaos.

Durant tout le XXᵉ siècle, la Chine avait été très agitée. Les révolutionnaires de 1911 eux-mêmes avaient des buts divergents. Le nouveau gouvernement fut déchiré par des rivalités et ne put établir son autorité sur toute la Chine. Après la mort de Sun Yat-sen en 1925, la faction dirigée par Chang Kai-chek et celle qui finit par avoir à sa tête Mao Tsé-toung se battirent entre elles jusqu'à ce que Mao parvienne à contrôler le continent en 1949. Cependant, la Chine livrait une guerre épuisante contre le Japon et souffrait atrocement sous l'invasion japonaise. Depuis 1949, la Chine s'est aussi battue contre les Etats-Unis en Corée, contre l'Inde, contre l'Union soviétique dans des incidents de frontière et plus récemment contre son ancien état-client du Vietnam. Mais, plus fondamentalement, pendant une grande partie du siècle la Chine s'est battue contre la Chine. La longue guerre civile fut suivie d'une succession de soulèvements tandis que Mao purgeait une faction après l'autre, lançait son Grand Bond en avant et sa Révolution culturelle, « purifiait » le parti en éliminant un groupe puis un autre ; purification qui faisait des millions de morts.

Le viol de la Chine par les puissances occidentales au XIXᵉ siècle a laissé une marque indélébile, mais les conflits du XXᵉ siècle aussi.

Comme les querelles de famille, les guerres civiles sont les plus virulentes de toutes. Pourtant, toujours comme les querelles de famille, elles produisent une certaine ambivalence. Les Chinois des deux camps dans la longue lutte étaient toujours des Chinois, avec la même fierté de la Chine, les mêmes sentiments matérialistes chinois, le même héritage. Chang et Mao avaient tous deux servi sous Sun Yat-sen ; Mme Chang est la sœur de Mme Sun qui est restée sur le continent et continue d'être en Chine une personnalité vénérée. Dans les années 1920, Chang était commandant et Chou En-lai directeur politique de l'académie militaire chinoise de Whampoa. Lors de mes conversations avec les dirigeants chinois, j'ai découvert qu'ils avaient pour Chang des sentiments curieusement mitigés. En tant que communistes, ils le haïssaient, mais en tant que Chinois ils le respectaient et, à contrecœur, l'admiraient. A ma première rencontre avec Mao, en 1972, il fit un grand geste du bras et dit : « Notre vieil ami commun le généralissime Chang Kai-chek n'approuve pas ceci », ajoutant : « Il nous traite de bandits communistes. » Je demandai à Mao comment il appelait Chang Kai-chek. Mao rit ; Chou répondit : « D'une manière générale, nous les appelons la "clique de Chang Kai-chek". Dans les journaux, nous le traitons parfois de bandit ; il nous traite de bandits à son tour. Quoi qu'il en soit, nous nous insultons. » Mao intervint : « A vrai dire, l'histoire de notre amitié avec lui est bien plus longue que celle de la vôtre avec lui. »

Les chefs de la révolution communiste chinoise étaient endurcis par les difficultés et poussés par un zèle touchant au fanatisme. Cela ne devrait pas surprendre. Tout jugement de valeur mis à part, l'ampleur de la mission qu'ils s'étaient fixée exigeait à la fois la dureté et le zèle. Mao s'identifiait parfois avec le premier empereur des Tsin, Tsin Shihuang-di, qui unifia les Etats guerriers de la Chine en un seul empire, en 221 av. J.-C. Même suivant les normes de l'histoire chinoise qui, selon l'érudit O. Edmund Clubb, « ne le cède à aucune pour les effusions de sang », la brutalité des Tsin est légendaire. Après qu'une armée de quatre cent mille hommes leur eut rendu les armes, tous les quatre cent mille furent massacrés ; pour discipliner les intellectuels de son temps, Tsin Shihuang-di fit exécuter et enterrer dans une fosse commune quatre cent soixante érudits. Mao lui-même, alors que la population de la Chine était moins importante qu'aujourd'hui, écarta un jour la menace de guerre nucléaire en déclarant que même si trois cents millions de Chinois étaient tués il en resterait encore trois cents millions.

Quand j'ai rencontré Mao pour la première fois en 1972, il était affaibli par l'âge et la maladie. Mais son esprit restait aigu et on ne pouvait douter qu'il était aux commandes du côté chinois. Il discourait de philosophie, d'histoire, de la portée des événements ; et cependant il parlait aussi en des termes singulièrement humbles de ses propres limites. Il m'est arrivé de lui dire que ses écrits avaient « transformé une nation et changé le monde » et il me répliqua modestement : « Je n'ai pas pu le changer. Je n'ai pu changer que quelques lieux dans les environs de Pékin. » Avant ma visite, André Malraux qui connaissait Mao depuis de longues années, m'avait dit qu'aux yeux de Mao « les grands chefs — Churchill, Gandhi, de Gaulle — étaient créés par un type de bouleversement historique qui ne peut plus se produire dans le monde. Dans ce sens, il estimait ne pas avoir de successeurs. Je lui ai demandé un jour pourquoi il ne se considérait pas comme l'héritier des derniers grands empereurs de Chine du XVIᵉ siècle. Mao a répondu : « Mais naturellement je suis leur héritier. » Monsieur le président, vous opérez dans un cadre rationnel, mais pas Mao. Il y a quelque chose du sorcier en lui. C'est un homme habité par une vision, possédé par elle ».

La vision qui possédait Mao a convulsé la Chine.

Pendant les décennies suivant la victoire de Mao sur le continent, trois courants de pensée étaient en discorde plus ou moins constante chez les dirigeants chinois. Le premier, identifié avec Liu Chao-chi, était la ligne classique, doctrinaire, marxiste-léniniste-stalinienne qui se tournait vers Moscou pour la direction, l'exemple et l'assistance. Il était prépondérant dans les premières années. Un autre, identifié aujourd'hui avec le vice-Premier ministre

Teng Hsiao-ping, était essentiellement pragmatique, soucieux de développement économique et prêt à des compromis idéologiques et autres avec l'Occident. C'est celui-ci qui est en pleine ascendance aujourd'hui. Le troisième courant, celui de Mao, était enraciné dans l'expérience de la Longue Marche et voué à un idéal de lutte constante : la révolution était une fin en soi ; chaque fois qu'un groupe, même l'administration du parti communiste, devenait trop retranché ou trop confortable, il était temps de mettre le pays sens dessus dessous. Les communautés populaires, le Grand Bond en avant, la Révolution culturelle furent tous des exemples de la résolution de Mao de maintenir l'esprit de la lutte et de purifier par les purges, le chaos et la dislocation ; des millions sont morts à cause de sa détermination de garder la révolution « révolutionnaire ».

La rupture sino-soviétique

La victoire communiste en Chine ne vint que quatre ans après la fin de la Seconde Guerre mondiale et elle fut aidée par l'Union soviétique. Au début, le nouveau régime s'allia fermement à l'U.R.S.S. Mais des tensions se développèrent bientôt. Les Soviétiques se révélèrent des alliés peu sûrs ; le gouvernement chinois, étant chinois, n'accepta pas longtemps de concéder à Moscou la suprématie sans opposition en tant que chef du monde communiste.

Le rapprochement sino-américain de 1972 a sans doute été l'événement géopolitique le plus spectaculaire depuis la Seconde Guerre mondiale, mais le plus important était la rupture sino-soviétique qui l'a précédé. Cette rupture a rendu possible par la suite le rapprochement avec les Etats-Unis. Avec la belligérance soviétique qui continuait, elle rendait aussi ce rapprochement indispensable tant du point de vue américain que du point de vue chinois.

La rupture était peut-être inévitable, compte tenu de la mentalité respective des deux pays, de leur histoire faite de conflits de leurs divergences d'intérêts. Mais cet aspect inéluctable n'était pas apparent à la plupart des Américains, y compris à moi-même, durant la première décennie du régime communiste en Chine. Le spectre qui hantait le monde était celui du bloc sino-soviétique agressif, monolithique, une nouvelle force menaçante sur le théâtre du monde. A ce stade, les Chinois étaient encore plus implacablement hostiles à l'Occident que les Soviétiques. Pékin et Moscou soutinrent tous deux l'invasion de la Corée du Sud par la Corée du Nord en 1950. Mais l'Union soviétique ne fournit que des armes ; des milliers de Chinois furent tués à la guerre, parmi lesquels un des fils de Mao. A mesure que la concurrence se développait entre les deux géants communistes, elle se braqua de plus en plus sur le leadership du monde communiste, chacun accusant l'autre de dévier de l'orthodoxie communiste « vraie ». Finalement, une des questions clefs qui les sépara fut précisément celle — le communisme — qui dans l'idée de beaucoup d'entre nous devait au contraire les unir. Ils ne pouvaient pas être tous deux le Numéro Un, et ni l'un ni l'autre ne voulait être le Numéro Deux ; dans la rigide structure hiérarchique du monde communiste, il n'y a de place que pour une seule autorité suprême. La Russie était accoutumée à régner en maître dans le monde communiste ; la Chine avait l'habitude d'être l'autorité suprême dans son propre monde.

Ce conflit fut exacerbé par une méfiance et une hostilité profondément enracinées entre les deux peuples eux-mêmes. Historiquement, les Chinois ont toujours méprisé les Russes, tout comme ils méprisaient les Indiens. Les dirigeants soviétiques dénigraient constamment les Chinois. Déjà du temps de Khrouchtchev, des dirigeants russes avertissaient en privé leurs homologues américains, les mettant en garde contre le mépris des Chinois pour la vie humaine, ce qui, étant donné les annales soviétiques, se passe de commentaires. A nos rencontres au sommet américano-soviétiques, Brejnev m'a prévenu à plusieurs reprises contre la menace chinoise, décrivant les dirigeants chinois comme des barbares traitant brutalement leur propre peuple ; il répétait de façon pressante que « nous autres Occidentaux » devions nous unir pour résister au grand danger potentiel de la Chine. Les Chinois, de leur côté, ne cachaient pas dans leurs conversations privées qu'ils considéraient les Russes comme des barbares grossiers et sans scrupules. D'un côté comme de l'autre, ces sentiments ne sont pas de l'étoffe où l'on taille des amitiés durables.

Hua Guo-feng m'a parlé d'une conversation entre Mao et le Premier ministre soviétique Kossyguine en 1965, au cours de laquelle Mao dit à Kossyguine que le débat entre la Chine et l'Union soviétique durerait dix mille ans. Kossyguine protesta et à la fin de la conversation il demanda à Mao s'il l'avait finalement convaincu que dix mille ans étaient une trop longue estimation. Mao répliqua que Kossyguine avait certes été persuasif et qu'à cause de cela il voulait bien supprimer mille ans mais que le débat se poursuivrait pour au moins neuf mille ans.

La rupture sino-soviétique se fit à la fin des années 50 et au début de la décennie suivante, dix ans à peine après la prise du pouvoir par Mao ; en 1961 elle était virtuellement consommée. Parmi les facteurs qui y contribuèrent, il y eut la déception des Chinois de ne pas recevoir plus d'aide soviétique pour développer leur capacité nucléaire et le brusque retrait en 1960 de techniciens soviétiques, laissant en Chine beaucoup de projets inachevés. A la suite de cette rupture, la guerre idéologique entre les deux géants communistes devint plus intense, tout comme leur rivalité sur la scène internationale. La Chine suivait alors une ligne plus dure dans sa confrontation avec l'Occident et elle soutenait vigoureusement les « guerres de libération nationale ».

Encore dans le premier épanouissement de sa puissance communiste, la Chine cherchait à étendre cette puissance — à la chinoise — partout où elle le pouvait, obéissant ainsi au diktat de Mao : « Tout communiste doit saisir la vérité ; le pouvoir politique sort de la bouche d'un canon. »

A ce moment, la rupture rendit le bloc sino-soviétique moins menaçant pour le monde mais il ne rendit pas la Chine moins menaçante. Cela vint plus tard, quand elle commença à changer.

Les Etats-Unis et la Chine

Quand *Air Force One* [1] — ou le *Spirit of 76* comme on l'appelait alors — atterrit à l'aéroport de Pékin le 21 février 1972, j'avais vivement conscience que le monde ne serait plus jamais le même. La nature de son changement allait dépendre considérablement de la nature de nos conversations au cours de la semaine suivante. Mais un profond changement était inévitable. Le voyage en soi, les décisions de l'entreprendre calculées des deux côtés avaient déjà amorcé ce changement.

A la tête de la délégation d'accueil se tenait Chou En-lai, sa frêle silhouette engoncée dans un lourd pardessus. Des années auparavant, à la conférence de Genève de 1954, Chou avait été profondément offensé quand il avait tendu la main à John Foster Dulles dans une réunion publique et que Dulles avait refusé de la serrer. Cela avait été un de ces petits affronts cérémoniaux qui peuvent paraître justifiés, même nécessaires, sur le moment mais qui peuvent fermenter pendant des années et avoir même de graves conséquences diplomatiques. J'étais déterminé à ce que mon premier geste à mon arrivée en Chine fût pour réparer cette omission. Comme je descendais de la passerelle, Chou se mit à applau-

1. L'avion présidentiel américain.

dir. Je rendis le geste puis, en atteignant la dernière marche, je tendis la main à Chou. Quand il la prit, ce fut plus qu'une poignée de main. Nous savions tous deux qu'elle marquait un tournant de l'histoire.

Près de cinq ans plus tôt, dans un article paru en 1967, dans la revue trimestrielle *Foreign Affairs*, j'avais écrit qu'« en réfléchissant à long terme nous ne pouvions tout simplement pas nous permettre de laisser éternellement la Chine en dehors de la famille des nations, pour y ruminer ses fantasmes, chérir ses haines et menacer ses voisins. Il n'y a pas de place sur cette petite planète pour qu'un milliard de ses habitants les plus virtuellement capables vivent dans un isolement rageur ». Mais j'arguais aussi qu'à court terme nous avions besoin « d'une politique de ferme retenue, de non-récompense, de contre-pression créatrice destinée à persuader Pékin que ses intérêts ne peuvent être servis qu'en acceptant les règles élémentaires de la civilité internationale », afin que la Chine puisse finalement être « ramenée dans la communauté mondiale, mais comme une grande station en plein progrès, non comme l'épicentre de la révolution mondiale ». Le moment où « le dialogue avec la Chine continentale pourra commencer », écrivais-je, viendra lorsque les dirigeants de Pékin seront persuadés « de tourner leurs énergies vers l'intérieur plutôt que vers l'extérieur ». Un de mes premiers actes de président fut d'ordonner une étude privée des possibilités d'un rapprochement avec la Chine. Ce fut une sorte de danse rituelle très lente qui s'accéléra petit à petit, et en 1971, le 15 juillet, je surprenais le monde en annonçant que je visiterais la Chine au début de 1972.

Cette ouverture à la Chine représentait pour les Etats-Unis un arrachement, ainsi que pour moi personnellement. Ils avaient soutenu le gouvernement de T'aiwan pendant plus de vingt ans. C'était un allié loyal et dans un monde où trop de gouvernements se conduisaient d'une façon irresponsable, il avait toujours joué un rôle international constructif et s'était conduit avec un grand sens des responsabilités. C'était un de nos principaux partenaires commerciaux, il était notre ami. Les dirigeants de T'aiwan, y compris Chang, étaient mes amis personnels. Au cours de nos négociations avec la Chine nous avons refusé de renoncer aux engagements de notre traité avec T'aiwan et nous avons clairement déclaré dans un communiqué notre ferme position pour que la question de T'aiwan soit réglée pacifiquement. Mais nous savions que ce renversement de la politique américaine serait intensément douloureux pour T'aiwan et cela à son tour nous était douloureux.

L'ouverture aux Etats-Unis représentait aussi pour la Chine un changement déchirant. Pendant des années, les Etats-Unis avaient été son ennemi numéro un, la cible de la propagande chinoise la plus vitriolique. Les Chinois opéraient ce changement parce que c'était leur intérêt ; parce qu'à ce moment ils avaient besoin des Etats-Unis, tout comme les Etats-Unis avaient besoin de la Chine.

Les Chinois et nous-mêmes abordâmes cette première ouverture avec prudence, incertitude, inquiétude même. Ni les uns ni les autres ne savaient au juste à quoi s'attendre, et nous étions conditionnés, les uns comme les autres, par des années d'hostilité. Sous le régime nationaliste de Chang, la Chine était notre alliée dans la Seconde Guerre mondiale mais Mao et Chang étaient ennemis depuis longtemps. La Chine devint notre pire ennemie après la conquête communiste du continent en 1949. Pendant la guerre de Corée, les soldats américains s'étaient battus contre des soldats chinois ; au Vietnam, la Chine avait aidé et ravitaillé notre ennemi nord-vietnamien.

Pendant des générations, l'attitude américaine à l'égard de la Chine avait alterné entre l'attachement romanesque et la crainte. Il était courant pour les

Américains de parler des Chinois comme du « péril jaune ». Theodore Roosevelt employait ce terme, tout comme Albert Beveridge ; à notre époque, des Américains aussi distingués que Herbert Hoover ou Douglas MacArthur les qualifiaient ainsi dans leurs conversations avec moi. Et aussi, en fait, Leonid Brejnev. Hoover, qui avait passé des années en Chine comme ingénieur des mines, me disait vers le milieu des années 60 que les Chinois étaient « assoiffés de sang », non seulement celui des étrangers mais aussi de leur propre peuple. Pour beaucoup, le chiffre astronomique même de la population chinoise était menaçant et des lois d'immigration furent votées dans le but de les empêcher d'entrer en territoire américain.

Cela venait, d'une part, du fait que la Chine était lointaine, mystérieuse, *différente*, et que même les villes américaines, les « Chinatowns » étaient d'exotiques enclaves. D'autre part, il y avait aussi une certaine condescendance raciste. Enfin, on ne pouvait nier que même si la civilisation chinoise était florissante, pour la majorité du peuple chinois la vie était dure et cruelle et l'était depuis des siècles ; si bien qu'aux yeux des Occidentaux, la Chine, si peuplée, où la famine ou les inondations emportaient souvent ceux que les seigneurs de guerre ne tuaient pas, semblait faire peu de cas de la vie humaine.

Pourtant, Américains et Chinois, quand ils en viennent à se connaître, s'entendent en général extraordinairement bien. Le passé américain qui intéresse la Chine de la période pré-Mao, tout en étant mitigé, est meilleur que celui de la plupart des puissances occidentales. Si les Etats-Unis ont bien, dans une certaine mesure, exploité les avantages que les pays européens avaient saisis en Chine, ils n'y établirent jamais de concessions à eux. Les missionnaires américains en Chine n'étaient pas toujours très aimés mais nombre d'entre eux ont fait un travail utile et bienfaisant. Un grand nombre de Chinois ont fait leurs études aux Etats-Unis. L'hostilité qui a marqué les relations de la Chine et des Etats-Unis entre 1949 et 1972 était d'origine politique, elle ne mettait pas en cause les personnalités. Ce n'était pas leurs cultures mais leurs intérêts nationaux qui étaient conflictuels. Par conséquent, les transformations politiques et les déplacements d'intérêts amenèrent cette hostilité à être remplacée par le respect, la cordialité et même l'amitié.

Dans une mesure considérable, ce fut ce qui se passa au cours de mes propres entretiens avec les dirigeants chinois. Nous entamâmes nos conversations sans illusions sur nos différences philosophiques, sans chercher à les dissimuler ou les gommer. Mais nous étions cordiaux. Nous étions respectueux. En explorant ensemble, à la fois nos intérêts communs et nos intérêts divergents, nous parvînmes à un haut niveau de confiance et à un excellent rapport personnel. Quand je retournai en Chine en 1976 et en 1979 comme simple citoyen — bien qu'invité du gouvernement chinois — je me surpris à attendre avec un plaisir sincère de renouer de vieilles amitiés parmi les dirigeants chinois et d'en faire de nouvelles ; de leur côté, mes hôtes chinois étaient immanquablement charmants et d'une chaleureuse hospitalité. Ces choses sont importantes pour cimenter de nouvelles relations. Les grandes nations agissent par intérêt et non par sentiment, mais les bons rapports personnels peuvent faire beaucoup pour aplanir les différends et renforcer les liens.

La Chine s'est tournée vers les Etats-Unis parce qu'elle s'est vue entourée par des forces potentiellement hostiles. Au nord — d'où venaient, historiquement, les invasions « barbares » — s'étendait l'Union soviétique, qui n'était plus amicale, avec une énorme concentration de troupes menaçantes massées le long de sa frontière avec la Chine. Au sud, c'était l'Inde. La Chine avait eu en 1962 un affrontement de frontière avec l'Inde et avait vu plus récemment avec quelle facilité l'Inde, grâce à l'aide soviétique, avait démembré le Pakistan allié de la Chine. Malgré le mépris dans lequel les Chinois tenaient les Indiens, l'Inde travaillait à se doter de la puissance nucléaire en plus de son arsenal fourni par les Soviétiques, et son potentiel avait de quoi faire réfléchir la Chine.

Au nord-est, la Chine voyait le Japon qui était déjà la troisième puissance économique du monde. S'il ne possédait pas d'armes nucléaires il avait néanmoins la capacité industrielle d'en fabriquer s'il le voulait. De mémoire récente, le Japon avait envahi et occupé la Chine. Si les Chinois ne craignaient plus le Japon, ils avaient énormément de respect pour sa puissance potentielle. Quant aux Etats-Unis, ils savaient que nous n'avions pas de desseins territoriaux sur eux, à l'encontre des Soviétiques. Notre système était opposé au leur mais nos intérêts étaient opposés à ceux de l'U.R.S.S., voisine, qui représentait pour la Chine la menace la plus grave et la plus immédiate. Donc les Chinois avaient de bonnes raisons de vouloir de meilleures relations avec les Etats-Unis.

Nous devions montrer à la Chine qu'on pouvait compter sur nous, que nous avions une idée suffisamment claire de nos intérêts propres, et une volonté suffisante de défendre ces intérêts pour être des amis sûrs. De plus, les Chinois devaient être persuadés qu'en tant que société, les Etats-Unis avaient assez de force et d'énergie pour qu'ils puissent compter sur eux à long terme.

Pour la Chine, les nouvelles relations avec les Etats-Unis représentaient « un grand bond en avant » dans le monde de la politique des grandes puissances indépendantes. Elles nécessitaient un ajustement de leur position qui allait à l'encontre de l'idéologie révolutionnaire communiste. Pour un régime aussi dogmatique qu'avait été celui de Mao, c'était un changement considérable. L'idéologie révolutionnaire chinoise voulait que la Chine s'oppose au traité de défense américano-japonais et à la présence américaine en Asie. Mais les intérêts de la Chine parlaient autrement et les dirigeants chinois le reconnaissaient, tout au moins en privé. Quand vint le moment de choisir, les intérêts prirent le dessus. Même sur la question intensément émotionnelle de T'aiwan, la Chine, tout en n'abandonnant pas sa position, dut accepter le fait que nous n'accédions pas à la demande d'abandon de nos engagements envers T'aiwan.

Dans mes conversations avec Hua en 1976, je soulignai qu'il y avait des moments où une grande nation devait choisir entre l'idéologie et la survie. Ce fut, essentiellement, ce que fit la Chine en répondant à nos initiatives et en entamant de nouvelles relations.

Moins de dix ans se sont écoulés depuis cette ouverture à la Chine en 1972 et déjà nos rapports se sont transformés ainsi que l'approche chinoise du monde. Mao avait assez d'autorité pour effectuer ce virage vers les Etats-Unis ; ses successeurs ont eu la sagesse de s'en servir tout en modifiant la politique de Mao pour mettre à profit les opportunités qui en avaient résulté.

L'avenir de la Chine

Le premier ministre de Singapour Lee Kuan Yew m'a dit en 1967 : « Mao peint sur une mosaïque. Quand Mao sera mort et quand les pluies viendront, ce qu'il a peint sera effacé par les eaux. »

Maintenant Mao est mort et les pluies viennent. On ne sait pas encore combien de ce qu'il a peint sera effacé. Quand j'étais à Pékin en 1979, d'énormes portraits de Mao dominaient toujours le paysage urbain mais les immenses panneaux officiels portant ses slogans révolutionnaires étaient discrètement enlevés.

Les idées révolutionnaires de Mao ont certainement produit une impression massive. Le parti communiste demeure la force organisatrice de la Chine. Le premier ministre Hua fait encore précéder beaucoup de ses commentaires de la formule : « Comme a dit le président Mao... » Mao reste un dieu. Mais la Chine change et plus elle change, plus l'ancienne mosaïque de la Chine elle-même apparaît.

Mao avait un sens profond de l'histoire et aussi une grande conscience de sa mortalité. Quand nous nous rencontrâmes pour la première fois en 1972, il était clair qu'il voyait approcher la fin de sa vie. Il voulait être sûr que les directions qu'il donnait à la Chine dureraient, et il voulait aussi que la Chine fût suffisamment en sécurité pour qu'elles durent ; il a donc pris la décision révolutionnaire de tendre la main aux Etats-Unis, modifiant fondamentalement l'équilibre du pouvoir dans le monde. Par une ironie de l'histoire, cette manœuvre audacieuse a, depuis la mort de Mao, à la fois accru la sécurité de la Chine et accéléré son abandon de la politique intérieure de Mao.

Mao a fait une révolution. Il a réussi à gagner et à consolider un pouvoir sur la nation la plus peuplée du monde et il s'est servi de ce pouvoir pour provoquer une succession de soulèvements sociaux qui ont coûté des millions de vies humaines et transformé une des plus vieilles civilisations du monde. Mais la Chine n'est pas totalement transformée. Une des choses qui impressionnent le plus tout visiteur actuel, en fait, c'est combien la Chine reste la Chine. Mao a « changé quelques lieux dans les environs de Pékin » et bien d'autres choses aussi. Pourtant, des millions de paysans cultivent encore la terre comme ils l'ont fait pendant des siècles et l'esprit chinois cultivé reste le même instrument subtil et sophistiqué qu'il est depuis des siècles. Comme la Chine absorbait les envahisseurs barbares jusqu'à ce qu'ils deviennent chinois, il y a tout lieu de penser que la révolution communiste aussi sera absorbée dans le corps de la Chine. A vrai dire, le processus est déjà commencé. Il reste à savoir jusqu'où et avec quelle rapidité, et combien de revers il y aura en chemin.

La durée de la rupture sino-soviétique, la permanence des nouvelles relations sino-américaines, le chemin que feront les Chinois sur la voie du pragmatisme pour développer leur prodigieux potentiel économique, le point de vue du monde qu'auront les dirigeants chinois et le genre de rôle international qu'ils joueront, telles sont quelques-unes des plus importantes questions des dernières décennies du XXe siècle et de presque tout le XXIe. Une autre question s'y rattache : pendant combien de temps la Chine continuera-t-elle d'accepter l'existence d'un T'aiwan indépendant ? Les réponses dépendront autant de Washington que de Pékin.

Les Chinois savent que nous n'avons pas de visées territoriales sur eux. Ils respectent et souhaitent notre aide technologique et financière. Ils comprennent que nous sommes la seule puissance capable de faire échec aux desseins de l'U.R.S.S. Certains prétendent que l'interdépendance économique suffit à nous lier. Ce n'est pas vrai. Par-dessus tout, les dirigeants chinois veulent que la Chine survive. Pour eux, cela comprend le maintien d'une défense efficace contre la menace soviétique. Si, avec l'assistance des Etats-Unis, ils deviennent économiquement plus forts, cela les aidera à développer eux-mêmes leurs forces militaires pour défendre leurs intérêts. Mais c'est une perspective à long terme. Pendant vingt ans encore ils n'auront pas cette capacité et ils vont observer attentivement les Etats-Unis pour voir si les Américains détiennent la puissance et s'ils ont la volonté de s'en servir non seulement pour leur propre défense mais aussi pour celle de leurs amis et alliés au cas où ils seraient victimes de l'agression soviétique.

Si les Chinois perdent à cet égard leur confiance dans les Etats-Unis, aucun commerce, aucune aide financière ne pourront faire survivre les relations sino-américaines. La Chine sera alors obligée d'en revenir à son habitude historique d'accommoder ses ennemis dans l'espoir de les absorber.

Economiquement, la Chine est aujourd'hui pressée de rattraper son retard. La tâche est d'une ampleur qui défie l'imagination. L'expérience occidentale ne peut apporter de parallèle : un milliard d'individus, vivant pour la plupart comme leurs ancêtres il y a des siècles, avec seulement une infrastructure primitive de transports et de communications ; une super-puissance hostile sur sa frontière nordique et le client lourdement armé de cette super-puissance hostile à sa frontière méridionale ; une population que des décennies de soulèvements révolutionnaires maoïstes a laissée méfiante, cynique et lasse.

Pourtant, malgré tous leurs problèmes, les Chinois ont lieu d'être optimistes au sujet de leur avenir à long terme. La Chine possède d'énormes ressources naturelles, de vastes réserves de charbon, de pétrole et d'autres minéraux. Mieux encore, les Chinois se sont montrés exceptionnellement capables. Partout où des Chinois se sont installés à l'étranger, ils ont remarquablement réussi. Hong Kong et Singa-pour sont essentiellement des villes chinoises. T'ai-wan a effectué un redressement économique remar-quable. Son revenu par habitant est le triple de celui de la Chine continentale et, avec moins de 2 p. 100 de la population du continent, ses exportations sont supérieures de 20 p. 100. Dans tout l'Extrême-Orient, la réussite des marchands, des banquiers et des hommes d'affaires chinois est légendaire. Il n'y a qu'en Chine elle-même que les Chinois ont échoué économiquement et les raisons de cet échec ont surtout été politiques et idéologiques.

Le Japon donne une clef de ce que la Chine

pourrait accomplir, économiquement, au siècle prochain. La population de chacun de ces pays est extrêmement intelligente, exceptionnellement douée ; tous deux sont de très anciennes civilisations où la grande délicatesse et la grâce s'allient à une féroce tradition martiale ; tous deux sont des peuples hautement disciplinés et imbus d'une forte « éthique du travail ». Mais lors de leurs rencontres initiales avec l'Occident ils ont réagi différemment. Le Japon s'est ouvert pour absorber la technique occidentale. La Chine a résisté à l'occidentalisation, craignant ses effets corrupteurs. Le résultat fut que déjà avant la Seconde Guerre mondiale le Japon était une grande puissance industrielle alors que la Chine demeurait une vaste réserve agricole primitive. Mais la Chine amorce ce qu'a fait le Japon bien avant elle. Le Japon est sur le point de devenir la seconde puissance économique du monde... et la Chine a une population neuf fois plus nombreuse, sans parler d'une richesse en ressources naturelles infiniment plus importante. Il faudra des générations pour amener pleinement l'immensité de la Chine dans le monde moderne ; alors même que certaines parties de son économie progressent, peut-être rapidement, d'autres resteront loin derrière. Mais le potentiel existe, si les Chinois font preuve de l'habileté et du pragmatisme nécessaires pour le développer et la patience de le faire d'une manière ordonnée.

Une des raisons de l'étonnante réussite économique du Japon, c'est qu'il ne s'est jamais embarrassé d'un dogme communiste ou d'un système socialiste. Mais la Chine semble aujourd'hui essayer de se libérer d'au moins quelques-unes de ses contraintes. Si cette tendance se poursuit, le plafond économique des Chinois pourrait être virtuellement illimité ; si la Chine revient à une idéologie marxiste paralysante, elle n'aura aucune chance de réaliser son potentiel.

Les dirigeants d'aujourd'hui ont vu les erreurs de l'ère maoïste et paraissent résolus à ne pas les répéter. Mao est mort en 1976. Son corps était à peine froid que les nouveaux dirigeants s'en prenaient à la « Bande des Quatre », dont faisait partie la veuve de Mao, Chiang Ching. Les « Quatre » étaient dogmatistes, farouches gardiens de la flamme de la pureté idéologique. Tout en n'assaillant pas Mao personnellement, les dirigeants chinois actuels parlent librement de la dernière décennie du règne de Mao comme d'une époque d'erreurs désastreuses. Le fait qu'ils ne défendent pas le passé récent mais soulignent au contraire le besoin de se remettre de ses erreurs est la meilleure preuve qu'ils sont vraiment capables de se remettre. Alors que la politique et l'idéologie étaient les pierres de touche du précédent dirigeant pour pratiquement tout, les déclarations des dirigeants actuels sont infiniment plus pragmatiques ; ils s'attachent moins à la théorie abstraite, davantage à l'observation concrète. La devise de Teng — « Chercher la vérité dans les faits » — peut sembler élémentaire à un Occidental mais s'écarte radicalement du dogmatisme récent. Pour le moment, la modération paraît l'emporter sur la révolution.

Les dirigeants chinois d'aujourd'hui sont sûrs d'eux, sophistiqués, réalistes. Hua Guo-feng est dur mais pragmatique. Il parle avec douceur mais fermeté, avec une paisible assurance. Teng Hsiao-ping est plus vif, plus dynamique ; il donne l'impression de n'avoir jamais été assailli par le doute. Il paraît raisonnable de supposer qu'en traçant les plans des changements de la Chine Teng soit le novateur le plus agressif tandis que Hua travaille calmement à assurer que les changements ne seront pas trop abrupts ni trop hâtivement considérés. Tous deux paraissent de toute évidence avoir été libérés par la mort de Mao et par l'éclipse de la « Bande des Quatre » qui a suivi, lesquels misaient sur le nom et l'autorité de Mao pour imposer une pureté idéologique doctrinaire.

Il est impossible de prédire avec précision quelle

forme prendront l'économie et la société chinoises dans les années à venir. Les Chinois sont extrêmement subtils, ce qui est une des raisons pour lesquelles les Occidentaux les trouvent parfois « impénétrables ». La subtilité est un des arts de la diplomatie et du gouvernement et fournit souvent le moyen de résoudre, ou tout au moins de contourner, des différends par ailleurs insolubles. Déjà, les Chinois font preuve d'une grande souplesse dans leurs efforts pour attirer les investissements étrangers et pour structurer des entreprises communes avec des sociétés occidentales. Les agents qui s'en chargent — parmi lesquels des hommes d'affaires influents de l'ère pré-révolutionnaire — montrent une compréhension profonde du système capitaliste et de la finance internationale. De nouveaux stimulants de style capitaliste sont introduits dans le système économique de la Chine. En fait, la volonté d'expérimenter est un des aspects les plus frappants de la Chine actuelle et elle semble davantage enracinée dans la confiance que dans l'insécurité. Les dirigeants chinois donnent l'impression d'être assez sûrs d'eux et de leur faculté pour essayer de nouvelles méthodes, apprendre par expérience ce qui fonctionne et ce qui ne marche pas. Les Occidentaux se plaignent que leur principal problème, quand ils tentent de faire des affaires avec la Chine, est l'exaspérante bureaucratie chinoise. Cela ne devrait pas surprendre puisque la bureaucratie tatillonne est une caractéristique courante des régimes communistes et socialistes ; ironiquement, c'était aussi une grande faiblesse des gouvernements de la Chine impériale.

La question de T'aiwan continue de se poser sans qu'une solution facile ou immédiate n'apparaisse à l'horizon. Les Etats-Unis ne peuvent et ne doivent pas revenir sur leur ferme déclaration — exprimée dans le communiqué de Shanghai de 1972 — s'opposant à l'emploi de la force pour résoudre le problème. Alors que la Chine va probablement continuer de faire pression pour amener T'aiwan sous l'emprise du gouvernement de Pékin, l'intérêt chinois va s'opposer fortement à tout recours à l'action militaire. Malgré un énorme avantage de population, la traversée de cent soixante kilomètres de haute mer et un débarquement à T'aiwan serait une tâche redoutable pour les Chinois du continent. L'engagement des forces requises affaiblirait leur défense de la longue frontière avec l'Union soviétique et compromettrait les nouvelles relations américaines. Ce serait un non-sens d'imposer le système économique primitif du continent à T'aiwan, qui a l'un des plus prospères d'Asie.

Si le système économique et politique de la République populaire de Chine continue de changer, il est possible d'imaginer des moyens par lesquels le continent et T'aiwan pourraient — non pas bientôt mais éventuellement — s'accorder sur une forme de réunification. Tandis que les différences entre les deux systèmes diminuent, le pont qui doit être construit entre eux deviendra plus court. Pour le moment, il suffit que la question soit remise à plus tard, puisque aucun d'entre eux n'accepte le *statu quo* mais que chacun consent à s'en accommoder. Des conditions différentes finiront par créer une situation différente et elle pourrait se révéler plus apte à mener à un accord pacifique et volontaire entre les deux camps.

La politique chinoise est dictée par ce que ses dirigeants considèrent comme les intérêts nationaux de la Chine. Il est tout à fait clair, tant d'après les conversations avec les dirigeants chinois que par leurs actions, que leur politique étrangère d'aujourd'hui est beaucoup moins ligotée par des considérations idéologiques abstraites que le sont la plupart des gouvernements communistes ou qu'ils l'étaient eux-mêmes il y a quelques années. Ils voient le monde — et ils parlent du monde — en des termes géopolitiques hautement évolués ; plus que les dirigeants de la plupart des nations, ils ont maintenant des vues réellement planétaires. Leur principal souci est l'impact de la politique mondiale sur la Chine. Mais ils mesurent cet impact à la fois directement et indirectement. Ce qui affaiblit les Soviétiques diminue la menace contre la Chine ; ainsi ils soutiennent un O.T.A.N. fort. Le Vietnam est un allié de l'U.R.S.S. et envahit le Cambodge ; par conséquent ils font cause commune même avec le méprisable régime de Pol Pot et lancent leur propre invasion punitive du Vietnam « pour lui donner une leçon ». Les Etats-Unis sont le principal contrepoids à l'Union soviétique ; ils font donc des avances aux Etats-Unis et les pressent de renforcer leur défense.

Comment les autres pays organisent leurs affaires intérieures intéresse beaucoup moins les Chinois que leur façon de mener leurs affaires extérieures. A cet égard, la Chine a davantage une attitude traditionnelle de grande puissance que la plupart des nations démocratiques, et infiniment plus que la section des droits de l'homme du Département d'Etat méricain.

En regardant vers l'avenir, tandis que la Chine développe son économie, construit sa force militaire et devient, comme elle le pourrait, la plus puissante nation du monde, la question clef est de savoir comment elle utilisera cette puissance. La réponse différera, selon qu'elle deviendra plus chinoise que communiste ou plus communiste que chinoise. Si pour une raison quelconque, les Chinois en reviennent à leur politique des années 1950 et 1960, alors qu'ils cherchaient à étendre la domination communiste dans toute l'Asie et le monde entier, ils représenteront une menace énorme pour la paix du monde et l'existence de l'Occident. Mais s'ils continuent sur leur voie actuelle, en devenant plus traditionnellement chinois, alors l'histoire penchera vers l'optimisme. Contrairement à la Russie dont toute

204

l'histoire a été celle d'une implacable expansion vers l'extérieur, la Chine est par tradition celle de l'« Empire du Milieu », fermé et se suffisant à lui-même, sans nul besoin de conquêtes étrangères et ne s'y intéressant pas. La voie que choisira la Chine dépendra peut-être autant des États-Unis que d'elle-même. Si nous montrons clairement que l'intérêt de la Chine est d'être, à cet égard, plus chinoise que communiste, alors nous aurons servi l'intérêt de la Chine, le nôtre et celui du monde.

L'euphorie utopique résultant de la normalisation des relations entre les Etats-Unis et la République populaire de Chine suivie de la visite extrêmement efficace du vice-premier ministre Teng aux Etats-Unis commence à s'user. Les hommes d'affaires américains qui se sont précipités à Pékin dans l'espoir de profiter de l'occasion en vendant des produits à un milliard de Chinois ont été déçus. La Chine est à court de devises. L'administration chinoise avance à une allure d'escargot et, comme les Américains l'ont découvert en Union soviétique, il est extrêmement difficile pour une société privée de faire des affaires avec un gouvernement communiste. Après une brève explosion de « libéralisation », le régime a muselé les expressions de dissension qui menaçaient de proliférer. L'avance soviétique en Afghanistan a été vivement critiquée par Pékin, comme on pouvait le prévoir, mais les dirigeants chinois ont clairement montré qu'en d'autres domaines ils se réservaient le droit de poursuivre la politique étrangère qu'ils croient la plus conforme à leurs intérêts, plutôt que de toujours suivre l'exemple américain.

La Chine a toujours été un mystère. La question lancinante est maintenant celle-ci : combien profonde est la conviction qui a amené Pékin à se tourner vers l'Occident et à se détourner du marxisme doctrinaire ?

Il ne faut pas oublier que pendant cinq ans, dans les années 1920, la nouvelle politique économique de Lénine encourageait et accueillait volontiers les capitaux et le savoir-faire américains. Une fois qu'elle eut servi son propos, le Kremlin décida de voler de ses propres ailes et renvoya chez eux les Américains et les autres « capitalistes ». Cela pourrait arriver en Chine à moins que ses dirigeants ne restent convaincus que l'investissement étranger est indispensable à leur progrès et à leur sécurité. Cela dépendra aussi de l'attitude de leurs nouveaux amis capitalistes. Si ces derniers résistent à la tentation de tirer de rapides profits de la situation et investissent à long terme, ils feront dépendre les futurs progrès de la Chine de la poursuite d'une coopération avec l'Occident.

La future orientation de la politique étrangère chinoise est tout aussi imprévisible, sauf sur un point : la Chine fera tout ce que ses dirigeants jugeront bon pour servir ses intérêts. Les Chinois préfèrent les Américains aux Russes. Pour le moment les Russes les menacent, nous pas. Tant qu'ils estimeront que nous avons assez de force et assez de volonté pour tenir tête aux Soviétiques, l'amitié sino-américaine sera la cheville ouvrière de la politique étrangère chinoise. Si notre comportement en Asie ou dans toute autre partie du monde les amène à conclure que nous ne sommes pas un ami ou un allié crédible, alors ils chercheront, dans l'intérêt de leur propre survie, ils s'arrangeront avec l'Union soviétique en dépit de leurs querelles territoriales, idéologiques et personnelles avec les dirigeants de ce pays. Le rôle que joueront les Chinois à l'avenir est autant entre nos mains qu'entre les leurs.

En traitant avec eux, cependant, nous n'encourrons que leur mépris si nous paraissons trop avides de leur plaire. Ils ont besoin de nous autant que nous avons besoin d'eux — et sans doute davantage parce qu'ils sont plus faibles et parce que notre adversaire potentiel commun est plus près d'eux que de nous.

Lorsque je suis allé en Chine pour la dernière

fois en 1979, le point de mire de la politique étrangère de ses dirigeants était la sécurité, non pas l'expansion ; ils s'intéressaient au développement intérieur, non pas à l'aventure à l'étranger. Mais ils s'inquiétaient profondément, intensément de la menace soviétique et de savoir si la réaction U.S. serait adéquate. Leurs opinions sur la situation mondiale, remarquablement évoluées, n'étaient pas celles de bâtisseurs d'empires cherchant des mondes à conquérir mais plutôt celles d'hommes d'Etat désireux de maintenir un équilibre mondial du pouvoir afin que d'autres nations comme la leur soient en sécurité. Si cette attitude persiste au siècle prochain, la Chine pourrait certainement être « une grande nation en plein progrès » et une puissante force pour la paix dans le monde. Si nous montrons que nous sommes des partenaires solides et dignes de confiance pour le maintien de la sécurité, il est probable que cette attitude l'emporte.

VII

LA PUISSANCE MILITAIRE

Personne, dans aucun pays, ne dort moins bien parce que cette connaissance [de la bombe atomique], la méthode et les matières premières pour la réaliser, sont aujourd'hui largement entre des mains américaines. Je ne crois pas que nous dormirions si bien dans la situation inverse et si quelque Etat communiste ou néo-fasciste monopolisait pour le moment ces engins de terreur.

Winston Churchill, 1946

Notre avantage est peut-être de laisser la supériorité américaine s'étioler... [si nous avions la supériorité des armes], je soupçonne qu'à l'occasion nous l'emploierions de manière à nous imposer de façon très risquée.

Victor Utgoff
Conseiller au National Security Council, 1978

En 1959, le spécialiste de la défense Herman Kahn publia un ouvrage, *On Thermonuclear War,* qui fut sévèrement critiqué dans la revue *Scientific American.* Kahn protesta et pria les éditeurs de faire paraître sa réponse qu'il intitula « Penser à l'impensable ». Dennis Flanagan, rédacteur en chef de la revue, refusa de la publier et lui répondit qu'il ne « pensait pas qu'il était utile de penser à l'impensable, qu'il était sûrement plus profitable de penser au pensable ». Flanagan ajoutait : « La guerre nucléaire est impensable. Je préférerais consacrer ma pensée à chercher comment la guerre nucléaire peut être évitée. »

La préférence du rédacteur en chef se justifiait peut-être il y a vingt ans, quand les Etats-Unis possédaient sur l'U.R.S.S. une écrasante supériorité nucléaire stratégique. Peut-être alors le peuple américain pouvait-il se permettre de vivre dans l'ignorance béate des redoutables réalités d'un conflit entre les super-puissances et d'un échange nucléaire potentiel. Un tel conflit, un tel affrontement, pouvait raisonnablement être jugé en dehors des limites du possible.

Mais l'« impensable » est devenu non seulement pensable mais encore quelque chose à quoi nous devons penser. La perte de la supériorité stratégique américaine exige que nous comprenions les probabilités et les conséquences d'un échange nucléaire possible. De plus, nous devons comprendre le concept de l'équilibre stratégique qui pourrait empêcher un tel affrontement.

La supériorité nucléaire nous était très utile quand nous la possédions. Elle serait mortellement dangereuse pour nous si nous laissions les Russes l'acquérir et la conserver.

Le fait est qu'un avantage stratégique des Etats-Unis et de l'Occident réduit le danger de guerre ou de défaite sans guerre. Un avantage stratégique soviétique accroît le danger de guerre ou de défaite sans guerre de l'Occident. Avec le spectre de l'infériorité stratégique qui se dresse devant nous, nous devons agir tout de suite pour redresser l'équilibre de la puissance afin de dissuader les Soviétiques d'une agression et de conserver la liberté, pour nous-mêmes et pour toutes les nations libres. Et je dois réellement insister car l'équilibre stratégique devient rapidement, comme le dit le chef d'état-major interarmées, un « danger aigu », alors que nos options pour réprimer une agression soviétique locale limitée ont déjà été réduites pratiquement à zéro dans la plus grande partie du monde.

Les Etats-Unis et l'U.R.S.S. sont les deux seules super-puissances. En termes de puissance nucléaire, les Soviétiques sont en train de se placer rapidement en position de nette supériorité. Cette supériorité est particulièrement menaçante à cause de deux faits extrêmement inquiétants : premièrement, elle sera atteinte avant que les Etats-Unis puissent faire quoi que ce soit étant donné l'état actuel des crédits. Deuxièmement, elle sera caractérisée par de dangereuses vulnérabilités dans nos forces de dissuasion et une flagrante inégalité en faveur de l'Union soviétique dans la capacité de livrer, de gagner une guerre nucléaire et de s'en remettre. Cela signifie que les dirigeants soviétiques pourront « dissuader notre dissuasion » et nous menacer d'escalade nucléaire plus efficacement que nous ne pourrions les en menacer. En même temps, les Soviétiques ont un énorme avantage sur nous en ce qui concerne les forces classiques terrestres et l'emplacement des forces nucléaires, celles destinées à être utilisées dans une région spécifique telles l'Europe ou l'Extrême-Orient. Leur situation géographique à proximité de nombreuses zones potentielles de confrontation — en Europe, au Moyen-Orient, en Asie et en Afrique — leur donne un avantage supplémentaire. Les Etats-Unis disposent traditionnellement d'une puissance maritime supérieure mais l'U.R.S.S., là aussi, comble rapidement la brèche.

Ces faits brossent pour l'Occident un tableau inquiétant.

Les nations ont tendance à préférer les instruments auxquels elles excellent et les Soviétiques préfèrent la force militaire comme instrument de politique. Non seulement les Russes mais les communistes en général ont toujours préféré l'importance prépondérante de la puissance militaire. Mao Tsétoung a déclaré il y a longtemps que « le pouvoir politique est au bout du fusil ». Il a dit aussi que « la politique est la guerre sans effusion de sang ; la guerre est la politique avec effusion de sang », Khrouchtchev a défini sa politique comme « la force seule, seule la désorientation de l'adversaire. Nous ne pouvons pas dire tout haut que nous menons notre politique d'une position de force mais c'est ainsi que cela doit être ».

Si l'on considère l'équilibre militaire entre l'Est et l'Ouest, il est important de se souvenir que les deux camps s'arment pour des desseins différents. Les Soviétiques se sont engagés dans une course résolue aux armements parce qu'ils veulent la supériorité stratégique sur les Etats-Unis et chaque année leur effort n'a cessé de croître. Le nôtre n'a pas suivi. Il a décliné, au contraire. Dans les années 60, les Etats-Unis adoptèrent délibérément la doctrine de modération de McNamara alors secrétaire à la Défense, destinée à provoquer une modération soviétique réciproque et à aboutir à des accords de limitations des armements bénéficiant aux deux camps. Au contraire, les Soviétiques en ont profité pour accélérer leur course vers la supériorité. Les Soviétiques ont couru, pas les Etats-Unis ; le résultat a été un changement rapide d'équilibre stratégique pratiquement sans précédent dans l'histoire. Non seulement les efforts des deux camps différaient mais aussi leurs points de vue sur la nature de la compétition. En Occident, l'armement est une nécessité de la défense ; à l'Est, on s'arme pour permettre l'expansion du pouvoir soviétique. Par conséquent, la « course aux armements » n'est pas une course entre deux concurrents avec le même but. Elle est désormais plus proche de la course entre le chasseur et le gibier. Si le gibier gagne, tous deux vivent ; si le chasseur gagne, un seul vivra.

Le déséquilibre des intentions affecte l'équilibre de la puissance. Il donne aux Soviétiques l'avantage de l'agresseur. L'agresseur choisit le moment et le lieu du combat, la jungle du Vietnam, une invasion en Europe centrale ou un échange nucléaire intercontinental. Nous devons contrer cet avantage de l'agresseur par une dissuasion efficace, que ce soit au moyen de la supériorité de nos forces ou par l'habileté et la détermination avec lesquelles nous les employons. Pour créer un équilibre dans le conflit — pour préserver notre sécurité — nous avons besoin de plus de puissance pour contrebalancer leur avantage inhérent ou de manifester clairement que notre volonté de recourir à notre puissance pour défendre nos intérêts est égale à la leur. Voilà le contexte dans lequel nous devons considérer l'équilibre stratégique.

Pendant un quart de siècle, la supériorité nucléaire américaine a été un garant de paix. Maintenant que cette supériorité n'existe plus, et si la tendance actuelle continue, les Soviétiques posséderont la supériorité nucléaire stratégique vers le milieu des années 80.

Qu'est-ce que la supériorité ? Entre nos mains, c'était une marge de sécurité assurant que les Soviétiques ne risqueraient pas un échange nucléaire dans la poursuite de leur but de dominer le monde. Entre les mains des Soviétiques, elle devient la marge qui leur permet de poursuivre des agressions locales sans s'attendre à une riposte nucléaire massive. Elle leur permet aussi d'envisager le dernier acte de leur poussée vers la domination mondiale : une première frappe contre les objectifs militaires U.S. qui éliminerait notre faculté de répliquer par une contre-frappe visant et neutralisant efficacement leur capacité de deuxième frappe. Ils seraient alors en mesure de nous adresser l'ultimatum suprême : capituler ou être anéantis.

En 1972 les accords Salt I avec l'amendement Jackson, établissent la parité — autrement dit l'équivalence — comme but de la politique américaine. La parité est une situation malaisée ; à cause de l'avantage de l'agresseur, tant que nous vivons dans une situation de parité nous vivons dans le risque. Mais elle vaut infiniment mieux que l'infériorité, et la parité est une chose que l'on peut négocier. Un accord entre les deux grandes puissances sur la limitation des armements mutuellement bénéfiques ne peut se faire que sur une base de parité. La parité stratégique est une situation qui nous permet de vivre en sécurité mais seulement si c'est une parité réelle et seulement si nous possédons aussi suffisamment de forces en armes nucléaires, sur le théâtre d'opérations, si nous avons d'importantes forces classiques, si nous manifestons la volonté et l'habileté d'employer notre puissance et si nous réussissons à lier ce que veulent les Soviétiques dans les domaines militaire et économique avec celles que nous voulons dans le domaine politique, c'est-à-dire des freins à l'aventurisme soviétique. La supériorité serait préférable mais la parité stratégique est acceptable dans ces conditions, uniquement dans ces conditions.

Par parité, je n'entends pas une capacité de « destruction assurée » arbitraire et minimale. La parité ne veut pas dire accepter de grandes divergences entre les capacités américaine et soviétique. Elle signifie que nos forces stratégiques doivent être *suffisantes* pour les tâches et les desseins que nous nous fixons et aussi qu'elles ne doivent pas être inférieures à celles de l'Union soviétique. La parité signifie que les Soviétiques n'ont *aucun* avantage qui n'est pas compensé par des avantages U.S. ; aucune capacité qu'ils pourraient exploiter contre nous, militairement ou politiquement.

En termes militaires, cela veut dire que l'U.R.S.S. ne doit pas avoir la capacité de gagner une guerre contre les Etats-Unis. En termes politiques, cela signifie que les dirigeants soviétiques ne doivent pas *penser* que dans une confrontation ils auraient un avantage stratégique nucléaire sur les Etats-Unis, pas plus que les dirigeants d'autres nations ne doivent croire que les Soviétiques auraient cet avantage.

Il est essentiel que les Etats-Unis possèdent, et montrent qu'ils possèdent, au moins autant de souplesse et de sophistication dans leurs forces que les Soviétiques, en plus d'avoir simplement la même capacité, le même nombre total d'ogives nucléaires ou de lance-missiles. Afin de s'opposer efficacement aux futures forces nucléaires stratégiques soviétiques, il nous faudra une quantité suffisante de forces de représailles et une différenciation suffisante des systèmes d'armes pour survivre à une attaque surprise bien menée, et ensuite effectuer la mission de représailles en contrôlant l'escalade au lieu de la causer. Cela veut dire qu'elles devront pouvoir pénétrer les défenses soviétiques et détruire des objectifs militaires en U.R.S.S., tout en conservant suffisamment de forces survivantes en réserve pour constituer une dissuasion encore crédible.

Avec la parité ainsi définie, les Russes ne risquent guère de tenter une première frappe contre les Etats-Unis, ni de s'engager dans le genre d'agression flagrante, calculée pour déclencher une riposte stratégique nucléaire. La parité stratégique nous donne une bonne chance de garder le génie nucléaire dans la bouteille et d'assurer les deux camps que les armes nucléaires seront employées politiquement et diplomatiquement plutôt que militairement. Mais cela ne crée pas un environnement à l'abri de tout risque ; cela ne nous libère pas de la nécessité de maintenir des forces importantes de théâtre classiques et nucléaires, capables de préserver localement l'équilibre du pouvoir dans chaque région menacée ; cela ne nous décharge pas du besoin d'employer la force ni de manifester une menace crédible à mettre à exécution en cas de défi. L'avantage de l'agresseur doit être neutralisé par la puissance et la volonté de ceux que menacent des agresseurs.

La parité au niveau stratégique nucléaire rend plus impératif encore que nous accroissions notablement nos forces d'intervention et améliorions notre présence militaire dans les régions du monde. Dans le passé, la supériorité nucléaire américaine compensait les déséquilibres dans la présence de nos forces classiques dans le monde. Quand les Etats-Unis avaient la supériorité nucléaire, les dirigeants soviétiques devaient s'inquiéter que des hostilités en n'importe quel point du globe pourraient aboutir au recours à la puissance stratégique américaine contre l'U.R.S.S. Mais la parité stratégique amplifie toute supériorité soviétique en forces tactiques classiques et nucléaires, dans une région du monde, accroissant ainsi la menace sur la sécurité de cette région.

Dans le cadre général de la parité stratégique, le jeu et le contre-jeu habituel de la force et de la diplomatie progressent à d'autres niveaux. La parité peut suffire si nous sommes assez forts dans d'autres domaines — forces nucléaires de théâtre et forces classiques, force et cohésion de nos alliances, volonté et habileté de nos dirigeants — pour freiner l'aventurisme soviétique sans détenir un avantage stratégique. Si nous ne nous maintenons pas dans ces autres domaines, la parité ne suffira plus : nous devrons donc reprendre au plus tôt la course aux armements, et foncer pour gagner. Autrement, nous perdrons.

De la supériorité nucléaire américaine à la parité

Dans la période suivant immédiatement la Seconde Guerre mondiale, les Etats-Unis s'engagèrent dans un processus de désarmement unilatéral hâtif. Entre 1945 et 1947, nous réduisîmes nos forces classiques de 14,5 millions à 1,8 million. Cette politique se justifiait en partie par notre monopole des armes atomiques.

Nous avons appris en Corée que les armes atomiques ne suffisent pas pour écarter une guerre livrée avec des armes classiques. La guerre de Corée, et ce qu'elle impliquait des desseins mondiaux de l'Union soviétique, choqua les Etats-Unis au point qu'ils accrurent leurs forces classiques et nucléaires et fondèrent un réseau de bases global entourant l'U.R.S.S. Les Soviétiques avaient encore une armée de terre beaucoup plus importante et en 1949 ils faisaient exploser leur propre bombe atomique. Il leur manquait cependant un système de portée intercontinentale et l'effort vigoureux des Etats-Unis nous permit de maintenir une indiscutable supériorité de nos forces nucléaires et la capacité de projeter notre puissance dans n'importe quelle région du monde où nos intérêts étaient menacés. Jusqu'au début des années 70, personne ne doutait que les Etats-Unis fussent la plus puissante nation du monde. L'existence de cette puissance U.S. dissuadait de l'agression flagrante et forçait les communistes à s'infiltrer sous les frontières plutôt qu'à les franchir carrément.

Grâce à cette supériorité, les Etats-Unis purent écarter l'intervention soviétique lors de la crise de Berlin en 1948-1949, de la guerre du Moyen-Orient en 1956 et au Liban en 1958 où la supériorité américaine navale locale joua également un rôle de premier plan. Lors de la crise des missiles de Cuba en 1962, l'avantage américain de 15 contre 1 sur l'Union soviétique, pour ce qui était des armes nucléaires, permit à Kennedy de tenir tête à Khrouchtchev.

A ce moment, un renforcement du dispositif nucléaire soviétique était déjà entamé ; il s'accéléra vivement après Cuba. Vassili Kouznetsov, Premier ministre adjoint soviétique pour les Affaires étrangères, dit à son hôte américain John McCloy : « Vous, les Américains, ne pourrez plus jamais nous faire ça. »

Malgré la menace de renforcement du dispositif nucléaire de l'U.R.S.S., nos propres programmes marquèrent le pas. Selon l'opinion récente d'un ancien analyste de la C.I.A., « la politique U.S. sous le secrétaire d'Etat à la Défense McNamara était la modération unilatérale ».

En 1965, McNamara justifia ainsi cette modération : « Les Soviétiques ont jugé qu'ils ont perdu la course quantitative... Rien n'indique que les Soviétiques cherchent à développer une force nucléaire stratégique aussi importante que la nôtre. » C'était là une erreur de calcul énorme, tragique. Elle fut aggravée par ce que le docteur Fred Iklé, ancien chef de l'U.S. Arms Control and Disarmament Agency, a décrit comme « un échec massif des services de renseignements ». Pendant onze ans, durant les années 60 et au début des années 70, les prévisions annuelles des services de renseignements américains sous-estimèrent gravement le nombre de missiles offensifs que l'Union soviétique mettait en place, ainsi que son effort d'accroissement de toute sa force nucléaire stratégique.

Le renforcement de la puissance militaire soviétique face à celle des Etats-Unis est illustré par une comparaison de ses dépenses pour la défense. La C.I.A. a estimé que les dépenses militaires soviétiques durant la dernière décennie représentaient 11 à 12 p. 100 du P.N.B. ; d'autres autorités avancent des budgets de 14 à 15 p. 100, avec des estimations de source sûre de projets de dépenses pour les années 80 atteignant jusqu'à 18 p. 100 du P.N.B. Ces chiffres élevés sont doublement inquiétants du fait que dans le passé la C.I.A. a eu tendance à sous-estimer, plutôt que le contraire. En revanche, le budget américain de la défense a baissé de 9 p. 100 du P.N.B. en 1968 à 5 p. 100 en 1978. Depuis dix ans, les dépenses américaines militaires, en dollars constants (compte tenu de l'inflation), ont baissé d'un tiers alors que celles de l'Union soviétique ne cessaient de monter d'année en année. On a estimé qu'entre 1973 et 1978 l'U.R.S.S. avait dépensé près de cent milliards de dollars de plus que les Etats-Unis pour l'acquisition et la fabrication d'armes et quarante milliards de dollars de plus pour la recherche et le développement de l'armement. Le problème ne réside pas seulement dans le plus grand accroissement des forces militaires en temps de paix depuis le réarmement d'Hitler des années 30, mais dans le massif déclin U.S.

Le secrétaire d'Etat à la Défense Harold Brown a constaté dans le Rapport du ministère de la Défense de 1980 :

« Quand chez nous les budgets de la Défense ont augmenté, les Soviétiques ont augmenté les leurs. Quand chez nous les budgets de la Défense ont été réduits, les leurs ont encore augmenté. Alors que les forces américaines en Europe occidentale déclinaient vers la fin des années soixante, les déploiements soviétiques en Europe orientale se sont étendus.

« A mesure que les forces nucléaires de théâtre américaines se stabilisaient, les forces nucléaires d'attaque périphérique et de théâtre soviétiques s'accroissaient. Alors que le nombre de bâtiments de l'U.S. Navy diminuait, les forces navales soviétiques augmentaient... Il est bon de noter, de plus, que la croissance de leur effort de défense a étroitement coïncidé avec la croissance générale de l'économie soviétique, alors que l'effort militaire américain se réduisait régulièrement comme fraction de notre économie. »

Il était naguère à la mode de prétendre que les Soviétiques voulaient simplement nous rattraper. Mais en 1971 ils ont rattrapé les Etats-Unis par le chiffre de leurs dépenses totales et depuis cinq ans ils ont dépensé trois fois plus que nous pour leurs forces nucléaires stratégiques et nous ont dépassés d'au moins 75 p. 100 pour les forces d'usage général. Comme la main-d'œuvre et les frais de fonctionnement ne représentent qu'environ 30 p. 100 du budget militaire soviétique, contre 60 p. 100 de celui des Etats-Unis, cette différence est encore amplifiée quand il s'agit d'armement.

En ne tenant compte que de l'armement classique, on découvre qu'ils ont maintenant plus de gros bâtiments de guerre de surface que les U.S.A., deux fois plus de sous-marins d'assaut et une flotte de soixante-dix puissants sous-marins à missiles de croisière alors que nous n'en avons aucun. Ils viennent de lancer un sous-marin nucléaire plus rapide (40 nœuds) et plongeant plus profondément (plus de 600 mètres) que tout ce que possèdent les Etats-Unis. Ils ont aussi plus de deux fois plus d'hommes sous les drapeaux et quatre fois plus de pièces d'artillerie. Les Etats-Unis produisent quarante chars lourds et moyens par mois, les Soviétiques cinquante par semaine. Quant aux forces nucléaires stratégiques, la C.I.A. a estimé qu'en 1978 les dépenses soviétiques, mis à part la recherche, le développement, les essais et l'évaluation, étaient trois fois plus importantes que celles des Etats-Unis et avaient été pendant les dix dernières années deux fois et demie plus importantes.

Depuis le milieu des années 60, quand McNamara a lancé sa politique de modération unilatérale, nous n'avons jamais été sérieusement compétitifs dans le domaine du développement des forces stratégiques. Depuis lors, sept nouveaux types de missiles balistiques intercontinentaux (ICBM) soviétiques ont été mis en service : trois avant le premier traité de limitation des armements stratégiques (Salt) et quatre depuis 1972, sous la convention provisoire de Salt I. Et pourtant une cinquième génération de nouveaux ICBM soviétiques est en cours de développement. Depuis les années 60, les Soviétiques ont mis en place aussi quatre nouveaux types de missiles balistiques lancés par sous-marin (SLBM), dont trois depuis 1972, trois nouveaux types de sous-marins stratégiques ainsi que le bombardier supersonique Backfire à grand rayon d'action, qui par bien des aspects est semblable au B-1 américain annulé, avec les trois quarts de son poids. Aux Etats-Unis, nous n'avons mis en production qu'un nouvel ICBM et deux nouveaux systèmes d'armes stratégiques SLBM depuis le milieu des années 60 : le

Minuteman III ICBM, le missile Poséidon et le missile Trident I qui arrive à peine sur les chaînes de montage. Autrement, nous en sommes restés aux B-52 des années 50 et début 60, dont certains sont plus vieux que leurs pilotes, et à des ICBM qui reflètent les conceptions et les décisions de déploiement de début 1960. Nous avons annulé le bombardier B-1, remis d'au moins trois ans le déploiement des nouveaux missiles ICBM MX et ralenti la production de nos sous-marins Trident.

Nous sommes tombés d'une position de supériorité indiscutée du début des années 60, à ce qui est, au mieux, une situation de parité et nous allons affronter une supériorité soviétique décisive dans le courant des années 80. Cela exige que nous repensions les notions fondamentales sur lesquelles repose l'idée de dissuasion américaine. Nous sommes désormais obligés d'imaginer l'impensable.

De la parité à la supériorité nucléaire soviétique

Pour les Etats-Unis et l'Occident, Mayday est le signal de détresse international. Pour l'Union soviétique, c'est le Premier Mai, la célébration annuelle du mouvement communiste international. Le Mayday 1985 pourrait bien voir ces deux concepts se fondre en un seul.

Paul Nitze fait remarquer, à propos de l'équilibre stratégique :

« Durant les quinze dernières années, il n'aurait été profitable à aucun des deux camps d'attaquer le premier. Cela aurait exigé l'emploi de plus d'ICBM par l'assaillant que l'attaque aurait pu détruire. Dans les premières années 1980, cette situation aura changé. A ce moment, l'Union soviétique sera en mesure de détruire 90 p. 100 de nos ICBM au prix d'un cinquième à un tiers des siens. Même si l'on suppose la survie de presque tous nos bombardiers en alerte, assez longtemps pour déclencher une riposte immédiate, et de nos sous marins en mer pendant beaucoup plus longtemps, ce qui nous resterait après une attaque soviétique contre-force serait stratégiquement dépassé par les réserves de l'Union soviétique. »

Dans un discours prononcé à l'U.S. Naval Academy, le secrétaire d'Etat à la Défense Harold Brown a fait observer que les Soviétiques se sont embarqués depuis plus de dix ans dans une politique d'armement accru en vue d'une attaque de préemption contre les missiles balistiques intercontinentaux des U.S.A. Le secrétaire a ajouté qu'au début des années 80, l'U.R.S.S. posséderait assez de nouveaux missiles lourds SS-18 et SS-19 pour assurer la destruction de l'immense majorité des ICBM Minuteman américains basés au sol, dans une attaque surprise d'une précision chirurgicale.

Il a été estimé qu'en 1985, avec ou sans les accords Salt II, les Soviétiques détiendraient avec leur force ICBM un avantage de 6 contre 1 en capacité contre-militaire, de près de 5 contre 1 en capacité d'emport, de plus de 3 contre 1 pour le nombre d'ogives, de plus de 5 contre 7 en mégatonnage livré et seraient à égalité pour la précision générale. Le résultat serait une profonde disparité de nos capacités de première frappe, avec l'Union soviétique très loin en avant. Le dommage à notre stabilité stratégique et à notre sécurité sera une blessure auto-infligée. On reconnaît aujourd'hui qu'en 1982 notre force ICBM sera totalement vulnérable à une première frappe ; notre vieille force de B-52 (dont 20 p. 100 seulement sont maintenus chargés et en alerte au sol) sera vulnérable tant au sol qu'en route vers l'objectif ; nos systèmes stratégiques d'alerte et de communication ne seront pas à l'abri de l'attaque et de la destruction ; les capacités de l'équipement anti-sous-marins soviétiques ne pourraient pas permettre d'espérer béatement la survie à long terme de nos sous-marins en mer, soit environ 50 p. 100 de la force. Dans n'importe quel cas, le spectre d'une écrasante réserve stratégique soviétique — au moins dix fois la nôtre après une première frappe — amoindrirait la menace de représailles des forces U.S. survivantes. Et même si on pouvait les utiliser, leur impact serait réduit par les défenses soviétiques actives et passives.

Henry Kissinger a déclaré en témoignant devant la commission des Affaires étrangères du Sénat le 31 juillet 1979 :

« Rarement dans l'histoire une nation a accepté aussi passivement un changement radical de l'équilibre militaire. Si nous voulons y remédier, nous devons d'abord reconnaître que nous nous sommes placés nous-mêmes, volontairement, dans une position gravement désavantageuse. »

Au commencement des années 60, les Etats-Unis et l'Union soviétique choisirent deux approches fondamentalement différentes à la dissuasion nucléaire. Les Etats-Unis tentèrent de séparer la dissuasion de la défense. Mais les Soviétiques s'y refusèrent et orientèrent leurs programmes vers la possibilité de livrer et de gagner une guerre nucléaire et d'y survivre.

Selon la théorie américaine la supériorité stratégique nucléaire et la tentative de limiter les dégâts en cas de guerre nucléaire se trouvaient remplacées par la dissuasion impliquant inévitablement une destruction civile massive. Ces théories alliaient la notion de contrôle des armements à la croyance qu'au-delà d'un minimum nécessaire les armes nucléaires perdaient leur utilité politique, ou militaire. Une théorie des limitations se dessina, restreignant essentiellement le rôle des armes nucléaires à la « seule dissuasion », une menace de représailles contre la société d'un agresseur. Cette capacité de représailles dite de destruction assurée en vint à être mesurée selon un critère de pertes de population jugées suffisantes pour écarter une attaque initiale *généralisée*. La destruction assurée ne s'appliquait pas aux attaques limitées, ce qui était un de ses principaux défauts.

De là, il n'y avait qu'un petit pas à faire pour supposer que les dirigeants soviétiques voyaient la dissuasion sous le même jour, ou du moins y arriveraient avec l'aide des Etats-Unis. La croyance tout aussi naïve que les efforts stratégiques américains étaient le moteur entraînant les réactions soviétiques aboutit à la conviction que la modération américaine serait imitée par l'Union soviétique. Si, selon cette théorie, l'action U.S. provoquait la réaction soviétique, alors l'inaction américaine était la condition nécessaire à l'attitude réciproque. Si les Etats-Unis limitaient leurs capacités nucléaires aux exigences de la destruction assurée et si l'Union soviétique se voyait offrir l'occasion d'égaler cette capacité, une situation stable de dissuasion mutuelle serait créée et cela étalerait les accords de limitation des armements. Mais pour que cela marche, les Soviétiques devaient limiter leurs propres programmes et objectifs stratégiques à la destruction assurée et s'abstenir à la fois de rechercher la supériorité et de défier les capacités de destruction assurée des Etats-Unis. Ils n'en firent rien. Au contraire, ils profitèrent de l'occasion pour aller de l'avant, en direction de la supériorité nucléaire et de la réalisation de leurs buts de guerre nucléaire.

Les Soviétiques réfutent l'argument selon lequel les deux camps seraient perdants dans un échange nucléaire. Ils sont persuadés que même les guerres nucléaires peuvent être livrées pour des objectifs politiques, qu'avec une préparation consciencieuse un camp peut gagner et que la destruction que subirait ce camp serait tout à fait limitée. Ils croient qu'une telle capacité de guerre nucléaire avec limitation des dégâts est non seulement la meilleure dissuasion et la meilleure stratégie en cas de guerre mais encore la clef d'une utilisation politique efficace de la force nucléaire. Si une puissance nucléaire ne s'est pas préparée à survivre à une guerre de ce genre, elle ne peut raisonnablement menacer ou faire croire à la menace du recours aux armes nucléaires contre une autre puissance nucléaire car ce serait un suicide national.

Il y a trois failles profondes dans le concept de la destruction assurée mutuelle (M.A.D.). La première naturellement, est que les Soviétiques ont refusé de l'accepter, ce qui en soi détruit le concept. La seconde est qu'il est stratégiquement et politiquement fallacieux. Il ne laisse aux Etats-Unis aucune option raisonnable si la dissuasion échoue et il ne soutient aucun objectif politique ou militaire rationnel en cas de guerre. Une dissuasion rationnelle ne peut être fondée sur des ripostes irrationnelles. Quel président américain futur risquerait par exemple l'existence de New York, Philadelphie, Chicago et Washington pour sauver Berlin ? La troisième faille du concept est qu'il est moralement mauvais. Les Etats-Unis ne doivent jamais se placer dans une position où leur stratégie implique que le massacre délibéré de civils est un objectif convenable. La dissuasion ne doit pas se baser sur une telle menace. Ces deux objections fondamentales, stratégique et morale, sont liées. Le stratège chinois Sun Tzu écrivait au ve siècle avant J.-C. : « Ce qui est à la guerre d'une importance suprême, c'est d'attaquer la stratégie de l'adversaire... Ensuite, de disloquer ses alliances... Ensuite d'attaquer son armée... La pire politique est d'attaquer les villes. N'attaquez les villes que lorsqu'il n'y a pas d'autre choix. »

Quand mon Administration cherchait une situation stable de dissuasion mutuelle et de parité entre les Etats-Unis et l'Union soviétique, nous souhaitions en même temps nous écarter de la dépendance de la destruction assurée qui en était venue à dominer la pensée et les projets américains. Nous désirions en revenir aux considérations stratégiques et politiques qui avaient été perdues dans la doctrine M.A.D. En 1969, nous avons établi quatre critères pour la suffisance stratégique, stipulant essentiellement qu'une capacité de destruction assurée était nécessaire mais pas suffisante. De plus, nous exigions des forces capables d'assurer la stabilité dans une crise, qui ne permettraient pas aux Soviétiques d'atteindre la supériorité nucléaire sur les Etats-Unis et qui pourraient servir à limiter les dégâts en cas d'attaque.

J'ai essayé par un autre moyen de détourner dans une certaine mesure notre pensée de la destruction assurée. Dans mon message au Congrès de 1970 sur la politique étrangère, j'ai posé la question : dans le cas d'une attaque nucléaire, un président ne devrait-il « avoir que l'unique choix d'ordonner la destruction en masse de civils ennemis, ayant la certitude qu'elle serait suivie d'un massacre massif d'Américains » ?

Dans mon message de politique étrangère de 1971, j'apportai une réponse sans équivoque : « Je ne dois pas, et mes successeurs ne doivent pas non plus, être limités à la destruction en masse, sans discrimination, de civils ennemis comme seule riposte possible aux défis. Surtout quand cette riposte entraîne la possibilité d'un déclenchement d'attaques nucléaires contre notre propre population. Ce serait incompatible avec la signification politique de la suffisance, de baser notre planification des forces uniquement sur une capacité limitée — et théorique — d'infliger des pertes présumées inacceptables par l'autre camp. » Je soulignai que nous avions besoin, pour nos forces stratégiques, d'une souplesse et d'options nous permettant de choisir et d'exécuter la riposte appropriée sans avoir recours à la destruction en masse.

Le besoin d'options devient encore plus impératif alors que les Soviétiques sont sur le point de pouvoir détruire la capacité contre-force américaine. Quand ils atteignent ce but un président U.S., selon la doctrine M.A.D., n'aurait qu'un seul choix en réponse à une première frappe soviétique : le suicide collectif. Cette « dissuasion » serait inefficace et immorale. En conséquence, elle manquerait de toute crédibilité et la politique étrangère américaine serait l'otage de l'agression soviétique.

Pendant des années, l'idée américaine prépondérante était qu'une guerre nucléaire n'apporterait et ne pourrait apporter aucune forme de victoire réelle, militaire ou politique. Le concept soviétique, en revanche, était que la guerre nucléaire — même si elle signifiait un désastre aux proportions gigantesques — ne pouvait pas, et ne devait pas, être dépourvue d'une signification stratégique. Quelle que fût l'horreur de la guerre nucléaire, à leurs yeux, il était possible d'y survivre et de parvenir à une forme de victoire importante.

L'historien d'Harvard Richard Pipes a constaté :

« L'actuelle doctrine américaine suppose qu'une guerre généralisée entre pays possédant d'importants arsenaux nucléaires serait si destructrice qu'elle ne laisserait pas de vainqueur ; donc le recours aux armes a cessé de représenter une politique rationnelle pour les dirigeants de ces pays les uns vis-à-vis des autres... La doctrine soviétique, au contraire, affirme que si une guerre nucléaire généralisée se révélait certes extrêmement destructrice pour les deux parties, son issue ne serait pas un suicide mutuel : le pays le mieux préparé pour elle et en possession d'une stratégie supérieure « pourrait gagner et demeurer une société viable. »

Pipes place la question dans une perspective historique :

« Un pays qui depuis 1914 a perdu, à la suite de deux guerres mondiales, une guerre civile, la famine et diverses « purges » jusqu'à soixante millions de citoyens peut-être, doit définir les « dommages inacceptables » en d'autres termes que les Etats-Unis qui n'ont connu ni famines ni purges et dont les morts de toutes les guerres livrées depuis 1775 sont estimés à 650 000, moins de pertes que la Russie n'en a subi durant le seul siège de 900 jours de Leningrad pendant la Seconde Guerre mondiale. »

L'ascension de la puissance soviétique a donné de l'importance aux différences doctrinaires des deux super-puissances dans ce domaine crucial. La victoire stratégique et la survie dans une guerre nucléaire possible sont devenues moins crédibles que jamais pour les Américains à mesure que s'accroissait la puissance stratégique de l'U.R.S.S. Pour les Soviétiques au contraire l'accroissement de leurs programmes d'armement stratégique et de défense civile a rendu leur doctrine de victoire plus plausible que jamais. Les dirigeants soviétiques semblent croire maintenant que, dans des circonstances favorables, leur pays pourrait gagner une guerre contre les Etats-Unis où seraient employées des armes nucléaires stratégiques. Et d'ici quelques courtes années, les circonstances leur seront favorables.

La plupart des observateurs pensent qu'il est improbable que les Soviétiques lancent une attaque préventive massive contre nos forces de représailles. Mais nous devons reconnaître qu'en plus de la *capacité* de le faire, ils auront aussi celle de faire moins : par exemple d'anéantir les brigades de combat américaines stationnées en Allemagne fédérale. Leur capacité de neutraliser nos forces de représailles donne une crédibilité accrue à leurs moindres options. Cela veut dire qu'ils pourraient raisonnablement croire qu'ils peuvent lancer une attaque nucléaire limitée sur nos forces en Europe sans la peur, qu'ils avaient depuis la création de l'O.T.A.N., que les Etats-Unis ripostent par une attaque stratégique nucléaire contre l'Union soviétique.

La supériorité stratégique américaine après la Seconde Guerre mondiale nous était d'une utilité capitale, ainsi qu'au monde libre, du fait de notre position fondamentalement défensive. C'était le centre de gravité de notre poids politique. C'était l'atout nous permettant d'employer nos forces classiques à des fins politiques. Elle imposait aux Soviétiques des freins sévères, les forçait à prendre garde de ne pas nous provoquer là où ils pensaient que nous pourrions réagir. Si nous laissons les Soviétiques prendre et garder l'avantage de la supériorité stratégique, nous devons bien penser qu'ils s'enhardiront énormément, en usant de leur puissance en dehors du bloc communiste. Si l'U.R.S.S. possède la supériorité nucléaire stratégique, et domine ainsi la menace d'escalade, les dirigeants soviétiques et d'autres pourraient conclure que les Etats-Unis ne seront guère enclins à s'opposer par la force militaire aux manœuvres expansionnistes soviétiques et seront en conséquence de moins en moins résolus dans leurs confrontations avec l'U.R.S.S.

Le plus grave danger, en période de supériorité nucléaire soviétique, est la défaite sans guerre. Une voix de l'étranger, l'*Economist* de Londres, s'exprime clairement sur ce point :

« Au début des années 1980, le nombre croissant d'ogives nucléaires de plus en plus précises que la Russie peut charger dans ses énormes missiles la mettra en mesure de détruire virtuellement tous les missiles basés au sol d'Amérique en une seule demi-heure de cataclysme, tout en gardant en réserves beaucoup de ses propres missiles, prêts à frapper un second coup... Si la première frappe de la Russie se produit, une contre-attaque américaine contre le système de missiles soviétique devrait dépendre principalement des missiles de croisière portés par avion, autorisés selon Salt II, qui mettraient dix heures à atteindre leurs objectifs et, même alors, ne détruiraient guère plus de la moitié des silos lanceurs soviétiques.

« Cela n'est pas la « parité ». On a souvent dit, fort correctement, que même avec ces avantages les Russes n'appuieraient probablement pas sur le bouton pour l'inimaginable atrocité d'un échange nucléaire. C'est passer à côté de la mathématique nucléaire. Le fait est que les Russes n'en auraient pas besoin. S'ils savent que même un échange théorique de première frappe soviétique et de contre-frappe américain leur laisserait plus de missiles, qui tiendraient alors en otages les villes américaines, ils savent que le président américain le saurait aussi ; et qu'il serait paralysé par cette certitude tandis que le macabre jeu de bluff et contre-bluff se rapprocherait de plus en plus de l'instant presse-bouton. Voilà la réalité politique sous les calculs apparemment abstraits pour savoir qui garderait le plus de missiles. »

Dans le jeu favori des Russes, les échecs, la reine joue un rôle crucial même si elle n'est pas utilisée. Sur l'échiquier de la politique internationale, leur reine, les armes nucléaires, peut jouer un rôle décisif sans jamais être employée.

Sir Robert Thompson le formule avec brutalité et fort bien :

« Quand on parle de la Troisième Guerre mondiale, tout le monde pense à un échange nucléaire entre la Russie et la Chine ou entre la Russie et les Etats-Unis, qui l'un ou l'autre nous entraînerait tous, mais il est tout à fait ridicule d'envisager une victoire par ce moyen... La thèse, par conséquent, que je désire proposer est que nous sommes plongés dans la Troisième Guerre mondiale depuis vingt-cinq ans et que le but à long terme des Soviétiques est de la gagner sans un échange nucléaire. Cela exige éventuellement une capitulation stratégique des Etats-Unis, provoquée politiquement et psychologiquement par une perte de volonté et de but, ou politiquement et militairement en manœuvrant les Etats-Unis dans une situation mondiale vulnérable et intenable, ou un peu des deux. »

Lors de la crise des missiles à Cuba en 1962, Kennedy a pu faire céder Khrouchtchev à cause de notre supériorité stratégique décisive, mais à l'époque actuelle, vers le milieu des années 80, les positions de Kennedy et de Khrouchtchev seraient inversées. Ce serait nous qui blufferions et eux qui relèveraient notre bluff.

En politique, comme le disait Staline, les armes nucléaires sont des choses qui peuvent être utilisées pour « effrayer les gens aux nerfs fragiles ». Et c'est cette dimension de volonté, de nerf, de volonté perçue qui a pris de l'importance à mesure que l'arsenal nucléaire soviétique rattrapait et dépassait le nôtre. La coercition nucléaire, plus encore que la guerre nucléaire, est le véritable danger d'aujourd'hui, rehaussé par les grandes différences entre les Soviétiques et les Américains pour ce qui concerne la doctrine nucléaire. Ces différences découlent inévitablement de l'héritage historique et culturel différent des deux super-puissances et ne signifient qu'une chose : la supposition, qui guide nombre des partisans du contrôle des armements aux Etats-Unis, que les concepts stratégiques de la Russie et de l'Amérique sont similaires est une erreur monumentale.

Le contrôle des armements

Quand je suis entré en fonctions en 1969 le gouvernement précédent se vouait depuis quelque temps à l'idée de limitations des armements stratégiques avec l'Union soviétique et, depuis deux ans, cherchait activement à faire accepter aux Soviétiques les accords Salt. La politique américaine de l'armement stratégique pendant cette période était orientée ou influencée par les Salt. Son programme était que les Etats-Unis étaient prêts à renoncer à la supériorité stratégique en échange d'un accord Salt de dissuasion mutuelle basée sur la parité et la destruction assurée mutuelle (M.A.D.). Cette approche a eu pour effet d'inviter l'Union soviétique à rattraper les Etats-Unis pour l'ensemble des capacités stratégiques. Malheureusement, en 1969 il était clair que les Soviétiques accroissaient leurs forces plus intensément et plus rapidement que prévu et selon des caractéristiques qui ne se conformaient pas aux exigences de la M.A.D. En particulier, une menace soviétique future se précisait de plus en plus contre les forces de dissuasion américaines basées au sol. C'est pour cette raison qu'en mars 1969 je décidai de réorienter le programme Sentinel A.B.M., destiné principalement à la défense régionale légère, vers un nouveau programme, Safeguard, qui insistait sur la défense de ces forces de dissuasion devenues menacées.

Nous continuâmes aussi les négociations Salt entamées par l'Administration Johnson, en partie parce que nous espérions atteindre des accords de limitation équitables à long terme qui fourniraient une plus grande stabilité stratégique avec moins d'armement. Le Congrès et la nation américains n'étaient nettement pas favorables à de nouveaux programmes coûteux de forces stratégiques, comme le démontra le Sénat en n'approuvant qu'à une voix de majorité le système Safeguard A.B.M.; et pour parvenir ne fût-ce qu'à cela il nous avait fallu exercer la plus forte pression que nous pouvions. Nous avions besoin de gagner du temps et aussi de mettre à l'épreuve les intentions soviétiques concernant la limitation des armements. Si l'on ne pouvait aboutir à des limitations acceptables et si pendant ce temps les Soviétiques continuaient d'accroître leurs forces stratégiques, nous aurions la preuve capable de persuader le Congrès de soutenir les programmes stratégiques dont nous aurions alors besoin. Nous espérions réellement que l'Union soviétique accepterait les accords véritables de stabilisation des armements. Nous espérions aussi que Salt paverait la voie à une ère de relations améliorées dans lesquelles la coopération internationale s'ajouterait à la concurrence et la négociation remplacerait la confrontation.

Les premières propositions américaines — destinées à stabiliser les principaux systèmes stratégiques offensifs, y imposer des plafonds égaux et les réduire — furent rejetées par les Soviétiques. En même temps, le niveau des forces stratégiques soviétiques ne cessait de monter. En 1971, nos buts Salt les plus ambitieux durent être abandonnés et remplacés par l'objectif plus simple d'obtenir l'accord soviétique à des limitations d'armes offensives qui arrêteraient la construction continue des lanceurs soviétiques. L'objectif de l'U.R.S.S. était visiblement de poursuivre cette construction jusqu'à ce que les programmes prévus soient achevés et de limiter l'A.B.M. U.S. aux plus bas niveaux possible. Les Soviétiques avaient intérêt à restreindre l'A.B.M. U.S. pour la raison générale que c'était un domaine où nous étions technologiquement supérieurs, et pour la raison spécifique que l'A.B.M. gênerait leur doctrine de contre-force puisque son but primordial était la défense des Minuteman.

Les Etats-Unis soutinrent que nos besoins A.B.M. étaient déterminés par l'étendue de la menace offensive contre les Minuteman ; si cette menace pouvait être réduite, nos besoins de défense le seraient aussi. C'était là le principe du lien défense-offensive. Dans un sens plus large, nous nous inquiétions davantage de la croissance continue des capacités offensives soviétiques. Par conséquent, nous ne pouvions accepter de limiter A.B.M. sans limitations de la force offensive. Les Soviétiques insistèrent sur les seules limitations A.B.M. A cause de l'armement intensif de l'U.R.S.S., nous étions incapables d'aboutir à des limitations d'offensive compatibles avec les niveaux de défense établis. Mais nous réussîmes néanmoins à obtenir une convention provisoire de cinq ans de limiter les armes offensives couplée avec le traité A.B.M.

Cet accord ne nous satisfaisait pas entièrement. Il permettait aux Soviétiques de plus hauts niveaux que ceux qui étaient précédemment acceptables et plus élevés que ceux qui étaient permis aux Etats-Unis. Mais cela reflétait simplement les réalités de la situation à ce moment et nous entendions que l'accord sur l'offensive ne dure pas plus de cinq ans. Pour souligner cela, les Etats-Unis ajoutèrent au traité une déclaration officielle : « Si un accord prévoyant une plus compréhensive limitation de l'armement stratégique offensif n'était pas pris dans les cinq ans, les intérêts suprêmes des U.S.A. pourraient être compromis. Dans ce cas, cela constituerait une base pour nous retirer du traité A.B.M. »

Pendant ces cinq ans, nous crûmes que les avantages soviétiques seraient compensés par les avantages américains, particulièrement en technologie, et que de vigoureux programmes de recherche, de développement et de modernisation de nos forces préserveraient cette situation tout en amenant les Soviétiques à être réceptifs à un accord suivant équitable. Nous espérions que l'accord Salt I faciliterait un meilleur accord Salt II et nous ferait aussi gagner du temps. Nous espérions également qu'il aurait un quelconque effet modérateur sur le renforcement de l'armement soviétique.

Salt I en soi ne nous figeait pas dans une position inférieure. Au contraire, mon gouvernement accueillit favorablement et approuva l'amendement Jackson, qui exigeait un effort stratégique américain revigoré, avec des programmes de modernisation agressifs, comme condition à la ratification de Salt I.

Il stipulait encore que tout accord futur devrait être strictement basé sur l'égalité.

Nous entreprîmes de redresser le déséquilibre stratégique en accélérant les programmes dans tous les domaines de la triade stratégique : le MX sur terre, le Trident sur mer et le B-1 en l'air. Aucun de ces programmes n'était entravé par l'accord.

Le bombardier B-1 était destiné à s'ajouter à nos B-52 vieillissants, conçus et déployés dans les années 50 pour rester en service jusqu'en 1980. Le B-1 devait pouvoir pénétrer les défenses aériennes soviétiques les plus sophistiquées des années 70 et aurait forcé les Soviétiques à détourner des dizaines de milliards de dollars vers des systèmes de défense aérienne radicalement nouveaux pour les années 80 et 90, un argent qui n'aurait pu être puisé que dans les crédits déjà programmés pour les systèmes d'armes offensives stratégiques plus menaçants visant les Etats-Unis. L'annulation du B-1 par l'Administration Carter pendant l'été 1977 a probablement été l'une des plus énormes gaffes stratégiques que cette nation a jamais commises.

Le sous-marin Trident était destiné à s'ajouter à notre force sous-marine Poséidon-Polaris de quarante et un bâtiments et à remplacer éventuellement beaucoup des plus vieux bateaux. Un Trident transportera vingt-quatre missiles à longue portée chargés chacun de dix ogives nucléaires. Salt II, incidemment, limiterait Trident 1 à sept ogives. Les missiles de Trident dépasseront en portée, charge et précision toutes nos armes actuelles lancées à partir de sous-marins et représentent une progression vers un nouvel ordre de grandeur pour ce qui est de l'efficacité dissuasive et de l'invulnérabilité.

De même, le nouveau missile balistique intercontinental MX basé au sol proposé, fournirait une fois déployé une substantielle amélioration, en puissance générale, poids et précision, par rapport à notre force actuelle de missiles Minuteman. De plus, le MX était destiné à être déployé d'une façon relativement invulnérable, en se déplaçant d'un point à l'autre. Cela devrait compliquer les plans de frappe des Soviétiques, en renforçant considérablement l'invulnérabilité des forces de dissuasion américaines.

Nous commençâmes aussi à financer le développement des armes « missiles de croisière » sol-sol, mer-sol et air-sol. Tout en étant une arme précieuse, le missile de croisière n'est pas une panacée pour tous les besoins de notre défense. Si les prospectives optimistes se révèlent correctes, nous pourrions avoir une très grande avance technologique sur les Soviétiques, avec ce système d'armes, mais ceux qui préconisent le missile de croisière comme substitut à des armes plus lourdes, plus efficaces et beaucoup plus rapides devraient réfléchir à la rapide détérioration de l'avance que nous avions naguère avec les capacités M.I.R.V. [1], c'est-à-dire la possibilité de placer plusieurs têtes chercheuses indépendamment orientées à la pointe d'un seul missile. De plus, alors que nous n'avons toujours pas de missiles de croisière, les Soviétiques en ont déjà déployé des milliers.

Maintenant le bombardier B-1 a été annulé, le déploiement du missile MX retardé d'au moins trois ans, l'allure de production du Trident ralentie (le premier bâtiment ne sera lancé qu'en 1981), et le développement du missile de croisière se heurte à des problèmes imprévus. L'épine dorsale de notre force de dissuasion est encore le Minuteman III basé au sol. Par comparaison, les ogives nucléaires du SS-17 soviétique sont de quatre à huit fois plus puissantes, celles du SS-19 de six à douze fois et celles du SS-18 — le super-missile soviétique — de seize à quarante fois plus puissantes que celles du Minuteman III.

Le développement soviétique de la technologie M.I.R.V. s'ajoutant à la formidable puissance de lancée de leurs énormes missiles, à côté des nôtres

1. M.I.R.V. : ogives à têtes multiples et à guidage indépendant.

plus petits et plus légers, signifie qu'ils peuvent monter beaucoup plus d'ogives bien plus puissantes sur chacun de leurs missiles que nous ne le pouvons. Les accords Salt ne limitent pas le nombre d'ogives, seulement des lanceurs ou des avions. Nous devons par conséquent affronter le fait que ces développements ont fondamentalement modifié l'équation stratégique en faveur des Soviétiques.

Quand les négociations Salt II commencèrent au début de 1973, notre objectif était de réparer les inégalités qui avaient été acceptées par nécessité pour Salt I, et particulièrement d'obtenir des réductions du massif avantage de lancement de quatre contre un qui avait été accordé à l'U.R.S.S. Notre inquiétude était que les Soviétiques pussent convertir leur poids au lancement vers le milieu des années quatre-vingts en une option désarmante de première frappe contre nos ICBM basés au sol, nos sous-marins au port et nos bombardiers au sol. Dans une pareille situation, les Etats-Unis ne disposeraient d'aucun moyen de riposte à part la réaction totalement illogique et suicidaire d'attaquer les villes soviétiques avec la petite force de réserve, invitant à des représailles massives soviétiques certaines sur nos propres villes.

Les dirigeants soviétiques nous ont fait obstruction à Moscou en juin 1974. Ils ont refusé d'envisager la limitation du poids au lancement des missiles ou des niveaux raisonnables d'ogives ICBM. Il était évident qu'ils accordaient une grande valeur politique à une capacité de première frappe contre notre force d'ICBM basée au sol. En novembre 1974, à Vladivostok, le président Ford se heurta à la même résistance, pour les mêmes raisons, et dut réduire ses ambitions à négocier sur le nombre égal des lanceurs stratégiques de tous types, avec des limites sur le nombre des missiles à ogives multiples. Le seul moyen qu'aurait eu Salt II de freiner de façon significative la course aux armements — en limitant le poids au lancement — fut annihilé par l'intransigeance soviétique et la faiblesse de marchandage américaine. Nous n'avions aucun programme à opposer contre le renforcement massif de l'armement soviétique. Nous n'en avons toujours pas.

Au moment des négociations de Vladivostok, la situation stratégique évoluait rapidement ainsi que les espérances Salt américaines. Au lieu de se modérer, l'élan soviétique accélérait. Dans certains cas, tels que le remplacement des SS-11 légers par les ICBM lourds SS-17 et SS-19, la modernisation des forces soviétiques exploitait les failles de l'accord Salt I contrairement à notre interprétation de cet accord. De plus en plus, leurs capacités stratégiques générales révélaient une poussée vers la supériorité et une détermination d'atteindre une capacité stratégique de guerre nucléaire contrastant radicalement avec la conception américaine de dissuasion. Il était clair qu'un dangereux équilibre stratégique se produisait et que Salt ne changerait pas cette tendance. Les Etats-Unis devaient prendre des mesures unilatérales plus efficaces s'ils voulaient éviter un déséquilibre majeur dans la première moitié des années 80. Les limitations fixées à Vladivostok étaient acceptables parce qu'elles ne limitaient pas nos possibilités de répondre à la menace et parce que les Etats-Unis avaient alors l'intention de mener à bien les programmes qui le leur permettraient. Si le contrôle des armements ne peut limiter et réduire la menace, il ne doit pas limiter notre capacité d'y riposter, directement ou indirectement. Au moment de Vladivostok, les Etats-Unis étaient résolus à ce que Salt, s'il échouait dans le premier cas, ne pût au moins le faire dans le second.

L'Administration Carter tenta de ressusciter Salt par une nouvelle proposition globale en mars 1977 qui, si elle réussissait, aurait abouti à certaines des limites sur le poids au lancement soviétique que nous avions cherchées en 1974. Les Soviétiques rejetèrent catégoriquement la proposition Carter et le gouvernement américain abandonna promptement son effort et en revint aux lignes générales de Vladivostok. Imprudemment, toutefois, l'Administration permit à la charpente de Vladivostok de s'élargir de façons favorables à l'Union soviétique. Comme l'ont révélé les témoignages au Congrès sur Salt II, pendant les deux années suivantes l'Administration Carter céda devant la position soviétique sur presque tous les points importants. Elle abandonna aussi ou retarda ces programmes qui auraient rendu l'environnement stratégique de la première moitié des années 80 plus sûr pour les Etats-Unis et mieux permis d'aboutir à des accords Salt. Le bombardier B-1, la production de Minuteman III, le déploiement rapide du missile MX furent abandonnés ainsi que le mode de rebasage plus prometteur des ICBM, le déploiement en temps prévu du Trident, le déploiement à temps et sans restrictions des missiles de croisière et l'ogive à neutrons. Ironiquement, si le gouvernement n'avait pas abandonné ou retardé ces programmes, il ne se serait pas heurté à l'opposition à Salt II qui s'est produite, en dépit des défauts majeurs de cet accord.

Tout a prouvé que les Etats-Unis et l'U.R.S.S. ont des buts diamétralement opposés dans les négociations sur le contrôle des armes stratégiques nucléaires. Les Etats-Unis cherchent à réduire le danger de guerre ou de défaite sans guerre, les dégâts en cas de guerre et le coût de l'armement. La négociation des limitations équilibrées des armes stratégiques nucléaires est un moyen de parvenir à ces fins.

Les Soviétiques ne recherchent pas l'égalité. Ils pensent que la guerre nucléaire stratégique peut éclater, bien qu'ils ne la cherchent pas, et ils consentent parfaitement à dépenser des sommes colossales, d'année en année, pour se préparer à la gagner. Ils sont en faveur d'un contrôle des armements qui limitera les Etats-Unis quand ils auront de l'avance ou quand ils sont en retard et cherchent à se rattraper.

Le but américain, sous les Administrations Nixon et Ford, était d'essayer de construire une structure de paix avec une équivalence négociée des armes stratégiques nucléaires comme pierre angulaire, avec pour fondation une force suffisante dans les autres domaines de la puissance nationale. L'Amérique a renoncé à ce but et avec ou sans nouveaux accords Salt les Etats-Unis devront affronter la supériorité soviétique dès 1985 sinon plus tôt. C'est une dangereuse déstabilisation des rapports entre super-puissances. Une des prémisses initiales du processus Salt était que les deux côtés établiraient et codifieraient la stabilité stratégique. Nous n'avons pas réussi à le faire parce que nous n'avons pas suivi l'allure des Soviétiques en faisant ce que Salt I nous permettait.

Les accords sur le contrôle des armes nucléaires stratégiques ne sont pas une fin en soi. Tout comme les armes sont fabriquées dans un but, leur contrôle doit être recherché dans un but. Les Soviétiques s'arment pour leur expansion ; nous nous armons pour déjouer cette ambition. Le contrôle des armements servira nos desseins uniquement s'il aboutit à ce que certains ont appelé une « stabilité de crise » entre les deux super-puissances, tout en maintenant abaissés les niveaux des armes stratégiques nucléaires.

Paul Nitze a décrit la stabilité de crise comme « une situation où, dans une crise menaçant de mener à la guerre, le côté frappant le premier, par prévention ou contre des indications d'attaque, n'aurait pas d'avantage décisif ». Cela signifie que nos forces stratégiques ne doivent pas présenter de vulnérabilités que les Soviétiques pourraient exploiter par une première frappe ; nos forces doivent toujours être capables de supporter même une massive attaque surprise et de riposter de diverses façons, en conservant assez de réserves pour frapper encore en cas de besoin ou pour interdire aux Soviétiques tout avantage post-échange.

Six conditions indispensables doivent être remplies avant que nous acceptions de nouveaux accords sur les armes stratégiques.

1. Nous devons établir une forte position de négociation et nous devons nous répéter qu'il vaut mieux ne pas avoir d'accord du tout qu'un mauvais accord. Le moyen d'éviter un mauvais accord est d'assurer que la situation stratégique est favorable aux Etats-Unis pendant la négociation, au moment de l'accord et pendant toute sa durée. Les accords sur le contrôle des armements tendent à refléter la réalité des forces respectives des deux camps. Si nous voulons des accords valables, nous devons assurer la réalité d'où ils peuvent émerger. Les accords conclus dans un contexte d'avantage stratégique soviétique ne feraient que refléter cet avantage ; ils ne le changeraient pas.

2. Tout accord conclu avec l'Union soviétique ne doit pas nous empêcher d'aider nos alliés de l'O.T.A.N. à développer la force dont ils ont besoin pour nous aider à dissuader les Soviétiques d'employer leurs armes nucléaires de théâtre d'opérations.

3. Notre attachement aux limitations des armes stratégiques ne doit pas laisser aux Etats-Unis, en cas d'attaque ou de menace d'attaque contre un de nos alliés ou amis — ou contre nos systèmes stratégiques de défense — le seul choix de tuer des millions de civils russes. Ce serait une position de nette infériorité.

Le président Carter a déclaré qu'un seul sous-marin Poséidon était capable de détruire la plupart des villes soviétiques en cas de frappe préventive de l'U.R.S.S. qui détruirait la plupart de nos missiles basés au sol. Non seulement, c'est faux, mais c'est incroyable. Comme les Soviétiques auraient alors la possibilité de riposter en anéantissant toutes les villes des Etats-Unis, cela équivaut à la menace d'un homme qui dirait : « Faites ce que je veux, sinon je me fais sauter la cervelle sur votre costume neuf. »

Nous devons maintenir des forces au sol précises et suffisantes pour assurer une seconde frappe efficace, pas simplement contre les villes et la population d'U.R.S.S. mais encore contre ses objectifs militaires, particulièrement ses silos d'ICBM à capacité de « rechargement ». C'est uniquement ainsi que la dissuasion peut être préservée.

4. Tout accord Salt doit être strictement vérifiable par des moyens nationaux sans la coopération de l'Union soviétique.

5. Le contrôle des armements ne doit jamais être recherché comme une fin en soi, isolée des autres buts. Il doit y avoir un lien entre le contrôle des armements et le comportement soviétique dans les zones où l'U.R.S.S. est engagée dans des activités contraires à nos intérêts. Le contrôle des armements ne peut être dissocié des menaces exigeant que nous conservions nos armes. Si la guerre survient, ce sera avant tout à cause de l'incapacité de résoudre des différends politiques, s'associant à l'incapacité des Etats-Unis de maintenir des forces suffisantes pour dissuader des agresseurs de menacer leurs intérêts.

6. Le processus Salt ne doit pas empêcher les Etats-Unis de poursuivre des programmes stratégiques qui sont (a) autorisés selon les termes d'un accord et (b) importants pour atteindre à une politique stratégique américaine responsable. Nous pouvons être certains que les Soviétiques feront tout ce qui leur est permis pour obtenir la supériorité. Nous ne pouvons pas déployer ni employer pour un effet politique ou comme monnaie de marchandage des missiles que nous avions l'autorisation de construire

241

et que nous n'avons pas construits. Si les Etats-Unis font unilatéralement des concessions dans l'espoir d'obtenir des concessions pour eux, les Soviétiques profiteront à fond de cette stupidité et redoubleront d'efforts pour mener à bien leurs programmes. Paul Nitze raconte :

« Le sénateur Tower a demandé à l'académicien (soviétique) Chtchoukine... ce que ferait le côté soviétique réciproquement à notre annulation du B-1. M. Chtchoukine a répondu : « Vous ne nous comprenez pas. Nous ne sommes pas des pacifistes et nous ne sommes pas des philanthropes. » Je suis sûr que M. Chtchoukine avait un troisième qualificatif en tête mais qu'il était trop poli pour le formuler : « Et nous ne sommes pas des imbéciles. »

Nous sommes engagés dans les négociations Salt depuis dix ans et nous pratiquons la modération des armes stratégiques depuis plus longtemps que nous n'avons eu des accords Salt. Les bienfaits initialement espérés ne se sont pas matérialisés. En fait, notre situation stratégique n'a cessé de se détériorer. De toute évidence, notre attention ne devrait pas se porter maintenant sur Salt mais sur l'identification des faiblesses de notre politique stratégique et les remèdes à y apporter le plus rapidement possible.

La manifestation de la volonté américaine et la capacité de refuser aux dirigeants soviétiques la supériorité qu'ils cherchent aura une influence plus dissuasive sur eux, à long terme, qu'un accord Salt ou toute autre chose. Cela pourrait les convaincre de modérer leurs buts stratégiques ambitieux parce que le prix et les aléas de leur poursuite seraient prohibitifs. En conséquence, une action résolue pour refuser la supériorité aux Soviétiques est non seulement nécessaire à la sécurité future des Etats-Unis mais peut aussi, à long terme, être le meilleur moyen d'aboutir à des accords mutuels valables de limitations des armements.

La question qui se pose maintenant est la suivante : que peuvent faire les Etats-Unis pour empêcher la vulnérabilité et l'infériorité stratégique dans un avenir immédiat ? Ils n'ont pour le moment que peu de programmes stratégiques pouvant produire un effet quelconque avant la fin des années 1980.

Il y a certaines choses que nous pouvons faire, qui détendraient au moins la situation en attendant que des solutions à plus longue portée soient possibles. Il y a aussi plusieurs options stratégiques disponibles pour le moyen terme, parmi lesquelles l'accélération de certains programmes actuels à long terme. Beaucoup de ces options ont été étudiées et proposées depuis deux ans par un groupe de savants et de spécialistes de la défense, le Strategic Alternatives Team présidé par le docteur William Van Cleave de l'université de Californie du Sud. La vulnérabilité de nos ICBM vers les années 85 pourrait être évitée en rebasant le Minuteman III selon le mode de l'abri vertical multiple, initialement recommandé par l'armée de l'air, sans attendre le développement du missile MX. Les graves vulnérabilités de nos bombardiers pourraient aussi être réduites en accroissant la vitesse d'alerte, en rebasant la force à l'intérieur des terres et en remplaçant les moteurs des B-52 G et H. Il serait possible d'améliorer notre force sous-marine en révisant ses communications et en accélérant et accroissant le programme Trident I. La production des missiles de croisière pourrait être accélérée et augmentée. Pour la défense civile, des études révèlent que des mesures peu coûteuses pourraient être prises pour améliorer considérablement cette capacité en trois ans. J'ajouterai qu'à moyen terme, le programme B-1 devrait être repris pour en faire à la fois un bombardier supersonique de pénétration et un porteur subsonique de missiles de croisière.

Des options faciles, possibles, existent pour renforcer nos forces stratégiques et réduire leur vulnérabilité plus rapidement qu'il n'est actuellement prévu. Il suffit d'être déterminé à les mettre en vigueur.

L'O.T.A.N. et les autres forces de théâtre

Comme l'Europe et le Japon sont géographiquement proches de l'Union soviétique et vulnérables à une attaque par des forces classiques avec ou sans l'aide d'armes nucléaires, ils ne pouvaient compter pour leur sécurité que sur le « parapluie nucléaire » américain. Mais maintenant les Européens et les Japonais voient se briser les baleines de ce parapluie et se demandent si, en cas de pluie, le parapluie s'ouvrirait.

Notre principal problème militaire, après la Seconde Guerre mondiale, était de défendre le Japon que nous avions désarmé et l'Europe occidentale qui était vulnérable à une attaque massive de forces soviétiques classiques supérieures. En Europe, nous avons fondé l'O.T.A.N. qui bloquait l'avance soviétique à l'ouest. Dans le Nord-Est asiatique, nous avons déployé des forces classiques en Corée pour arrêter l'avance communiste, et ensuite nous les y avons laissées pour protéger la Corée du Sud et le Japon. Notre parapluie nucléaire abritait à la fois l'O.T.A.N. et le Japon et compensait notre infériorité, pour les forces classiques. La présence de nos forces terrestres en Europe occidentale et dans le Nord-Est asiatique démontrait bien le sérieux de notre engagement à la défense de l'Europe et du Japon, en agissant comme un avertisseur contre l'escalade nucléaire, et elle a efficacement découragé les Soviétiques de toute action agressive.

Les intérêts des Etats-Unis ne se sont pas beaucoup modifiés depuis la fin de la Seconde Guerre mondiale mais notre capacité de protéger ces intérêts a changé. Tout en étant séparés géographiquement, le Japon et l'Europe occidentale sont les deux parties d'une même entité : cette portion du monde démocratique industrialisé qui est menacée par les forces militaires soviétiques. Tous deux ont prospéré sous la protection de l'ancienne supériorité nucléaire des Etats-Unis. Tous deux sont de plus en plus vulnérables à l'attaque militaire et à une interruption paralysante de leurs approvisionnements. Tous deux sont des éléments essentiels de l'alliance occidentale.

Les Européens ne se satisferont pas des « indications » générales du soutien américain, ni des « signes » de la puissance américaine, ni des « vagues assurances » du Département d'Etat proclamant de solides liens transatlantiques. Ils réclameront une claire et nette manifestation de l'intérêt américain pour le maintien de la sécurité et de la stabilité en Europe occidentale. Nous ne pouvons nous permettre d'être vagues car, comme l'a dit Raymond Aron, l'Europe peut supporter une situation absurde et même injuste mais pas une situation ambiguë. L'histoire a démontré que les nations d'Europe ont tendance à graviter vers un *statu quo* stable, même si cette situation stable est par ailleurs moins favorable. Elles la préfèrent aux risques d'instabilité. Elles exigent donc une prise de position américaine répondant à chaque menace soviétique, sinon elles seront tentées de rechercher un accommodement avec l'U.R.S.S.

Comme l'a dit le chancelier allemand Helmut Schmidt en 1979, « l'équilibre est l'élément principal de la sécurité. Depuis bien des années, je considère l'équilibre des puissances comme l'indispensable préalable de la paix et je m'aperçois maintenant que ma conviction était fondée ». Si l'Amérique n'assure pas cet équilibre, si notre manque de volonté aboutit à une modification de l'équilibre en faveur des Soviétiques, alors les nations européennes ainsi que le Japon, la Chine et des pays comme l'Arabie Saoudite auront de bonnes raisons de craindre les Soviétiques et de s'arranger avec eux. Une telle tendance serait notre faute, et uniquement la nôtre.

Avant ma visite à Moscou en 1959 Harold Macmillan, alors Premier ministre britannique, me dit avec perspicacité : « Les alliances sont soudées par la peur, pas par l'amour. » Il y a trente ans, la peur des Soviétiques a fait naître l'O.T.A.N. et l'écrasante supériorité nucléaire stratégique des Etats-Unis ainsi que l'intelligence des gouvernements alliés l'ont soudée. Aujourd'hui, cette supériorité n'existe plus ; mais par une ironie du sort la peur d'une attaque soviétique est moins grande qu'au temps de la création de l'O.T.A.N. Cependant, parce que l'Union soviétique détient maintenant la supériorité pour les armes nucléaires de théâtre et se place rapidement en une position de supériorité pour les armes stratégiques, tout en conservant en même temps son énorme avantage pour ce qui est des forces terrestres classiques, la menace contre les pays membres de l'O.T.A.N. est infiniment plus grande aujourd'hui qu'il y a vingt ans. Elle doit être affrontée grâce à une stratégie militaire radicalement révisée.

L'O.T.A.N. a toujours été, essentiellement, une alliance militaire pour déjouer la menace militaire de l'Union soviétique contre l'Europe occidentale. Au cours des trente dernières années, la réussite de l'O.T.A.N. a été impressionnante, en réagissant avec souplesse et détermination aux menaces croissantes et fluctuantes. Récemment, toutefois, trois conditions élémentaires ont si dramatiquement changé que l'O.T.A.N. est défiée comme elle ne l'avait jamais été.

Premièrement, la nouvelle vulnérabilité économique et monétaire du monde industriel a conduit beaucoup de gens à la juger plus urgente que la menace militaire soviétique. Il est donc devenu plus difficile de conserver un soutien public et financier pour les niveaux de force militaire indispensables à l'O.T.A.N.

Deuxièmement, l'*Ostpolitik* de l'ancien chancelier d'Allemagne fédérale Willy Brandt, en acceptant la division territoriale de l'Allemagne, a paru diminuer la volonté soviétique de faire militairement pression sur le secteur central de l'O.T.A.N. Bien que l'U.R.S.S. ait continué d'augmenter ses forces militaires en Europe centrale, les Européens ne se sentent plus aussi menacés par les Russes qu'auparavant.

Troisièmement, la croissance des forces stratégiques nucléaires des Soviétiques — et la vulnérabilité des Etats-Unis à une attaque soviétique directe, qui en résulte — ont compromis la crédibilité de la garantie américaine de sécurité à l'Europe occidentale. C'est le dilemme central de l'O.T.A.N. Les Etats-Unis, en cherchant à négocier un équilibre nucléaire stable, ont dû modérer leur garantie de sécurité à l'Europe de l'Ouest, initialement basée sur une supériorité nucléaire américaine. C'est un dilemme dont ne peuvent être rendus responsables ni l'Europe ni les Etats-Unis et il n'est guère probable que nous puissions y échapper complètement. Malgré tout, il est possible de le résoudre plus efficacement qu'on ne l'a fait.

Pendant plus de dix ans, les Etats-Unis ont tenté de résoudre le dilemme de l'O.T.A.N. en insistant sur les forces classiques. Avec une solide défense classique au sol en Europe, raisonnait-on, les Soviétiques seraient dissuadés de l'invasion et empêchés de brandir leurs prouesses militaires dans des buts politiques. Pour être efficace, une telle politique exigerait que toute attaque soviétique fût non nucléaire et que les forces classiques déployées à l'avant par l'O.T.A.N. fussent assez fortes pour résister à une incursion soviétique classique, de manière que l'U.R.S.S. eût à payer un prix très élevé sa décision de rompre la paix en Europe.

Les militaires soviétiques ont un respect salubre pour les capacités de l'O.T.A.N. Ces dernières années, néanmoins, ils ont renforcé et modernisé leurs forces en Europe au point qu'elles sont devenues la plus grande et la plus puissante machine de guerre que le monde a jamais vue. De plus, comme l'a répété l'ancien commandant en chef suprême des forces alliées en Europe, le général Alexander Haig, les forces du pacte de Varsovie ont acquis la capacité de lancer une attaque sans avertissement stratégique. Les sénateurs Nunn et Bartlett ont rapporté en 1977 au Congrès américain que « les forces soviétiques en Europe de l'Est peuvent déclencher un conflit au départ arrêté ». Le même rapport avertit que, « si la possibilité d'attaque au départ arrêté des puissances du pacte de Varsovie devient relative à la capacité défensive de l'O.T.A.N., la probabilité que ces puissances soient déjà sur le Rhin avant que l'O.T.A.N. décide d'utiliser les armes nucléaires tactiques le devient aussi ».

Leur position géographique donne aux forces de Varsovie un avantage militaire énorme. Les forces américaines, composant le gros des renforts de l'O.T.A.N. devraient être transportées à travers un Atlantique grouillant de sous-marins soviétiques ou au-dessus de l'océan par un pont aérien en aluminium qui risquerait de ne pas être assez solide pour supporter l'intensité du trafic. En 1978, une simulation de « jeu de guerre par ordinateur du Pentagone a montré que les Etats-Unis risqueraient de ne pas posséder de capacité en ponts aériens ou maritimes suffisants pour transporter nos troupes à la bataille avant qu'elle soit finie. Dans cet exercice, presque tous les soldats devant être transportés par avion en Europe y arriveraient mais beaucoup des armes lourdes dont ils avaient besoin restaient bloquées aux Etats-Unis. De plus, dans les trente premiers jours de l'exercice simulé, l'armée se trouvait à court d'obus d'artillerie, de chargeurs de mitrailleuses pour les chars et de plusieurs autres types de munitions, en partie parce que les stocks en Europe qui ont dangereusement baissé pendant la guerre arabo-israélienne de 1973 n'ont jamais été restaurés en totalité. Des études ont montré que certaines armées européennes se trouveraient à court d'approvisionnements cruciaux en quelques jours et non en quelques semaines. Compte tenu du nombre important de troupes du pacte de Varsovie et d'U.R.S.S. à portée de l'Europe occidentale, ainsi que du penchant avéré des Soviétiques pour une offensive surprise rapide et à grande échelle, les forces classiques de l'O.T.A.N. ne suffiraient pas à réprimer une attaque générale soviétique même si elle était limitée aux armes classiques.

Même si l'O.T.A.N parvenait à rétablir l'équilibre des forces classiques, la question irritante demeurerait le rôle du nucléaire dans la dissuasion européenne ou dans les combats au cas où la dissuasion échouerait. Que se passerait-il si les défenses classiques de l'O.T.A.N. réussissaient à résister à une attaque de l'U.R.S.S. et si les Soviétiques étaient arrêtés ? Accepteraient-ils cet échec et mat ? Est-ce que les buts politiques pour lesquels ils avaient déclenché une invasion de l'Europe occidentale leur permettraient de s'en tenir là ? Ou bien, étant allés si loin, utiliseraient-ils les forces nucléaires du théâtre d'opérations en comptant que les Américains ne lanceraient pas une attaque nucléaire depuis les Etats-Unis visant l'Union soviétique elle-même ? Les dirigeants du Kremlin, *à ce moment*, pourraient fort bien estimer que non, de crainte d'une contre-attaque rapide et certaine des Soviétiques qui ravagerait le centre nerveux de la puissance militaire américaine : notre force d'ICBM basée au sol, plus nos sous-marins au port et nos bombardiers au sol sur leurs bases. Comme l'a fait observer l'ancien Secrétaire à la défense, James Schlesinger, en 1975, dans un rapport au Congrès, « le pacte de Varsovie ne considère pas les guerres classique et nucléaire comme des entités séparées. Malgré une tendance récente à améliorer ses forces classiques et à reconnaître qu'il est inutile qu'une guerre classique en Europe conduise à la guerre nucléaire, la stratégie, la doctrine et les forces du pacte de Varsovie sont encore fortement orientées vers les opérations nucléaires ».

Même aujourd'hui, les programmes militaires réclament l'emploi possible d'armes nucléaires de théâtre dans n'importe quelle guerre en Europe, limitées aux cibles du théâtre strictement européennes. Leur missile SS-20 et leur bombardier Backfire sont des systèmes nucléaires destinés au théâtre d'opérations entièrement nouveaux, à capacités intercontinentales, qui n'ont d'égaux dans aucun arsenal de l'Occident. Leurs roquettes nucléaires améliorées adaptées au champ de bataille et leur nouvel avion d'assaut pouvant porter des armes nucléaires dépassent en rayon d'action, puissance de feu, précision et mobilité toutes les capacités de théâtre nucléaires de l'O.T.A.N. Le but de telles armes est de donner à la Russie la haute main nucléaire sur le théâtre européen, dans une situation où les forces stratégiques américaines seraient tenues en échec par la puissance soviétique intercontinentale égale ou supérieure. De plus, les forces du pacte de Varsovie ont été entraînées à outrance pour les opérations dans un environnement nucléaire.

Le bombardier Backfire porte des missiles nucléaires d'attaque et de croisière et couvre non seulement l'Europe occidentale mais aussi l'Atlantique aux abords du continent européen. Avec un ravitaillement, il peut atteindre les Etats-Unis. Le SS-20 est un missile mobile et par conséquent virtuellement invulnérable. Au début de 1980, les Soviétiques en avaient déjà déployé environ deux cents et ils en ajoutent à la cadence d'un par semaine. Chaque SS-20 porte trois ogives M.I.R.V. extrêmement précises et sa portée de 5 000 à 6 500 kilomètres lui permet de toucher n'importe quel objectif d'Europe, de la Norvège à Gibraltar en passant par l'Angleterre. Le SS-20 peut aussi être converti en un missile SS-16 intercontinental mobile capable d'atteindre les Etats-Unis, en ajoutant simplement un troisième étage aux deux que possède déjà le SS-20.

L'O.T.A.N. n'a rien de comparable au SS-20 ou au Backfire. Les cent huit missiles Pershing-2 à ogive unique, dont le déploiement a été approuvé pour le milieu des années 80, n'ont qu'un tiers de la portée du SS-20. Si les Russes continuent de déployer leurs nouvelles armes à la cadence actuelle, l'O.T.A.N. sera encore beaucoup plus dépassée qu'elle ne l'est actuellement vers les années 85, même après que nos nouveaux Pershing et missiles de croisière auront été déployés. Nous avons un besoin évident et pressant d'accélérer la modernisation de toutes les forces de théâtre d'opérations et du champ de bataille nucléaires de l'O.T.A.N.

L'effort de déploiement de la bombe à neutrons était un premier pas hésitant dans cette direction. Cette arme aurait été très efficace contre les énormes armées russes blindées. Mais sa principale vertu était de réduire l'élément de la force explosive des armes nucléaires du champ de bataille ainsi que le problème de radioactivité ; par conséquent, elle aurait eu peu d'effet sur ceux qui ne se trouvaient pas dans le voisinage immédiat de ses promptes radiations : les dommages collatéraux auraient été réduits au minimum, si bien que les autorités politiques auraient eu plus facilement tendance à autoriser son utilisation dès les premiers temps contre les chars envahisseurs qu'elles ne permettraient celui des armes nucléaires plus anciennes et plus dévastatrices actuellement en possession de l'O.T.A.N. Son déploiement aurait accru la crédibilité de notre dissuasion et aurait rendu la guerre plus improbable.

Quoi qu'il en soit, la manipulation politique de la question de la bombe à neutrons par le gouvernement américain a été maladroite. Nous avons dit à nos alliés que nous allions la déployer, ils ont pris des dispositions pour y préparer leurs populations, et puis nous leur avons coupé l'herbe sous le pied en changeant d'idée et en refusant de la déployer. Cette volte-face fut une cause majeure de la perte de la confiance que nous accordent ceux qui dépendent de nous pour leur protection. Cet épisode est une des principales raisons que nous avons d'être maintenant si attentifs et si consciencieux pour réparer et restaurer le « réseau sans coutures » de la dissuasion américaine.

Dans les répercussions du fiasco de la bombe à neutrons, le principe essentiel pour traiter les questions sur les armes nucléaires de théâtre — doctrine, conception, déploiement et négociation — doit être la protection de l'unité alliée. Sans unité de l'O.T.A.N., sans la restauration d'une confiance mutuelle solide, le déploiement d'une force de théâtre nucléaire moderne sera probablement impossible. Une force qui ne serait pas rassemblée dans ces conditions n'impressionnerait et ne dissuaderait les Soviétiques ni militairement ni politiquement.

La tentative de l'alliance de lancer le déploiement du missile Pershing à plus longue portée et le missile de croisière sol-sol a une valeur politique dans la mesure où elle représente un cas d'unité d'alliance face à la pression soviétique. Cependant, ce déploiement est lié aux objectifs de contrôle des armements et cela fait peser des doutes sur sa valeur militaire. Certains alliés sont persuadés que les systèmes sont nécessaires ; d'autre les considèrent comme les instruments d'un futur contrôle des armements. Cette différence d'interprétation est une source potentielle de confusion de l'alliance que les Soviétiques peuvent exploiter.

La modernisation doit avoir lieu pour ses propres mérites. Si nous actualisons un système, ne fût-ce qu'en partie, pour lui donner sa valeur dans la négociation pour le contrôle des armements, nous faisons mettre en doute non seulement son importance militaire mais encore notre détermination à aller jusqu'au bout du programme. La situation militaire au sein de l'O.T.A.N. doit être améliorée *avant* tout accord majeur sur le contrôle des armes avec les membres du pacte de Varsovie. Si nous concluons d'abord les accords de contrôle des armements, nous courons le risque grave — presque certain — que ces accords se bornent simplement à refléter et à perpétuer le déséquilibre actuel.

Le plus important n'est pas de résoudre la question technique sur le meilleur rapport efficacité-prix de telle ou telle arme nouvelle mais plutôt la division doctrinale au sein de l'alliance. Certains — européens pour la plupart — considèrent les forces de théâtre comme un moyen de « donner un signal » de préparation à l'escalade et comme un lien automatique avec les forces stratégiques U.S. ; d'autres — en majorité américains — voient dans les forces de théâtre un moyen de défendre l'Europe, sans recourir nécessairement à un échange nucléaire entre les Etats-Unis et l'Union soviétique.

Il faut trouver les moyens de concilier les deux concepts, en accord avec les nouvelles réalités de l'équilibre stratégique. Le concept « européen » ignore ou glisse sur le fait que donner un signal politique exige de réelles capacités militaires opérationnelles. De plus, il suppose que les forces stratégiques américaines compenseraient immédiatement toutes les déficiences des forces de théâtre de l'O.T.A.N. Cependant la vulnérabilité croissante de la force d'ICBM U.S. basée au sol, la prolifération des objectifs soviétiques et la croissance limitée attendue des programmes américains des forces stratégiques, s'ajoutant aux contraintes des forces américaines par Salt, signifient que si ces tendances ne sont pas inversées, la capacité des systèmes nucléaires stratégiques basés aux U.S.A. de couvrir les objectifs militaires européens continuera de décroître.

Selon beaucoup d'Européens, le concept « américain » insiste trop sur la guerre nucléaire limitée en Europe, qui est un anathème pour les Européens, et pas assez sur la nécessité politique de maintenir le lien le plus fort possible avec tous les systèmes stratégiques américains. Pour cette raison, de nombreuses propositions américaines d'amélioration des forces de théâtre nucléaires de l'O.T.A.N. — même dans la mesure nécessaire pour réaliser le concept « européen » — semblent prouver aux Européens de l'Ouest que les Etats-Unis sont prêts à envisager un échange nucléaire en Europe sans escalade au niveau stratégique.

Les deux côtés doivent comprendre que le but impératif commun est la *dissuasion*, à la fois d'une attaque réelle et de la capacité pour les Soviétiques d'exploiter politiquement la situation militaire. Les stratégies de dissuasion, dans une alliance multinationale, peuvent ne jamais se conformer parfaitement à la logique de la stratégie militaire mais elles peuvent être valables si elles ne se conforment pas à la réalité. Même si le lien avec les forces stratégiques américaines n'est pas, et ne peut pas être, aussi fort que par le passé, il existe toujours. Le *degré* de confiance en ces forces, dans la situation actuelle, néanmoins, doit être supplanté par une défense de théâtre d'opérations plus forte. La dissuasion d'une attaque du pacte de Varsovie visant à s'emparer de territoires en Europe occidentale doit être davantage basée sur la capacité d'empêcher les Soviétiques d'atteindre ce but et beaucoup moins sur la menace moins crédible de représailles par les forces stratégiques américaines. Ce n'est pas un découplage nucléaire américain — en fait les forces nucléaires du champ de bataille et du théâtre d'opérations resteront principalement américaines ; ce n'est pas non plus une tentative de restreindre le conflit nucléaire à l'Europe. C'est plutôt un effort pour renforcer la dissuasion.

Les Etats-Unis et leurs alliés européens doivent mettre au point les grandes lignes d'une telle doctrine et les modalités de la modernisation en accord avec elle, en comprenant bien nos objectifs communs mais aussi la réalité de la situation stratégique. Nous devons nous mettre d'accord sur certains points : s'il est nécessaire de moins compter sur le parapluie de la force *stratégique* américaine, il ne peut y avoir de découplage. En compensation, la partie *théâtre d'opérations* et champ de bataille du parapluie nucléaire doit être renforcée. Il faut trouver de nouvelles stratégies et des doctrines de défense de l'avant pour faire face aux capacités combinées de l'armement du pacte de Varsovie. Le point de départ est de reconnaître la véritable nature de la doctrine du pacte de Varsovie. Elle est orientée vers la destruction des défenses de l'O.T.A.N. et la prise rapide de territoire, au moyen d'armes nucléaires tactiques et chimiques autant que classiques.

Pour contrer cette stratégie, nous avons besoin d'une doctrine de déploiement de la force nucléaire de théâtre qui rende parfaitement clair le nouveau rapport entre les forces de théâtre et les forces nucléaires stratégiques basées aux U.S.A. d'une part et les forces militaires classiques de l'alliance déployées en Europe d'autre part.

Du côté central stratégique, dans l'échelle de la dissuasion, les forces américaines et les systèmes d'armes à longue portée doivent neutraliser ensemble la menace des mêmes forces soviétiques. Seul le président des Etats-Unis peut formuler la doctrine d'emploi limité et sélectif nécessaire pour assurer le lien vital nécessaire à cette neutralisation.

Du côté « champ de bataille » du spectre de dissuasion, une force nucléaire modernisée fournira la principale dissuasion contre les attaques soviétiques massives classiques ou des assauts nucléaires tactiques. Il en sera ainsi même si les forces classiques de l'O.T.A.N. sont largement améliorées. L'O.T.A.N. ne peut espérer raisonnablement contenir de telles attaques avec des forces classiques seules. Mais pour être efficace, la dissuasion de théâtre doit être tout à fait capable d'arrêter une offensive en masse des forces du pacte de Varsovie et d'empêcher la perte de territoire. Cela exigera la capacité de situer et de détruire des objectifs militaires sur le terrain et leurs soutiens à l'arrière.

Cela exige la modernisation de notre position à tout niveau : les armes nucléaires et autres armements essentiels du théâtre doivent être améliorés dans leur capacité de survivre à une attaque surprise ; les armes nucléaires doivent être modernisées pour accroître leur capacité de défense et réduire les dommages collatéraux causés par leur emploi (pour cela des versions « champ de bataille » de la bombe à neutrons sont essentielles), des systèmes à portée du théâtre d'opérations pourraient être introduits pour parer la menace du Backfire et du SS-20 mais pas aux dépens des armes nucléaires du théâtre modernisées ; les forces classiques doivent être modernisées aussi, en profitant des technologies nouvelles ; des plans de déploiement des armes nucléaires et classiques combinées doivent être tracés pour rendre crédible une dissuasion plus fortement basée sur la capacité de priver un agresseur de ses buts. Par-dessus tout, il faut une doctrine pour guider la modernisation et exclure les décisions isolées coup par coup.

Tout cela sera extrêmement difficile ; il sera indispensable d'avoir une coopération dans l'alliance plus importante que ces derniers temps. Les Etats-Unis devront être les meneurs de jeu mais pour le faire avec sagesse ils doivent d'abord organiser leur thèse. Il n'est pas question de répéter les erreurs des années 60, lorsque nous avions tendance à imposer de force notre stratégie à nos alliés ; des solutions doivent être trouvées de concert avec eux. Mais un leadership sage est impossible sans une direction déterminée et une des principales raisons de l'actuelle confusion stratégique de l'O.T.A.N. est que les Etats-Unis manquent d'un ferme sens de direction. Notre tendance, ces dernières années, a été d'aborder les décisions militaires de l'alliance au coup par coup. Cela doit cesser. Un effort coopératif pour renouveler et restaurer la réalité et la crédibilité de la dissuasion en Europe peut contribuer à faire l'unité alliée et à construire la force militaire et politique.

L'accession de l'Espagne à l'O.T.A.N. est d'une importance vitale. Si les forces en voie de modernisation rapide et sa situation stratégique clef se combinaient avec la coopération croissante de la France au sein de l'alliance, l'O.T.A.N. aurait la dimension militaire qui lui manque actuellement. Les Etats-Unis ont été partisans de l'adhésion de l'Espagne depuis les premiers jours de l'Administration Eisenhower. Avec la disparition du régime de Franco et l'évolution de la démocratie dans ce pays, les Européens de l'Ouest devraient être maintenant prêts à accueillir l'Espagne dans l'O.T.A.N. Le peuple espagnol est travailleur, courageux et capable. Les Etats-Unis et l'Occident ont besoin de lui comme ami et allié, d'autant plus que c'est l'unité politique de l'O.T.A.N. plus que sa position militaire qui décourage les défis et les aventures soviétiques.

La Turquie est une bombe à retardement qui, si on la laissait exploser, pourrait avoir un impact plus dévastateur sur l'O.T.A.N. que même le soulèvement en Iran. La Turquie n'a pas de pétrole mais des frontières avec l'Iran, la Syrie, l'Irak, et l'Union soviétique. Elle contrôle l'entrée de la mer Noire et l'entrée orientale de la Méditerranée. Elle fournit un tiers des soixante-six divisions de l'O.T.A.N. Ses forces armées de cinquante mille hommes viennent tout de suite après celles des Etats-Unis au sein de l'alliance. Depuis des siècles, elle a été la cible de l'agression soviétique.

Les problèmes économiques de la Turquie sont accablants. Elle affronte ce que le premier ministre Suleiman Demirel appelle « la plus grave crise économique de la Turquie depuis la fondation de la république » en 1923. Elle est déchirée par des conflits religieux et mise en péril par des groupes politiques d'extrême gauche. Les émeutes et les attentats s'y succèdent. Depuis longtemps, son gouvernement est faible et instable. Pour des raisons purement politiques, le Congrès américain est avare d'aide militaire et économique. Si la Turquie s'effondre, la charnière sud de l'O.T.A.N. sera brisée et les conséquences sur ses voisins producteurs de pétrole seront incalculables. Les pays membres de l'O.T.A.N., Etats-Unis compris, doivent développer de toute urgence un programme d'aide militaire et économique pour assurer que cela n'arrivera pas.

L'O.T.A.N. et le pétrole

Soixante pour cent du pétrole européen vient par mer du golfe Persique. L'Europe, comme le Japon, dépend beaucoup plus que nous des pays arabes. Ce fut cette considération plus qu'aucune autre qui amena nos alliés de l'O.T.A.N. à voir en 1973 les torts et les raisons de la guerre du Kippour dans une autre optique que la nôtre. A part les Hollandais, qui furent victimes d'un embargo sur le pétrole pour s'être opposés aux Arabes, et les Portugais, qui avaient à l'époque des colonies africaines possédant du pétrole, ils hésitèrent à nous aider à assister les Israéliens, de crainte que les Arabes les punissent en les privant du pétrole vital. La plupart des pays de l'O.T.A.N. refusèrent les droits d'atterrissage et de survol à nos avions de transport acheminant des approvisionnements à Israël et résistèrent au détournement de matériel militaire d'Europe centrale.

La situation qu'affrontaient nos alliés d'Europe occidentale en ce qui concerne leur ravitaillement en pétrole était difficile, certes, et leur inquiétude au sujet d'un détournement des stocks militaires de l'O.T.A.N. légitime. Cependant, avec le recul, aucune de ces considérations ne justifiait leur manque de soutien aux Etats-Unis. Ce n'est pas seulement parce que leur refus de nous soutenir en 1973 ne leur a valu aucun avantage appréciable ou permanent de la part des Etats arabes, ni que leur politique était à courte vue à l'égard du rapport stratégique d'Israël avec la sécurité d'Europe occidentale. Leur manque de soutien aux Etats-Unis alors que ces derniers agissaient selon ce qu'ils pensaient être d'un intérêt national majeur — et un intérêt commun à leurs alliés — est d'une implication menaçante pour la santé de l'alliance. Comment l'O.T.A.N. serait-elle viable si nous ne pouvons avoir de politique concertée pour traiter de problèmes de sécurité importants au-delà de l'Europe ? Les considérations économiques et géopolitiques, particulièrement dans le golfe Persique, posent des problèmes qui tout en se situant au-delà des confins normaux de l'O.T.A.N. concernent indiscutablement l'O.T.A.N. en tant qu'alliance. Et jusqu'à présent, elle s'est révélée incapable de réagir à ces problèmes en tant qu'alliance. Il est urgent de trouver des moyens coordonnés, efficaces, pour les résoudre.

Ici, la question déterminante n'est pas procédurière ni technique, elle est politique. Les intérêts vitaux et légitimes des Européens au Moyen-Orient et dans le Golfe leur sont plus immédiats que les intérêts américains dans cette région le sont pour les Etats-Unis. Les Etats-Unis, l'Europe occidentale et le Japon vont continuer de dépendre lourdement du pétrole importé du Moyen-Orient et du golfe Persique jusqu'à la fin de ce siècle et les Soviétiques le savent. Leurs réserves de pétrole baissent et eux aussi auront bientôt besoin de celui du Moyen-Orient. Pour cela et pour d'autres raisons, ils s'intéressent avidement à la région. Comme l'a dit James Schlesinger, qui était mon secrétaire à la Défense, dans son discours d'adieu comme secrétaire à l'Energie du président Carter, l'O.T.A.N. est une alliance « insuffisante » aujourd'hui parce qu'« elle n'offre pas de protection pour les ressources d'énergie dont dépend notre sécurité collective ». La menace est « sévère », dit-il. « Le contrôle soviétique du robinet du pétrole au Moyen-Orient signifierait la fin du monde que nous connaissons depuis 1945 et de l'association des nations libres. »

Les nations européennes devront peut-être se résoudre à employer la force militaire, en coopération avec les Etats-Unis, pour défendre les intérêts vitaux et légitimes de l'Occident au Moyen-Orient ou dans le golfe Persique, plus tôt que nous ne le voudrions ou pourrions l'espérer. Si nous sommes ainsi défiés, nous n'aurons d'autre choix que de faire ce qui sera indispensable pour empêcher que notre route du pétrole soit coupée.

Une présence militaire occidentale au Moyen-Orient ou dans le golfe Persique ne devra pas nécessairement être une présence de l'O.T.A.N., ni être sous le commandement de l'O.T.A.N. Mais il sera probablement nécessaire à l'avenir de trouver des moyens par lesquels quelques Etats coopérants pourraient accroître l'état de préparation de leurs forces, après consultation de l'alliance, sans exiger la coopération ni même l'assentiment de tous.

La position stratégique de toute l'alliance occidentale dépend aujourd'hui, et dépendra pendant les années à venir, de la sûreté de l'accès pour l'Europe occidentale, pour l'Amérique du Nord et pour le Japon au pétrole brut du golfe Persique, de la crédibilité continue de la protection des Etats-Unis et de leur soutien aux Etats clefs de la région, de la limitation de l'influence soviétique dans la région et de la conjuration de la guerre si c'est possible. Mais ces problèmes ne se résoudront pas d'eux-mêmes, même s'ils sont, dans une certaine mesure, évidents. Il est nécessaire de se préparer, de montrer qu'on se prépare, de se serrer les coudes pour défendre ces intérêts.

Les Etats-Unis doivent aussi avoir la possibilité d'intervenir unilatéralement dans cette région vitale du monde si le besoin s'en faisait sentir. Des bases stratégiquement situées pour contrer les bases soviétiques dans la région et un rapide déploiement des forces montreraient aux Soviétiques que nous sommes sérieusement résolus à parer les menaces qu'ils pourraient porter contre l'acheminement de notre pétrole.

L'idée du déploiement rapide est aussi utile pour d'autres parties du monde sensibles et instables. Le sénateur John Stennis, de la Commission des services armés du Sénat, a expliqué pourquoi d'une manière imagée : « Nous avons plus de problèmes que de simples menaces stratégiques. Nous devons nous préparer à plus d'incertitudes » et posséder des forces capables « d'aller dans les bayous » du tiers monde. Le rapide déploiement des forces, utilisé intelligemment, fournirait aux Etats-Unis la souplesse nécessaire pour répondre aux besoins de leurs alliés dans le monde entier.

Il convient de noter, néanmoins, que la capacité d'un rapide déploiement des forces dépendrait de bases, d'équipement et de matériel préposé sur terre ou sur mer. Un pont aérien ne pourrait transporter la quantité de matériel indispensable. Par-dessus tout, le rapide déploiement des forces exige la maîtrise américaine des mers, une capacité que nous allons perdre avec les niveaux actuels de notre budget naval.

Le Japon

Les Japonais sont dans une situation stratégiquement similaire à celle de l'Europe. Les menaces qui les alarment viennent essentiellement d'Union soviétique : coercition nucléaire, interruption des routes maritimes entre le Japon et le golfe Persique, harcèlement ou attaques aériennes. Pour répondre à ces menaces, les Japonais ont le choix entre trois options. Ils peuvent se réarmer, tant en armes classiques que nucléaires. Ils peuvent chercher un accommodement avec l'U.R.S.S., offrant d'échanger leur savoir-faire technique contre la non-agression. Ou ils peuvent continuer de compter sur les Etats-Unis. Pendant quelques années encore, au moins, ils adopteront cette dernière attitude. En même temps, on peut s'attendre qu'ils accroissent modestement leurs dépenses militaires et maintiennent la communication avec l'Union soviétique parce que notre indiscutable stabilité en tant qu'allié les a forcés à garder leurs options ouvertes.

En juin 1979, au cours du sommet des sept nations à Tokyo, le Japon a été choqué par l'arrivée au large de la baie de Tokyo du *Minsk*, le nouveau porte-avions soviétique prévu pour un stationnement permanent dans le Pacifique. Cette provocation suscita d'énormes manchettes dans toute la presse japonaise, volant la vedette au premier sommet international tenu à Tokyo depuis la Seconde Guerre mondiale, un événement qui symbolisait pour les Japonais leur ré-admission dans le cercle des puissances mondiales. Cependant, la présence du *Minsk* soulignait la délicatesse de la position japonaise. L'ancien premier ministre Eisaku Sato m'a dit en 1970 que le Japon était engagé dans « une expérience entièrement nouvelle dans l'histoire du monde », entendant par là que son pays tenait à prendre sa place de puissance mondiale majeure sans puissance militaire importante.

Le Japon a consacré moins de 1 p. 100 de son produit national brut à sa défense, contre 5 p. 100 aux Etats-Unis et au moins 11 à 13 p. 100 en U.R.S.S., un plus petit pourcentage que celui d'aucune grande nation du monde à part le Mexique. Cette négligence de la défense a contribué à aiguillonner sa croissance économique météorique. Des économistes ont estimé que si le Japon avait dépensé 6 p. 100 de son P.N.B. pour sa défense, depuis vingt ans, son P.N.B. serait maintenant d'environ 30 p. 100 plus bas que son actuel milliard de milliards de dollars — il ne tardera pas à être le second du monde car le Japon est en train de surpasser l'Union soviétique.

Cette même négligence a également rendu le Japon très vulnérable du point de vue militaire. Son armée de 15 000 hommes représente le quart de celle de la Corée du Nord, ses forces aériennes de 44 000 hommes sont mal protégées et sa marine de 42 000 hommes est vulnérable à l'attaque aérienne et incapable de défendre les voies maritimes dont le pays dépend.

Lee Kuan Yew, le premier ministre de Singapour, a mis le doigt sur le dilemme japonais quand il m'a dit en 1965 : « Les Japonais sont un grand peuple. Ils ne peuvent et ne doivent pas se satisfaire d'un rôle international qui les limite à fabriquer de meilleurs transistors et machines à coudre et à enseigner aux autres Asiatiques comment cultiver le riz. »

Le gouvernement japonais, cependant, définit actuellement son rôle comme étant de forger un large consensus parmi des acteurs politiques clefs plutôt que de les conduire vers un objectif net. Pour le moment, tout le monde reconnaît que la sécurité du Japon s'effrite mais alors que les Japonais ont fait des progrès encourageants en renforçant leur puissance militaire, ils n'ont pas encore pris la décision très difficile mais nécessaire de dépasser la limite de 1 p. 100 qu'ils se sont imposée pour leurs dépenses militaires. S'il ne se produit pas un choc dans le système international — comme un second conflit coréen ou une guerre sino-soviétique — les améliorations des forces japonaises se limiteront probablement à quelques domaines plutôt que d'être générales.

Le Japon a besoin d'une défense plus importante et en a les moyens. Les actuelles contraintes sur les dépenses militaires sont politiques et psychologiques, pas économiques. Peut-être n'est-il pas réaliste d'attendre d'un gouvernement japonais qu'il franchisse dans un avenir immédiat la barrière traditionnelle de 1 p. 100 du P.N.B. pour sa défense. Mais même avec cette limite, des crédits peuvent et doivent être trouvés et les dirigeants japonais devront s'appliquer à préparer leur population à un plus grand effort militaire. En attendant, le Japon doit compenser sa négligence de la défense en assumant une plus grande part du fardeau économique du monde libre, par exemple pour l'aide étrangère.

La pierre angulaire de la défense japonaise, toutefois, continuera d'être son alliance avec les Etats-Unis. La coopération militaire américano-japonaise a besoin d'être renforcée, dans l'intérêt des deux pays. Une étroite association entre la plus forte puissance militaire et économique du monde libre et la plus forte puissance économique d'Asie pourrait fournir la base d'une marge de manœuvre américaine politique et militaire dans cette région et servir de frein à l'aventurisme soviétique.

Grâce à une coopération navale plus étroite, les flottes américaine et japonaise pourraient grandement améliorer leur couverture des voies maritimes de communication au sud du Japon en direction du golfe Persique. Si une telle coopération s'assortissait d'une semblable coopération de l'O.T.A.N. en Méditerranée, il serait possible de déployer une Cinquième Flotte U.S. dans l'océan Indien. Cela pourrait se faire sans entraîner les Japonais dans des problèmes politiques internationaux pour lesquels ils ne sont sans doute pas préparés et sans diminuer la présence navale essentielle dans l'est de l'Asie.

En supposant même que les besoins japonais de défense aérienne, de protection des voies maritimes et de systèmes d'alerte soient satisfaits, il restera la menace nucléaire russe. Près de la moitié des nouveaux missiles SS-20 de la Russie sont basés en Extrême-Orient soviétique et couvrent le Japon qui se trouve aussi dans le rayon d'action opérationnel des bombardiers Backfire basés à l'est de l'Oural. Si le problème dans le Nord-Est asiatique est fondamentalement le même qu'en Europe occidentale — un rapide accroissement des forces nucléaires soviétiques braquées sur des alliés des U.S.A. — la solution ne peut être la même pour le Japon que pour l'O.T.A.N., parce que le Japon ne peut encore accepter de baser sur son territoire des forces nucléaires de théâtre d'opérations. Les Etats-Unis pourraient fournir une couverture à plus longue portée du Nord-Est asiatique au moyen de missiles de croisière à bord de sous-marins ou basés à terre sur notre propre territoire. Une des déficiences majeures de Salt II est que le protocole limiterait leur portée à six cents kilomètres. Les Etats-Unis auront à déployer des missiles à longue portée basés au sol et en mer dans le Pacifique occidental, dans le cadre de la modernisation des forces nucléaires de théâtre.

La défense de la Corée est également indispensable à la sécurité du Japon. Je me rappelle parfaitement une conversation que j'ai eue avec Whittaker Chambers quand la Corée du Nord a envahi la Corée du Sud. Il soutenait vigoureusement l'action U.S.A.-O.N.U., en disant : « Nous devons comprendre que pour les communistes la guerre n'est pas à propos de la Corée mais du Japon. » Une mainmise communiste sur la Corée serait une dague pointée vers le cœur du Japon. En tenant compte des actuels événements internationaux, les Etats-Unis devraient renforcer au lieu d'affaiblir leurs forces en Corée du

Sud. Ils doivent aussi éviter l'erreur qu'ils ont commise en Iran de saper un gouvernement ami sous prétexte qu'il ne progresse pas aussi rapidement qu'ils le voudraient vers une démocratie de type américain.

Finalement, pour l'Asie orientale comme pour l'Europe occidentale, il est absolument essentiel que les Etats-Unis définissent clairement leur doctrine de stratégie nucléaire de manière à ouvrir le parapluie nucléaire au lieu de le fermer. Cette initiative stratégique servirait directement notre intérêt national ainsi que celui de nos amis et alliés sans qu'il nous en coûtât rien.

Faute de rénover et de renforcer leur alliance avec les Japonais, les Etats-Unis les forceront à agir seuls ou à rechercher un accommodement avec les Soviétiques. Les Japonais ne veulent pas se tourner vers l'U.R.S.S. Le Japon fait partie du monde libre. Les Etats-Unis sont un beaucoup plus grand consommateur de ses produits que l'Union soviétique. Et tandis que les Etats-Unis rendaient Okinawa au Japon en 1970, l'U.R.S.S. refusait catégoriquement ne fût-ce que de discuter de la restitution des îles au nord du Japon, saisies après la Seconde Guerre mondiale, et y augmentait au contraire sa puissance militaire. Mais, par-dessus tout, le Japon ne veut plus se retrouver dans le camp des vaincus. Si les Japonais perdent confiance dans la crédibilité de la force de dissuasion américaine, ils seront gravement tentés de conclure le meilleur marché qu'ils pourront avec les Soviétiques. L'impact géopolitique d'une telle manœuvre serait catastrophique pour l'Occident.

L'issue est une question de politique américaine, pas soviétique. Nous possédons la faculté de consolider la position de l'Occident en Asie. Nous devons nous servir de cette possibilité à fond, pour protéger nos propres intérêts en Asie et ceux de nos amis et alliés.

L'événement qui a spectaculairement symbolisé l'accession des Etats-Unis au rang de puissance internationale a été le geste du président Theodore Roosevelt il y a soixante-quinze ans, envoyant autour du monde la « Grande Flotte blanche ». Par une ironie du sort, le déclin des Etats-Unis en tant que puissance mondiale pourrait être marqué par une autre borne navale : la perte de notre indiscutable supériorité navale sur l'Union soviétique.

Les Etats-Unis sont une nation « île » et par conséquent une puissance maritime. L'Union soviétique, située au centre du continent eurasien, est fondamentalement une puissance terrestre ; en tant que telle, elle doit normalement maintenir des forces terrestres supérieures le long de ses interminables frontières avec des adversaires potentiels. En qualité de puissance maritime « île », dépendant d'un commerce naval et de voies de communications maritimes avec leurs alliés, les Etats-Unis doivent détenir une supériorité décisive sur toutes les voies maritimes du monde.

Alors que nous n'avons pas cherché à défier les avantages « naturels » des Soviétiques sur terre, ils n'ont pas répondu en nous concédant notre avantage sur mer. Au contraire, ils ont vigoureusement poursuivi un programme naval destiné à détruire notre avantage sur les océans en cas de conflit, programme qui leur apporte la mobilité tout en tentant de supprimer la nôtre. Historiquement, la marine soviétique a été sans importance. Maintenant tout est changé.

Tout comme le renforcement stratégique soviétique est allé de pair avec une démobilisation stratégique américaine, ce schéma se retrouve dans l'évolution des deux marines : les Soviétiques construisent, nous mettons au rancart.

Puissance navale côtière sans importance à la fin

de la Seconde Guerre mondiale, l'Union soviétique est devenue une puissance navale mondiale majeure. Les Soviétiques possèdent aujourd'hui la marine de surface la plus grande et la plus moderne du monde, la plus grande flotte de sous-marins d'attaque et la plus grande flotte de sous-marins à missiles balistiques. Récemment, les Soviétiques ont doublé le tonnage de leurs plus grands croiseurs et commencé la production de leurs premiers porte-avions nucléaires d'assaut, un nouveau pas immense vers leur expansion navale.

Les bâtiments de guerre soviétiques opèrent déjà régulièrement, non seulement dans l'Atlantique et le Pacifique mais encore dans l'océan Indien, en Méditerranée et dans les Caraïbes. Non seulement la marine soviétique menace la supériorité navale et les voies maritimes des Etats-Unis mais elle devient aussi un élément central de la capacité rapidement croissante de l'U.R.S.S. de projeter sa puissance militaire, avec souplesse et vite dans les plus lointaines régions du globe. Le signe le plus révélateur des intentions soviétiques est sans doute l'énorme expansion de leurs chantiers navals. La moitié seulement sont utilisés pour le moment, ce qui laisse la place à un énorme accroissement de la construction navale à l'avenir.

Alors que les Soviétiques construisaient et déployaient une puissance contre-force à la marine américaine, les Etats-Unis leur facilitaient le travail. Dans les dix dernières années, ils ont supprimé plus de la moitié de leurs bâtiments, passant de 976 en 1968 à 453 en 1978. L'amiral James Holloway, alors chef des opérations navales, a rapporté en 1978 que dans une guerre navale « comportant des combattants soviétiques aussi bien dans l'Atlantique que dans le Pacifique, nos perspectives de succès pour le contrôle des mers seraient marginales ».

Le commandant en chef de la marine soviétique, l'amiral Serguei Gorchkov, se vante : « Le pavillon de la marine soviétique flotte sur les océans du monde. Tôt ou tard, les Etats-Unis devront comprendre qu'ils n'ont plus la maîtrise des mers. »

Gorchkov surestime peut-être ses propres accomplissements et sous-estime notre supériorité en porte-avions. Mais le fait demeure que la marine soviétique s'est haussée au rang de seconde dans le monde et progresse rapidement vers le premier rang. Ce serait un désastre pour les Etats-Unis et il n'y a pas de temps à perdre pour l'éviter.

Dans un avant-propos à l'édition de 1979-1980 de *Jane's Fighting Ships*, un ouvrage qui fait autorité, l'auteur avertit de l'importance de ces développements. Il dit que si l'on ne contre pas les manœuvres des Soviétiques dans des pays « où leur présence ne peut avoir d'autre raison que des plans d'expansion et de contrôle éventuel », on permet à l'U.R.S.S. d'établir une série de bases remarquablement semblables à celles qu'employait l'empire britannique au début du siècle. Il conclut :

« En renonçant au bouclier de la sécurité maritime, les dirigeants occidentaux ont tellement affaibli leur position qu'ils se dirigent vers une position de vulnérabilité au chantage.

« Les résultats du chantage ? La privation des matières premières, des marchés et de la liberté des amis qui ne sont pas assez forts pour garantir leur propre sécurité. »

Les Soviétiques sont prêts à maintenir une force navale d'au moins 775 bâtiments dans un avenir prévisible. L'objectif américain pour le milieu des années 80 n'est que de 525 unités. Alors que l'U.S. Navy parvient à peine à éviter de nouvelles suppressions de crédits, les Soviétiques construisent quatre nouvelles classes de croiseurs, au moins deux nouveaux porte-avions et, toutes les six semaines, un nouveau sous-marin. Les Etats-Unis n'ont pas besoin d'égaler l'U.R.S.S., bâtiment pour bâtiment ; ils ont parmi leurs alliés des puissances maritimes que les Russes n'ont pas. Mais il faut noter aussi que nous avons de gros problèmes pour obtenir la coopération de ces alliés dans des régions où ils répugnent à être vus avec nous, comme au Moyen-Orient en 1973. Et l'U.R.S.S. a un avantage unique ; sa flotte de pêche et sa marine marchande sont intégrées à sa marine de guerre. Des chalutiers soviétiques « non militaires » ont traditionnellement servi d'yeux et d'oreilles de la marine de guerre au large de nos côtes.

Pour toutes ces raisons, nous devons faire un effort très substantiel pour accroître l'importance de nos forces navales et pour les moderniser. Une récente étude du Conseil atlantique a montré que la construction navale et la production aéronautique nécessiteraient un supplément annuel de dix milliards de dollars de crédits pour maintenir une flotte de six cents bâtiments. Ce chiffre est probablement le minimum nécessaire. L'étude montrait aussi que les autres membres de l'alliance devraient être collectivement capables de maintenir encore six cents bâtiments de plus pour environ six milliards de dollars supplémentaires par an, après une période de modernisation. Ces chiffres paraissent concorder avec l'ensemble des dépenses militaires de l'alliance et devraient fournir des forces navales combinées capables de répondre à la menace des sept cent soixante-quinze bâtiments de la marine soviétique, si jamais cela devenait nécessaire. Nous avons besoin d'une seule politique spécifiant clairement, pour chaque pays membre de l'alliance, la mission et le rôle futurs de sa marine, une stratégie pour les mener à bien et un programme de construction proportionné pour les dix ou vingt ans prochains. Rien de moins ne serait adéquat.

Les nations alliées ont un domaine d'intérêt commun en cela que nous dépendons toutes des voies maritimes libres pour notre prospérité et même pour notre survie. L'unique océan communiquant du monde, cette étendue d'eau qui, de l'espace, fait paraître la terre bleue, relie l'Amérique à l'Europe et permet le contact entre l'Occident et le reste du monde. Comme le disait Harold Macmillan, l'Asie et l'Afrique sont les deux énormes poumons grâce auxquels respire la culture occidentale ; les océans du monde sont les artères qui charient l'oxygène de vie de ces poumons jusqu'à nous.

L'artère conduisant directement de ces poumons jumeaux est l'océan Indien. Beaucoup d'Américains à qui l'on demanderait le nom des cinq océans qui vont avec les sept mers n'iraient probablement guère plus loin que l'Atlantique et le Pacifique. Ils devraient commencer à penser un peu plus à l'Indien. En 1968, un mois après l'annonce par les Britanniques qu'ils se retiraient de l'« est de Suez », l'amiral Gorchkov était en Inde pour prendre la température des eaux politiques. Peu après, la marine soviétique s'installa comme chez elle dans l'océan Indien et en 1976, les Soviétiques y passaient cinq fois plus de jours-bateaux que les Américains ; en 1979, ils maintenaient dans ces eaux de dix-huit à vingt bâtiments.

L'océan Indien contient beaucoup de points d'étranglement clefs par où doivent passer les navires marchands et militaires du monde. Le détroit d'Ormuz contrôle les allées et venues dans le golfe Persique ; le canal de Suez et le détroit de Bab el-Mandeb contrôlent le transit vers la Méditerranée, le détroit de Malacca, le passage vers le Japon et le Pacifique. Avec des mouvements politiques soutenus par les Soviétiques accédant au pouvoir tout le long des côtes du « croissant de crise » de l'océan Indien et des bâtiments soviétiques croisant de long en large, l'océan Indien risque de devenir un jour une « mer rouge ».

L'Amérique a des flottes permanentes dans l'Atlantique, le Pacifique et la Méditerranée, tous des régions d'un intérêt vital et légitime pour les Etats-

Unis. Avec le retrait britannique et l'importance accrue de l'océan Indien, nous devons, de concert avec nos alliés, mettre au point un arrangement pour y stationner une Cinquième Flotte américaine. Ce serait, associée aux marines britannique, française et australienne, une force stabilisatrice dans cette partie du monde.

L'Occident — et les Etats-Unis unilatéralement — doit construire et renforcer sa puissance navale pour pouvoir défendre des voies maritimes qui lui sont vitales.

La doctrine Nixon

Davantage de bombes nucléaires, une supériorité militaire indiscutée et une puissance économique extrêmement supérieure n'empêcheront pas la guerre révolutionnaire, le terrorisme ou toute autre forme d'agression communiste en dehors de la guerre classique. Les Etats-Unis, leurs alliés et amis doivent développer une puissance proportionnée à la puissance employée contre eux. Il est ridicule de se servir d'un marteau d'enclume pour tuer une mouche. Ce genre d'adversaire exige une arme moins puissante mais plus efficace, un tape-mouches.

Dans ces situations, ce n'est pas l'équilibre des puissances dans l'arsenal qui compte, c'est l'équilibre de la puissance sur le champ de bataille. Si nous sommes relativement à égalité avec les Soviétiques pour les armes nucléaires, mais s'ils ont cinq mille Cubains, ou même cinq cents agitateurs et terroristes alors que nous n'avons pas de force à y opposer, alors l'équilibre du pouvoir sur le terrain penche lourdement de leur côté. Les forces de défense locales sont les mieux équipées pour résister à ses menaces de bas niveau, mais si l'agresseur reçoit de l'aide de l'extérieur, ceux qui défendent leur liberté doivent aussi en recevoir.

La doctrine Nixon prévoyait que les Etats-Unis

fourniraient des armes et de l'assistance aux nations menacées par l'agression, à la condition qu'elles puissent assumer la responsabilité primordiale de fournir les hommes nécessaires à leur défense.

Certains Américains ont une aversion presque théologique à la vente d'armes à l'étranger par les Etats-Unis. Mais ceux qui s'opposent à la fourniture à nos amis d'armes dont ils ont besoin pour se défendre négligent un point très important. Il n'y a pratiquement aucun cas connu, depuis la Seconde Guerre mondiale, où des armes fournies par les Etats-Unis ont été utilisées par un pays à des fins d'agression. Ce sont toujours les armes soviétiques qui ont servi à briser la paix.

Que cela nous plaise ou non, la plupart des pays ont besoin d'armes et c'est particulièrement vrai de ceux qui se trouvent sur le chemin des ambitions soviétiques. Beaucoup de ces nations ont des voisins hostiles. Dans une grande partie du monde, la démocratie est faible ou non existante et l'armée indispensable à la stabilité intérieure. C'est simplement une réalité de la vie. Une autre est que les Soviétiques sont des marchands de canons empressés partout où la vente d'armes peut leur mettre un pied dans la place.

Les Soviétiques ne peuvent pas rivaliser avec l'Occident pour ce qui est de promesses de progrès économique et leur idéologie n'a guère de séduction. Mais si le chef d'une nation menacée ou instable découvre que le seul moyen qu'il a de rester au pouvoir est de se tourner vers eux, il n'hésitera pas. Certains dirigeants qui ont rompu avec l'Union soviétique risquent d'être forcés de retourner au bercail communiste si les Etats-Unis ne leur fournissent pas une source d'armement de remplacement. Nous ne devons pas laisser ces dirigeants le bec dans l'eau sans autre choix.

Maintenant que l'Union soviétique déverse en Afrique des armes russes et des troupes cubaines, certains Occidentaux prétendent que nous ne devons pas aider les cibles de cette nouvelle agression parce que finalement les Soviétiques vont creuser leur propre tombe en Angola, en Ethiopie, en Afghanistan et ailleurs. Mais cela ne se passera pas. Les Soviétiques usent du pouvoir sans scrupules ; ils s'y entendent admirablement à creuser la tombe des autres. Même la plus résolue des résistances locales ne peut tenir indéfiniment contre un agresseur mieux armé.

Colin Legum, expert britannique de l'Afrique, écrit : Une nouvelle expression se glisse dans le vocabulaire des marxistes du Tiers Monde : « armes supérieures ». L'argument chez ceux qui préconisent le changement révolutionnaire est que, en choisissant ses « alliés stratégiques », il est nécessaire de s'assurer qu'ils possèdent des « armes supérieures ».

L'approvisionnement sûr de matériel militaire est un souci crucial des dirigeants des nations du Tiers Monde. Les Soviétiques, en cela, épaulent leurs amis. C'est à la fois stupide et dangereux de la part des Etats-Unis de refuser de vendre des armes à leurs amis alors que les Soviétiques fournissent les ennemis de leurs amis.

Ironiquement, les Soviétiques ont eu un succès énorme, depuis la Seconde Guerre mondiale, avec leur propre version de la doctrine Nixon. Au Vietnam, ils ont aidé leurs alliés en leur fournissant des armes ; nous avons aidé les nôtres en fournissant des armes et beaucoup d'hommes. Plus de cent dix mille Américains ont été tués dans ces guerres contre des forces communistes soutenues par les Soviétiques, en Corée et au Vietnam. Les Russes n'ont subi aucune perte dans ces conflits.

Les intérêts des Etats-Unis et de leurs amis et alliés exigent qu'ils fournissent aux nations menacées l'aide qu'il leur faut pour se défendre. Les conditions internationales exigent toujours que les éléments fondamentaux de la doctrine Nixon soient respectés et imposés. Nous devons avoir la puissance nucléaire stratégique pour tenir tête aux

Soviétiques quand et où ils cherchent à étendre leur domination. Nous devons respecter nos engagements par traité en ayant une puissance de théâtre classique et nucléaire adéquate. Quand les Soviétiques ont recours à l'agression indirecte en soutenant des guerres révolutionnaires, nous pouvons éviter de nouveaux Vietnam en fournissant à nos amis une aide militaire et économique afin qu'ils puissent se défendre sans que nous endossions le fardeau de faire la guerre à leur place.

Faire face aux dépenses

L'idée que le gouvernement américain dépense plus pour l'armement que pour les programmes sociaux est un mythe. Notre budget total de la défense est aujourd'hui de moins de 5 p. 100 de notre P.N.B. et de moins de 25 p. 100 du budget fédéral, comparé à des sommets de 12 à 13 p. 100 et de 61 p. 100, respectivement, à l'apogée de la guerre de Corée. Alors que les crédits militaires ont baissé depuis 1965 de 7 à 5 p. 100 du P.N.B., les dépenses fédérales, d'états et locales pour divers programmes sociaux sont passées de 12 à 21 p. 100, quatre fois plus que ce que dépensons pour nous armer.

Michael Novak remarque : « Les sociétés libres ne sont pas naturelles sur cette planète. Elles ne se sont développées que rarement dans l'histoire humaine et se sont effondrées généralement face à une force barbare supérieure... La prétendue moralité supérieure des étatistes — ceux qui désirent plus de crédits pour l'administration de la pauvreté et moins pour l'administration de la défense — n'est peut-être pas aussi morale qu'aiment à le croire les étatistes. »

Le docteur Fritz Kraemer, l'ancien mentor de Henry Kissinger, illustre bien le problème : « C'est une question de priorités, m'a-t-il dit une fois. Si j'ai une maison dans la vallée et s'il y a une fissur‹ dans le barrage sur la montagne, la réparation d. la fissure doit passer avant la construction d'une nouvelle pièce ou l'achat d'un Picasso pour la maison. »

Le maréchal de la Royal Air Force Sir John Slessor a résumé plus brièvement cette « question de priorités » : « Le service social le plus important qu'un gouvernement puisse rendre à son peuple est de le garder en vie et libre. »

Tenant compte des actuelles dépenses respectives militaires des Etats-Unis et de l'U.R.S.S., dans le milieu des années 80 l'Occident affrontera une situation de danger maximum. Les Soviétiques posséderont la supériorité indiscutable en armes nucléaires stratégiques et de théâtre d'opérations, une écrasante supériorité en forces terrestres et aériennes et au moins l'égalité des forces navales.

L'actuelle Administration américaine propose une augmentation de 5 p. 100 des crédits militaires, qui, même si c'est réellement 5 p. 100, serait absolument insuffisante pour répondre à la menace. Plutôt que de fixer un pourcentage d'augmentation aussi arbitraire et minime, nous devrions examiner nos besoins militaires et déterminer les crédits nécessaires pour les financer, compte tenu de priorités raisonnables et cohérentes. Mais même une étude superficielle de nos besoins démontre qu'une augmentation de 5 p. 100 est bien trop insuffisante à ce stade tardif.

Avec ou sans nouveaux accords Salt, nous devons accroître notre puissance nucléaire stratégique pour qu'après une première frappe possible nous ayons assez de missiles basés au sol pour liquider les missiles au sol soviétiques restants, détruire tous les objectifs militaires importants et conserver encore une force de réserve égale ou supérieure à celle de l'Union soviétique. De plus, nous devons améliorer notre protection de la population civile. Autrement, nous céderons au chantage et serons forcés de capituler, puisque l'option de la destruction mutuelle en masse des populations civiles ne sera pas crédible.

Nous devons restaurer la parité entre les capacités nucléaires et classiques de l'O.T.A.N. et du pacte de Varsovie et assurer que nos forces clefs puissent survivre à une attaque surprise.

Nous devons fournir les armes et l'aide dont ont besoin nos amis et alliés pour répondre aux menaces des forces ravitaillées par l'Union soviétique et ses alliés, que ces menaces soient intérieures ou extérieures.

En tant que puissance terrestre avec deux fronts, on peut s'attendre que l'Union soviétique ait des forces classiques terrestres supérieures. Mais nous sommes une puissance maritime, par conséquent nous devons renforcer notre marine pour conserver la supériorité indiscutée sur mer. Notre propre sécurité et celle de toutes les nations utilisant les voies maritimes dépendent de cette supériorité.

Nous ne pouvons faire ce qui est indispensable sans frais, tant sociaux que financiers.

J'ai considéré la fin de la conscription en 1973 comme un des principaux accomplissements de mon Administration. Maintenant, sept ans plus tard, j'en conclus à contrecœur que nous devrions la rétablir. Le besoin pour les Etats-Unis de projeter une politique militaire forte devient urgent et l'armée de métier n'a pas fourni assez de personnel du calibre qu'il faut pour notre armement hautement avancé. Le fardeau devrait être assumé également par toutes les couches de la société, par une sélection égale et aussi peu de sursis que possible. Même alors, cela sera dur et, quelle que soit sa forme, la conscription est en soi injuste, elle ne peut se justifier que par la nécessité. Mais quand nous contemplons les années 80, la nécessité nous saute aux yeux ; nous ne pouvons courir le risque de nous en passer. Remettre cette pénible décision serait probablement une économie de bouts de chandelle ; notre répugnance à reprendre la conscription en temps de paix risque de nous rendre assez faibles pour inviter la guerre, et alors nous serons contraints d'imposer une conscription en temps de guerre.

Pour répondre aux exigences d'une restauration de l'équilibre du pouvoir suffisante pour écarter la guerre et éviter la défaite sans guerre, il nous faudra accroître notre budget de défense d'au moins trente milliards de dollars — de dollars 1980 — annuellement pendant cinq ans. Cela représente une augmentation réelle de plus de 20 p. 100. C'est une forte somme mais elle ne se monterait guère qu'à 1 p. 100 de notre P.N.B. C'est une assurance sur la vie nécessaire, pour notre vie en tant que nation et pour la vie et la liberté de plus de deux milliards d'habitants du monde non communiste. C'est le service social le plus important que nous puissions fournir.

VIII

LA PUISSANCE ECONOMIQUE

Notre politique n'est pas orientée contre un pays ou une doctrine mais contre la faim, la pauvreté, le désespoir et le chaos. Son objectif devrait être la résurgence dans le monde d'une économie saine permettant l'établissement de conditions politiques et sociales au sein desquelles de libres institutions aient la possibilité d'exister.

George C. Marshall, 1947

Et que dit le peuple soviétique du « capitalisme pourri » ? — Il est peut-être pourri, mais quelle bonne odeur ! — Et ils hument avec volupté.

Vladimir Boukovsky, 1978

DE même que le pouvoir militaire représente le muscle, le pouvoir économique constitue le sang, principe vital de toute stratégie efficace pour une victoire au cours de la Troisième Guerre mondiale. Non seulement le pouvoir économique nous permet de maintenir le pouvoir militaire au niveau nécessaire, mais il est par lui-même une arme puissante qui, utilisée avec habileté, peut faire progresser nos intérêts. Il apporte la prospérité, non la destruction. Nous devrions cesser d'avoir honte de le posséder et d'hésiter à l'utiliser.

La vérité toute simple, évidente à quiconque ne se refuse pas à la voir, c'est que l'Occident en général et les Etats-Unis en particulier ont créé la machine économique la plus formidable que l'homme ait connu. Le communisme, ce système qui promet la richesse à tout le monde, a dans la pratique transformé l'abondance en disette, les surplus en carences, et la richesse en misère.

La Russie des tsars était connue comme le grenier de l'Europe ; aujourd'hui, l'agriculture soviétique ne parvient même plus à remplir son propre grenier. Bien que plus de 30 p. 100 des forces vives du pays soient employées dans des exploitations agricoles (contre 3 p. 100 aux Etats-Unis), l'Union soviétique doit importer des dizaines de millions de tonnes de céréales pour nourrir sa population. Le « miracle économique » de la Chine, sur lequel des journalistes occidentaux naïfs se sont extasiés pendant des années, a été, nous le savons aujourd'hui, monté de toutes pièces. *Le Quotidien du Peuple* de Pékin a reconnu avoir publié dans le passé de nombreux rapports erronés pour faire paraître les choses meilleures qu'elles ne l'étaient. La Chine admet maintenant que sa population dispose de moins de céréales aujourd'hui qu'il y a vingt ans. Au Cambodge, la campagne de « purification » des Khmers rouges a abouti à la destruction d'à peu près toutes les formes de civilisation moderne — un véritable retour à la barbarie. Des millions de Cambodgiens ont été sacrifiés sur l'autel de l'idéologie, avant même que le Vietnam ne se jette sur ses ruines.

Partout où un pays se trouve divisé en deux, la partie libre prospère. Les Allemands de l'Ouest sont deux fois plus riches que les Allemands de l'Est. Le Chinois libre est trois fois plus riche que le Chinois communiste.

Les Etats-Unis produisent deux fois plus que l'Union soviétique. Dans son ensemble, l'Ouest produit quatre fois plus que le Bloc soviétique. Le Japon, avec une population inférieure de moitié, un territoire qui représente le soixantième de son voisin soviétique, et pratiquement aucune ressource naturelle, est sur le point de dépasser l'U.R.S.S. sur le plan de la production.

La faillite économique du communisme l'a obligé à se tourner vers l'Occident pour réclamer de l'aide. Les Soviétiques se sont longtemps vantés de leurs prouesses économiques, mais en fait l'U.R.S.S. est sous la dépendance économique de l'Ouest depuis les années 20. En face du chaos économique consécutif à la Révolution, Lénine lui-même fut contraint d'inviter des entreprises occidentales à installer des concessions économiques en Russie — mesure saluée à l'Ouest comme un pas vers la « coexistence pacifique », mais que Lénine lui-même a expliquée de façon différente. Il a déclaré à une réunion du parti communiste : « ... Les concessions, ce n'est pas la paix avec le capitalisme, mais la guerre sur un autre plan. »

Les sociétés occidentales ont mordu à l'appât et se sont précipitées en foule pour exploiter ce qu'elles ont considéré comme un nouveau marché plein d'avenir. Plus de trois cents « concessions » ont été octroyées et vers 1930, selon une analyse exhaustive, tous les grands procédés industriels appliqués en Union soviétique dérivaient de la technologie occidentale. Mais dès que les Soviétiques eurent obtenu de l'Ouest le capital et les techniques dont ils avaient besoin, ils forcèrent les sociétés occidentales à quitter le pays ; en 1933 il n'y avait plus une seule concession étrangère travaillant en Union soviétique. Mais au cours de cette brève période de coexistence économique, la contribution de l'Amérique à l'industrialisation de la Russie avait été si importante qu'en 1944 Staline lui-même reconnaissait que les deux tiers des grands projets industriels de l'U.R.S.S. avaient été mis sur pied grâce au concours des Américains.

L'assistance des Etats-Unis s'est poursuivie au cours de la Deuxième Guerre mondiale, avec l'envoi en Russie, dans le cadre de l'accord Prêt-Bail, de l'équivalent de onze milliards de dollars.

Après la Deuxième Guerre mondiale, la reconstruction de l'U.R.S.S. a été réalisée dans une large mesure grâce au pillage de l'Allemagne vaincue. Des installations industrielles représentant dix milliards de dollars ont été démontées, envoyées en Russie et remontées là-bas : par exemple, des bagatelles comme l'usine Karl Zeiss d'Iéna (instruments d'optique de précision), l'usine d'automobiles Opel, et l'usine de fusées V2 de Nordhausen qui a constitué la base des programmes Spoutnik soviétiques. En tout, Staline a emporté chez lui 40 p. 100 du potentiel de l'Allemagne en 1943. Et les Russes ont pris également les talents créateurs de l'Allemagne — dans un cas précis, six mille savants et ingénieurs avec leurs familles (vingt-six mille personnes au total) en une seule nuit.

Mais quand elle doit ne compter que sur elle-même, l'U.R.S.S. est un cauchemar d'économiste. En 1969, Brejnev a adressé au comité central une lettre confidentielle décrivant en détail la situation désespérée de l'industrie soviétique. Le pétrole, qui constitue les deux cinquièmes des exportations russes, est en train de s'épuiser ; malgré son énorme potentiel en ressources naturelles, la Sibérie reste inaccessible. Le taux de croissance de la main-d'œuvre utile diminue. Une grande partie de jeunes qui arrivent sur le marché du travail sont des musulmans peu éduqués de l'Asie centrale soviétique. Tout indique qu'à l'avenir le taux de croissance économique deviendra plus faible.

Le système économique communiste fortement centralisé et où les stimulants de la productivité sont limités, est incapable d'engendrer des techniques créatrices nouvelles au même rythme que l'Occident.

L'arsenal économique soviétique

Les Soviets traitent les transactions économiques comme les affaires de l'Etat. Ils leur appliquent la même discipline et la même tactique que pour une manœuvre sur le champ de bataille. Ils ne se bornent pas à utiliser le commerce pour tenter de prélever à leur profit la crème de la technologie occidentale ; ils cherchent également à affaiblir l'Ouest par le biais de l'arsenal économique — une de leurs armes les plus efficaces dans la Troisième Guerre mondiale.

Comme l'analyste Richard T. McCormack l'a précisé : « Les Soviets semblent avoir découvert plusieurs manières de harceler et d'affaiblir les systèmes économique et politique de l'Ouest. Ils le font par l'intermédiaire des partis communistes occidentaux qu'ils subventionnent sur une assez grande échelle, en fomentant du terrorisme, en encourageant la confrontation et la guerre en dehors du bloc de l'Est, et en lançant des campagnes de propagande visant notamment les compagnies multinationales occidentales. »

Rien n'est plus effrayant pour les gens qui décident des investissements à long terme dans des pays étrangers, que l'existence réelle ou prétendue d'activités terroristes dans ces pays, ou bien de kidnappings ou de meurtres d'industriels. D'une manière moins tragique mais tout aussi efficace, les syndicats dominés par les communistes peuvent également créer un climat défavorable pour l'investissement.

En Italie, l'essor économique de l'après-guerre a été arrêté à la fin des années 1960 par des grèves massives, dirigées par les communistes, et qui ont abouti à une augmentation catastrophique des salaires (de l'ordre de 50 p. 100). Selon Richard McCormack, « des économistes ont calculé que cette augmentation des salaires a handicapé en fait l'économie italienne beaucoup plus que l'augmentation ultérieure du prix du pétrole par l'O.P.E.P. ; elle a affaibli la compétitivité internationale de l'Italie et elle a sapé les possibilités financières d'investissement ». Et comme le terrorisme des Brigades rouges est venu ajouter son grain de sel à ce bouillon de sorcière, l'investissement privé en Italie a été pratiquement réduit à néant. Sans de nouveaux investissements, le niveau de vie ne peut que diminuer, ce qui ne manque pas de provoquer d'autres mécontentements, que les communistes sont à même d'exploiter à leurs fins.

Les partis communistes locaux, en provoquant des grèves, en exigeant des augmentations de salaires excessives, en réclamant la nationalisation de certaines industries et en parrainant le terrorisme contre les hommes d'affaires, peuvent mettre à mal le climat d'investissement d'un pays de façon si grave, que l'argent cesse soudain d'affluer. Et cela peut avoir, en soi, un impact déterminant sur le fait que le pays considéré demeure libre ou non.

Dans le petit pays de San Salvador les guérilleros gauchistes ont lancé une offensive terrible contre l'économie du pays. Le leader du groupe de gauche le plus important, Rafael Calente, a déclaré : « Si nous pouvons empêcher le ramassage de la récolte, nous pourrons vaincre l'ennemi capitaliste plus radicalement qu'avec cent bombes. » Le café représente presque 70 p. 100 du revenu du pays. Les partisans de Calente ont occupé récemment sept des plus grandes usines de traitement du café et contraint leurs propriétaires à des augmentations de salaires paralysantes, de l'ordre de 100 p. 100, ce qui place l'économie au bord de la faillite. « Il ne s'agit pas de marchander et de faire des concessions, a dit Calente, il s'agit de renverser et de détruire. » Les guérilleros ont également kidnappé des responsables d'entreprises ; fin 1979, ils avaient recueilli près de cinquante millions de dollars sous forme de rançons. Le résultat c'est que la majorité des sociétés américaines ont rapatrié la plupart de leurs dirigeants non salvadoriens. Le tourisme, la construction et l'industrie ont été paralysés par les guérilleros qui se sont placés en position de prendre le pouvoir si l'économie s'effondre.

Les communistes ont utilisé en outre l'arme du

pétrole pour frapper les structures économiques vitales de la société occidentale. Dans l'industrie européenne du charbon, au lendemain de la Deuxième Guerre mondiale, des grèves dirigées par les communistes ont abouti à une plus grande dépendance à l'égard du pétrole du Proche-Orient. Ensuite, dès les années 1950, les Soviétiques ont délibérément cherché à rendre l'importation du pétrole du Proche-Orient vers les pays occidentaux de plus en plus difficile. Récemment, Kossyguine a souligné lui-même les pressions exercées par les Soviétiques sur les Arabes pour les pousser à utiliser l'arme du pétrole contre les pays occidentaux.

Les incursions soviétiques en Afrique sont motivées dans une large mesure par les énormes intérêts économiques en jeu.

Au cours de la Deuxième Guerre mondiale, les Etats-Unis ont reconnu l'importance du « front économique » en nommant un Bureau de l'arsenal économique doté de pouvoirs étendus. Depuis lors, plusieurs tentatives en vue de coordonner une politique économique internationale (y compris les efforts de ma propre administration) ont échoué — à cause des rivalités bureaucratiques des différents secteurs du gouvernement impliqués. Aujourd'hui, le temps presse. Il faut établir un équivalent moderne du Bureau de l'arsenal économique pour livrer les batailles économiques de la Troisième Guerre mondiale, et il faut le placer sous le contrôle direct du Président. La politique commerciale, d'aide à l'étranger, de crédit, et de financement des agences internationales de prêt doit absolument être coordonnée pour servir les intérêts de la politique étrangère des Etats-Unis. Seule l'autorité et la fermeté du Président permettra d'obtenir ce résultat.

Le commerce avec l'Union soviétique

Le commerce avec l'Union soviétique est un domaine qui exige de toute urgence de nouvelles orientations et une attention plus soutenue. Les Soviétiques utilisent toutes les armes en leur pouvoir pour briser les forces économiques vitales de l'Occident en Afrique, dans le Proche-Orient et dans d'autres régions critiques ; nous ne devrions pas leur lancer des bouées de secours pour sauver leur propre économie à la dérive — sauf à certain prix.

En 1922, le Premier ministre britannique David Lloyd George a dit de la Russie : « Je crois que nous pouvons la sauver par le commerce. Le commerce a une influence temporisatrice... Le commerce, à mon sens, mettra fin à la férocité, aux rapines et à la brutalité du bolchevisme plus sûrement que toute autre méthode. » Ce genre d'idées pouvait être excusable il y a cinquante ans, quand le communisme soviétique était une inconnue du problème. Mais les pensées pieuses comme celle-là n'ont aucune excuse aujourd'hui. La théorie à la mode, selon laquelle un communiste gras est moins dangereux qu'un communiste maigre, est une pure sottise. Khrouchtchev était, à n'en pas douter, bien nourri.

De façon directe ou indirecte, le commerce avec les Soviétiques renforce leur puissance militaire. Même le commerce de produits non stratégiques libère des ressources qu'ils pourront utiliser dans d'autres domaines. Jamais nous ne devons perdre de vue que faire des affaires avec les Soviétiques est à ce prix. Le commerce avec eux ne se justifie que si les profits dépassent largement cet inconvénient majeur : il faut l'utiliser comme une arme, et ne pas faire de cadeaux.

En 1972, les Etats-Unis ont signé un certain nombre d'accords commerciaux avec l'Union soviétique, dans le cadre d'un ensemble plus vaste, dont les éléments étaient mutuellement liés. En 1972, nous voulions qu'ils nous aident à nous libérer de la guerre du Vietnam ; nous étions en train de négocier un traité de contrôle des armements ; nous voulions développer les contacts de peuple à peuple pour tenter d'établir un ensemble de mesures mutuellement consenties permettant aux deux superpuissances de résoudre leurs conflits par la négociation au lieu de la confrontation. Le commerce était l'un des principaux éléments que nous avions à offrir en échange de concessions politiques et diplomatiques. Nous cherchions aussi à créer un réseau d'interdépendances susceptibles de nous donner plus d'influence en cas de crises futures. Nous voulions enfin que les Soviets réfléchissent à deux fois aux conséquences économiques éventuelles, si leur aventurisme fauteur de troubles venait à nous provoquer.

Dans mon discours télévisé au peuple soviétique au cours du sommet de Moscou en 1974, j'ai comparé la mise en œuvre de nos divers accords sur le commerce, les armes, etc., au tissage d'une toile. « De même qu'une toile est plus forte que chacun des fils qui la composent, de même le réseau d'accords que nous avons tissé est plus important que la somme de ses parties... Ainsi donc, chaque nouvel accord est important, non seulement en soi, mais aussi par la force et la stabilité qu'il confère à nos relations prises dans leur ensemble. »

Mais depuis cette époque, la détérioration de la position militaire américaine, et l'effet paralysant des restrictions apportées par le Congrès sur l'utilisation de la force en Asie du Sud-Est, en Afrique et dans d'autres points chauds du monde, ont imposé au commerce un fardeau qu'il ne peut plus supporter. Pendant la « détente », le commerce était la carotte et la puissance militaire le bâton. Sans le bâton, les Soviétiques empochent tranquillement la carotte dans leur panier de pique-nique, tout en continuant de « se servir » en Angola, en Éthiopie ou en Afghanistan. Tant que les Soviétiques continueront leur politique actuelle d'agression — et ils le feront jusqu'à ce que nous leur présentions une facture inacceptable — nous devrons nous souvenir que le commerce est une chose dont ils ont besoin et que nous pouvons leur accorder ou leur refuser selon ce que sera leur comportement par ailleurs.

Il faudra, bien entendu, accorder une attention particulière aux transferts des techniques de pointe qui renforcent directement la puissance militaire soviétique. La technologie des ordinateurs de la dernière génération est absolument vitale pour de nombreux systèmes d'armes modernes. Nous ne devrions pas avoir la naïveté de croire que les techniques de pointe que les Soviétiques demandent pour le secteur de la consommation sont nécessairement destinées à ce secteur. Les éléments aux silicones comportant des circuits intégrés peuvent être utilisés dans des calculatrices de poche — ou bien pour le système de guidage de missiles balistiques intercontinentaux. En aucune circonstance nous ne devrions autoriser un transfert de technologie affectant directement notre sécurité nationale.

A l'égard des techniques moins sensibles, nous devrions structurer nos marchés avec les Soviétiques de façon à conserver autant que possible un moyen de pression. Les usines modernes qui dépendent de la fourniture régulière de pièces détachées ou qui nécessitent un entretien sophistiqué créent des occasions susceptibles d'être exploitées à notre profit. Les ventes de blé peuvent être ajournées ou annulées pour provoquer un comportement positif. Mais nous devons cependant nous rendre compte que si la limitation du commerce peut être un instrument efficace de notre politique, une action unilatérale des Etats-Unis n'est qu'une arme faible. Les Russes, ou d'autres pays que nous tentons d'influencer, peuvent subvenir à leurs besoins auprès d'autres pays industrialisés — qui sont tous les alliés des Etats-Unis. Pour barrer la route à l'agression l'unité d'action des Etats-Unis et de ses alliés est aussi essentielle qu'une politique militaire coordonnée.

En revanche, de nombreuses opérations commerciales — usines clefs en main, par exemple, — présentent un inconvénient crucial en ce sens qu'elles ne conservent aucune valeur de négociation une fois le marché conclu. Quand l'usine a été construite en Union soviétique, nous n'avons pas la possibilité de la rapatrier et nous ne pouvons pas non plus exiger le retour des techniques déjà transférées.

Le statut de « nation la plus favorisée » est un moyen de pression économique que nous pouvons utiliser à des fins diplomatiques. Ce statut a été étendu mécaniquement à presque tous nos partenaires commerciaux. En principe, il prévoit qu'en matière de droits de douane et de réglementation commerciale, le pays bénéficiant de ce statut bénéficiera des mêmes avantages que le pays le plus favorisé par nous. Ce statut a pour effet de réduire les taxes à l'importation sur les biens provenant des pays auxquels il s'applique ; c'est une chose que les pays du bloc communiste désirent beaucoup. En 1979, seuls quatre pays communistes ont bénéficié du statut de la nation la plus favorisée : la Pologne, la Roumanie, la Yougoslavie et la Hongrie. Il a été accordé à la Chine au début de 1980.

Aussi longtemps que les Soviétiques continueront de mettre en pratique des politiques d'agression partout dans le monde, nous ne devrions en aucune circonstance leur accorder ce statut : cela signifierait que l'agression paie. D'un autre côté, nous ne devrions pas dire qu'ils ne l'obtiendront jamais. Nous devons conserver la possibilité de leur accorder le statut de nation la plus favorisée pour les inciter à modérer leur comportement à l'avenir.

Le commerce avec l'Europe de l'Est

En Europe de l'Est, une majorité écrasante de la population, et même les dirigeants communistes, sont anti-soviétiques. La présence de la puissance occupante est ressentie par eux comme une insulte. Les Européens de l'Est ont suffisamment connu les idées de liberté et de démocratie, ce qui n'est pas le cas des Russes. Ce sont des peuples courageux, qui ont traversé des difficultés terribles depuis 1945. Ils ont des années noires devant eux et ils méritent notre soutien, sur le plan matériel comme sur le plan moral.

De manière générale, nous avons intérêt à élargir les choix des Européens de l'Est en ce qui concerne leurs sources d'approvisionnement. Les Soviétiques utilisent leur mainmise économique sur leurs satellites d'Europe de l'Est pour les maintenir alignés sur le plan politique. Toute alternative que peut offrir l'Occident diminue la dépendance de l'Europe de l'Est à l'égard de l'U.R.S.S.

Le commerce avec l'Occident affaiblit l'influence de l'Union soviétique sur les Européens de l'Est ; il constitue également un pont entre l'Est et l'Ouest. Les Européens de l'Est sont avides de contact avec l'autre moitié de l'Europe, les rapports humains accompagnant le commerce ont donc un « effet de levain » plus déterminant sur eux que sur les Russes. Considérer le commerce Est-Ouest de façon exclusivement bilatérale (U.S.A. — Union soviétique) est une lourde erreur. A la longue, le contact moins spectaculaire entre les deux moitiés de l'Europe, orientale et occidentale, se révélera peut-être beaucoup plus important.

Bien entendu, notre commerce avec l'Europe de l'Est doit être limité du fait que la plupart de ce que nous transférons dans ces pays peut être mis à la disposition de l'Union soviétique. En particulier pour les techniques de pointe, il faut nous attendre que les caisses envoyées à Prague ou à Varsovie soient en réalité déballées à Moscou.

Nous devons également faire preuve de discrimination en offrant des conditions favorables aux pays d'Europe de l'Est. Des pays comme la Pologne et la Roumanie, qui ne se lancent pas dans des politiques étrangères aventuristes, devraient obtenir de nous un traitement favorable. Ceux qui, comme l'Allemagne de l'Est, participent ouvertement à l'agression dans le monde, devraient être écartés.

Enfin, il nous faut comprendre que les peuples de l'Europe de l'Est ne deviendront pas indépendants de l'Union soviétique du jour au lendemain. Le commerce et les relations avec l'Ouest conduiront inévitablement à une plus grande indépendance économique des nations satellites, mais nous ne devons pas leur demander, ou attendre d'elles, qu'elles affirment leur indépendance politique de façon prématurée. L'expérience tragique des Hongrois en 1956 et des Tchèques en 1968 a montré que les Soviétiques ne se laisseront pas bousculer trop loin trop vite.

Le commerce avec la Chine

La domination soviétique de la Chine porterait un coup fatal au monde libre. Une Chine faible invite la Russie à l'agression ; il est donc dans notre intérêt de soutenir l'économie chinoise.

La Chine vit peut-être en ce moment un grand tournant de son histoire. La République populaire est dans une situation désespérée sur le plan économique, et ses dirigeants reconnaissent enfin qu'ils ont besoin de l'aide occidentale. Les convulsions internes de la période 1957-1977, au moment où Mao et l'extrême gauche ont tenté de gouverner le plus grand pays du monde selon la rhétorique révolutionnaire, viennent de prendre fin, en tout cas pour l'instant. Les dirigeants actuels essaient de résoudre le plus grand problème de la Chine — la modernisation — d'une manière beaucoup plus rationnelle. Ils reconnaissent ouvertement que l'Occident peut leur apprendre bien des choses. Ils veulent apporter au peuple chinois une certaine modernisation ; de leur succès ou de leur échec dépendra l'avenir de la Chine : ou bien elle continuera sur la voie de la modération, ou bien elle retournera au chaos révolutionnaire, à l'isolement et à la belligérance. Il est évidemment de notre intérêt que la Chine demeure ouverte aux méthodes occidentales. Le coup de fouet que donne à leurs plans de modernisation le commerce avec les pays industrialisés (et notamment avec le Japon) sera crucial pour les décisions qu'ils prendront pour leur avenir. Cela justifie amplement que nous ayons accordé à la Chine le statut de « nation la plus favorisée » que nous refusons à l'Union soviétique. L'Union soviétique est pour nous une menace ; la Chine, non — en tout cas pour le présent.

En traitant avec la Chine, l'Union soviétique ou l'Europe de l'Est, nous devons nous assurer que la ligne de force de notre politique commerciale demeure son impact sur nos objectifs géopolitiques. Nous ne devons accepter un accord avec les Soviétiques que lorsqu'il entraîne pour nous un avantage diplomatique ou politique significatif. Autant que possible, nous devons rechercher des conditions qui nous permettent d'obtenir des avantages si les Soviétiques n'exécutent pas leur partie du marché. Nous ne devons jamais prêter foi à leur bonne volonté à venir. Nous devons utiliser notre puissance économique pour offrir une option aux Européens de l'Est, et les encourager à mener des politiques étrangères indépendantes et non aventuristes. Nous devons utiliser notre puissance économique pour contribuer à la construction d'une Chine moins vulnérable et pour encourager les Chinois à suivre la voie de la modération.

Le commerce avec les pays communistes peut se retourner dangereusement contre nous si nous n'utilisons pas notre puissance d'une manière très précise, chirurgicale, sur la base du « coup par coup ». Pourtant, nous devons accepter de prendre quelques risques dans l'espoir de créer un monde plus pacifique et plus prospère. Si nous ne nous servons pas des avantages formidables que nous donne notre puissance économique, ou si nous abandonnons ces avantages en renonçant à tout commerce nous sabotons une de nos ressources les plus efficaces dans le cadre de la Troisième Guerre mondiale.

L'assistance à nos amis

L'obligation d'associer étoitement notre puissance économique aux objectifs de notre politique étrangère est très différente quand il s'agit de traiter avec des alliés et non avec des adversaires.

De 1946 à 1976, les Etats-Unis ont accordé plus de 180 milliards de dollars d'aide à l'étranger, répartie entre 137 nations du monde. La plupart de cette aide a été gaspillée, et une partie de cette aide n'a pas fait avancer nos intérêts, mais, dans l'ensemble, ce fut un investissement valable malgré son importance dans le cadre de notre objectif majeur : construire un monde pacifique et meilleur, pour nous-mêmes et pour tous les peuples.

L'usage le plus spectaculaire que nous ayons fait de notre puissance économique remonte au lendemain de la Seconde Guerre mondiale, lorsque nous avons aidé l'Europe à se remettre sur pied grâce au plan Marshall. Bevin, secrétaire des Affaires étrangères de l'Angleterre à l'époque, a déclaré que notre aide était « une bouée de sauvetage lancée à des hommes en train de se noyer ». Mais avec le plan Marshall nous n'avons pas seulement amorcé la renaissance économique de l'Europe : en montrant aux Européens à quel point ils comptaient pour nous, nous avons catalysé les énergies d'un continent épuisé. Notre générosité à l'égard de l'Allemagne, de l'Italie et du Japon leur a permis d'effectuer, sans rancune à notre égard, la transition de la situation d'ennemi à celle d'allié. Jamais auparavant un pays victorieux n'avait financé le redressement de ses ennemis vaincus au point qu'ils puissent entrer en concurrence avec lui.

Au cours de ces années cruciales, nous avons agi en fondés de pouvoir de toute la civilisation occidentale, et les dividendes qui en ont résulté pour toute l'humanité se sont révélés dignes de notre investissement. Par la suite, nous avons aidé les pays industriels à se relever de la guerre. Aujourd'hui notre assistance répond à un éventail d'objectifs plus large.

Tout d'abord, l'aide américaine doit servir à renforcer la base économique des nations (comme la Corée du Sud) à qui nous fournissons une aide militaire. En second lieu, nous devons assister les nations confrontées à une menace de l'intérieur, et qui ont besoin d'aide étrangère pour stabiliser leurs économies — ce qui privera les révolutionnaires d'une « cause » leur permettant de renverser le gouvernement. Ensuite, nous devons continuer d'être généreux, et offrir une assistance purement humanitaire aux victimes de catastrophes naturelles comme les tremblements de terre, les famines et les inondations. Les victimes de ces désastres souffrent, quel que soit leur régime gouvernemental, et il faut donc les aider sans tenir compte de la nature de leur gouvernement — c'est ce que nous avons fait quand nous avons envoyé des secours aux victimes du tremblement de terre de Roumanie en 1977. Toutefois, lorsqu'il s'agit d'un gouvernement dictatorial, nous devons veiller à ce que notre assistance aille directement aux populations, et ne soit pas utilisée par le gouvernement pour se maintenir au pouvoir. Par ailleurs, les deux tiers du monde sont sous-développés. Nous avons la responsabilité et le devoir humanitaire de collaborer à son développement. Mais cette responsabilité est partagée par les autres pays industrialisés, qui devraient également partager les obligations que cela comporte. Les pays que nous avons contribué à reconstruire après la Deuxième Guerre mondiale, devraient maintenant participer à la construction des pays pauvres. Enfin, l'aide peut parfois être utilisée avec beaucoup d'efficacité pour obtenir des avantages diplomatiques particuliers décisifs, comme ce fut le cas pour l'accord israélo-égyptien de 1979.

La première fois que je me suis rendu en Extrême-Orient en 1953, certains « vieux routiers de la Chine » m'ont dit : « Donnez un bol de riz à tous les Asiatiques, et il n'y aura pas de communisme. » Ce n'était pas vrai à l'époque et ce n'est pas vrai aujourd'hui. La pauvreté n'engendre pas le communisme — alors que le communisme engendre la pauvreté. Les communistes peuvent exploiter d'autres facteurs que la pauvreté. Mais les pays en progrès sont, c'est exact, moins vulnérables que les pays stagnants ; et même si le communisme n'était pas une menace pour le monde, aider un peuple à échapper à la servitude de la pauvreté est une bonne chose, une chose juste — de même qu'aider un peuple à sauvegarder sa liberté est une bonne chose, parce que c'est une chose juste.

Nous ne pouvons pas aider tous les pays de façon égale, et nous ne devons pas nous excuser d'accorder une assistance économique particulière à des pays dont la sécurité est particulièrement importante pour nous-mêmes. Les Soviétiques n'ont pas la moindre honte de fournir de l'aide là où ils estiment que cela servira le mieux leurs intérêts. Entre 1954 et 1976, presque la moitié de l'aide économique soviétique en dehors du monde communiste est allée à quatre pays : l'Inde, l'Egypte, l'Afghanistan et la Turquie. Dans chacun de ces pays, les Soviétiques ont des intérêts géopolitiques formidables. L'Egypte a été la première tête de pont des Soviétiques au Proche-Orient, bien qu'ils aient depuis perdu leur influence dans ce pays. L'Afghanistan est tombé aujourd'hui en leur pouvoir, et la Turquie se transforme en un champ de bataille économique décisif.

Avant la Première Guerre mondiale, la Turquie passait pour l'« homme malade de l'Europe », à présent c'est un moribond. L'inflation galope à un taux voisin de 100 p. 100, le chômage est de l'ordre de 20 p. 100 et les exportations de la Turquie n'ont pas suffi à payer sa note de pétrole. Et pourtant, juste au moment où la Turquie a un besoin désespéré de notre aide, le Congrès, à cause des pressions exercées par le « lobby » grec, vient de la réduire. Selon un vieux proverbe, un Turc est capable de brûler sa couverture pour tuer une puce. Si nous provoquons encore la colère des Turcs avec notre comportement malveillant, ils risquent de brûler leurs ponts avec l'Occident. Les Soviétiques n'attendent que cette occasion. Quand nous avons diminué notre aide à la Turquie, ils ont augmenté la leur, et au cours des dernières années ils lui ont donné plus d'un milliard de dollars. Si nous prenons congé de la Turquie, ils n'hésiteront pas à combler le vide. Cuba coûte aux Soviétiques trois milliards de dollars par an, et l'Ethiopie en a déjà coûté au moins deux milliards, mais ils sont toujours prêts à monter les enchères très haut pour les pays qu'ils veulent s'approprier.

En accordant une aide économique nous devrions suivre trois règles.

Tout d'abord, de même qu'un banquier ne rend pas service à un emprunteur en lui accordant un mauvais prêt, nous ne rendons pas service aux pays que nous aidons en leur fournissant une assistance qui contribue à perpétuer les inefficacités. Nous ne devons pas insister pour que les bénéficiaires adoptent notre système politique, mais nous devons mettre comme condition à notre aide une politique économique saine, et veiller à ce que nos secours aillent à des projets ayant de bonnes chances de réussir. En étant fermes sur ce point, nous pouvons aider les pays en voie de développement à apprendre sans trop de mal ce qui marche et ce qui ne marche pas — leçon qui a coûté beaucoup d'efforts à d'autres pays.

En second lieu, nous devons résister à la nouvelle tendance qui consiste à acheminer une plus grande partie de notre aide par l'intermédiaire d'agences internationales, comme la Banque mondiale. Les contrats de ces organismes ne leur permettent pas de faire des distinctions entre les pays sur des bases politiques. Quel intérêt ont donc les Etats-Unis à payer un tiers de leur facture par le canal de la Banque mondiale alors que cette dernière accorde un prêt de cinquante ans à 1 p. 100 au Vietnam, malgré les agressions continuelles de ce pays contre ses voisins ? Il ne s'agit pas pour nous de nous retirer de la Banque mondiale, mais nous ne devons pas fermer les yeux sur les réalités. Il faut concentrer une fraction plus importante de notre aide disponible à des programmes bilatéraux, où nous pouvons l'utiliser efficacement pour promouvoir nos objectifs de politique étrangère.

Enfin, nous devons utiliser notre assistance pour aider au succès de notre politique, et pour faire avancer la cause de la paix et de la stabilité dans le monde. Notre aide ne doit pas être inconditionnelle. Les pays qui nous insultent sur des questions qui nous sont vitales, en refusant par exemple de nous soutenir dans l'affaire des otages américains en Iran et qui violent par là tous les principes de bonne conduite internationale, ne devraient pas s'attendre que nous laissions cela de côté lorsqu'ils demandent notre aide.

A long terme, l'un des plus grands avantages que nous pouvons tirer de la puissance économique occidentale, ne proviendra peut-être pas de son utilisation directe, mais de l'attrait qu'elle exerce sur tous les peuples du monde. Certains dirigeants du tiers monde s'intéressent peut-être davantage aux canons qu'au beurre, mais d'autres pas. Gaafar Nimeiry, le président du Soudan, parlait au nom de ces derniers lorsqu'il a déclaré récemment : « Nous disons à l'Union soviétique et à ses alliés : Otez vos pattes de l'Afrique. Le continent a besoin de tracteurs, pas de fusils. »

J'ai dit à Londres en 1958 : « Il faut que le monde entier prennent clairement conscience du fait que les peuples libres peuvent rivaliser et surpasser les pays totalitaires dans la réalisation du progrès économique. Aucun peuple dans le monde ne devrait aujourd'hui être forcé à choisir entre le pain et la liberté. »

Les nations libres ont démontré leur supériorité en produisant et en exportant le progrès économique. Le danger vient aujourd'hui du fait que nous n'avons pas su protéger la liberté aussi efficacement que les Soviétiques ont su développer la tyrannie. Quand les dirigeants de pays faibles, partout dans le monde, verront que nous sommes réellement déterminés à entrer dans l'arène contre les Soviétiques, militairement s'il le faut, l'attrait économique de notre système bénéficiera des conditions dont il a besoin pour exercer sa magie.

Conserver la puissance économique

Le principal objectif stratégique des Soviétiques dans la Troisième Guerre mondiale, est d'affaiblir et de détruire notre économie. Réciproquement, si nous voulons sortir vainqueurs de la Troisième Guerre mondiale, l'une de nos priorités doit être de conserver l'économie américaine forte, saine, efficace et libre.

Sauf intervention militaire, la puissance économique de l'Amérique ne peut pas être détruite par l'Union soviétique. Mais nous pouvons la détruire nous-mêmes. Le principal danger à cet égard n'est ni la récession, ni même la dépression. Si pénibles soient-elles, ce sont des maladies auxquelles le patient survit. Non, le véritable danger, c'est l'anémie paralysante de la taxation, de la réglementation, de la nationalisation, de la socialisation ; cette maladie que l'on a appelée ces temps derniers le « mal anglais ».

Avant la Deuxième Guerre mondiale, certains

intellectuels anglais ont fait fleurir les doctrines du socialisme démocratique ; ils ont exercé une influence énorme en répandant ces doctrines partout dans le monde. Après la Deuxième Guerre mondiale, les hommes politiques britanniques ont mis de plus en plus obstinément ces belles doctrines en pratique. Le résultat devrait servir d'avertissement au monde entier, et en particulier aux Etats-Unis.

Le dirigeant travailliste Aneurin Bevan a dit un jour de l'Angleterre : « Cette île est presque entièrement constituée de charbon et entourée de poissons. Seul un malin génie du désordre serait capable de provoquer en même temps une pénurie de charbon et de poisson en Grande-Bretagne. » Après quelques années de gestion économique socialiste, le poisson et le charbon se sont mis à manquer. En 1976, le gouvernement dépensait soixante-trois dollars chaque fois que cent dollars circulaient en Angleterre. Les industries anglaises nationalisées étaient supplantées sur tous les marchés mondiaux. Jusqu'à une date récente, les revenus personnels étaient imposés à des taux s'élevant jusqu'à 83 p. 100 et même 98 p. 100 pour les revenus « ne provenant pas du travail ». Conséquence immédiate, la plupart des facteurs de stimulation disparurent et de nombreux travailleurs, parmi les plus productifs, quittèrent le pays — soixante-cinq mille professionnels dans la seule année 1975 — créant une hémorragie de cerveaux qui affaiblit davantage encore l'économie. Le service de santé nationalisé de la Grande-Bretagne est une catastrophe. A la fin de l'année 1974, plus d'un demi-million de personnes étaient sur des listes d'attente pour des interventions chirurgicales « non urgentes ». En 1979, l'économie sombrant dans le chaos, le leader conservateur Margaret Thatcher fit campagne contre l'étatisme étouffant et pour le retour à l'ère des stimulants individuels. Les Anglais votèrent pour le changement qu'elle promettait, et le Premier ministre

Thatcher est confrontée maintenant à la tâche extrêmement difficile, mais exaltante, de rétablir la vitalité économique de la Grande-Bretagne.

Si nous ne renversons pas, nous aussi, la tendance actuelle, les Etats-Unis se dirigeront vers le socialisme sur tous les plans sans pourtant l'appeler par son nom.

Alors même que le monde communiste demande à l'Occident de le sauver de ses folies économiques, il est absurde que l'Ouest se mette à pencher dans l'autre sens ! Et pourtant c'est exactement ce qu'ont fait les Etats-Unis. La promesse de remèdes étatistes pour tous les maux sociaux, réels ou imaginaires, exerce une séduction irrésistible aussi bien sur les populistes que sur les démagogues. On exige que le gouvernement « fasse quelque chose », et cela risque effectivement d'apporter un soulagement à court terme. Mais les conséquences cumulées de toutes ces interventions du gouvernement détruiront les fondations sur lesquelles tout le reste est construit.

Même John Maynard Keynes, l'architecte des sciences économiques libérales, avait indiqué qu'un niveau de dépenses publiques supérieur à 25 p. 100 du P.N.B. aurait des conséquences désastreuses. Les budgets de nos gouvernements, au niveau local, à celui des Etats et de la fédération, s'élèvent actuellement à 32 p. 100 du produit national brut — contre 21 p. 100 tout récemment encore, en 1950. A lui seul, le budget fédéral pour 1980 est plus élevé que le produit national brut de tous les autres cent cinquante-neuf pays du monde, sauf trois. Le budget 1980 du ministère de la Santé, de l'Education et des Affaires sociales — près de deux cents milliards de dollars — est plus élevé que celui de toute autre organisation au monde, exception faite du gouvernement des Etats-Unis et du gouvernement de l'Union soviétique. Le plus fort accroissement budgétaire ne s'est pas produit dans le domaine de la défense mais dans les programmes sociaux et dans les transferts de revenus. En valeur réelle, en dollars constants, malgré l'accroissement gigantesque de la menace soviétique, le gouvernement dépense moins d'argent pour la défense du pays en 1980 qu'en 1960. En revanche, au cours des vingt-cinq années entre 1950 et 1975, les dépenses fédérales relatives à des programmes d'aide sociale sont passées de l'équivalent de trente milliards de dollars à cent soixante-neuf milliards de dollars ; de 26 p. 100 à 54 p. 100 du budget fédéral.

Aujourd'hui, le gouvernement consomme plus de biens, dépense plus d'argent, emploie plus de travailleurs, et est plus lourdement endetté que tout autre secteur de notre société.

Au fur et à mesure que le gouvernement se développe, la bureaucratie augmente, et le réseau suffocant des réglementations gouvernementales se resserre autour de chaque citoyen. Aujourd'hui les Etats-Unis ont trop d'hommes de lois, trop de litiges, trop de règlements — et cela ne fait qu'empirer chaque année.

Le gouvernement fédéral dépense actuellement 6 milliards de dollars par an uniquement pour faire fonctionner ses services de réglementation — sept fois plus qu'en 1970. Murray Weidenbaum, ancien haut fonctionnaire du ministère des Finances, estime que la mise en œuvre des réglementations fédérales coûte chaque année au public cent vingt et un milliards de dollars — plus de cinq cents dollars par homme, femme et enfant vivant en Amérique.

Et il y a en outre des conséquences paralysantes occultes : les idées que l'on abandonne, les affaires que l'on ne lance pas, les inventions que l'on ne met pas sur le marché, simplement parce que le gouvernement étouffe la libre entreprise sous une avalanche de papier. L'innovation est l'étincelle qui enflamme la croissance économique ; la productivité est le moteur qui engendre la prospérité. L'excès de réglementation tue l'une et l'autre.

La productivité américaine — c'est-à-dire la production réelle par heure d'ouvrier — est encore parmi les plus élevées du monde, mais son taux de croissance a montré un fléchissement alarmant. Au cours des années 1947-1965, la productivité a augmenté au taux annuel de 3,2 p. 100. Au milieu des années 1970, ce taux est tombé à 1 p. 100 l'an. En 1979, la production par heure d'ouvrier diminuait en valeur absolue. La productivité est le « tampon » entre les prix et les salaires ; elle détermine à quel rythme le niveau de vie peut s'élever. Si le taux de productivité ne s'accroît pas, nous serons condamnés à l'immobilisme dans une économie figée.

Il faut débarrasser le chef d'entreprise du fardeau des réglementations, stimuler l'innovation, et inciter les gens à l'épargne pour que le monde des affaires dispose des sommes énormes dont il a besoin pour investir, reconstruire les équipements industriels du pays et rétablir notre position compétitive dans l'économie mondiale.

Dresser des barrières douanières et établir des quotas pour écarter hors du marché américain les produits étrangers bon marché, aurait pour effet un soulagement à court terme pour les producteurs américains, et une catastrophe à long terme pour l'économie américaine et le consommateur. La seule façon saine d'aborder le problème est de donner aux compagnies américaines une chance de redevenir compétitives, en les libérant des entraves d'une réglementation gouvernementale excessive, et en offrant à l'industrie américaine des stimulants à la modernisation et au remplacement des équipements dépassés. Le système actuel des impôts est le principal coupable du déclin de la productivité de l'industrie américaine. Toute proposition d'allégement fiscal en faveur des sociétés est immédiatement attaquée par les démagogues politiques comme s'il s'agissait d'une aide accordée aux riches sur le dos des pauvres. C'est du galimatias économique. Ce dont tous les gens, pauvres et riches, ont besoin avant tout, c'est d'un emploi ; et si notre système fiscal continue de décourager l'initiative et de récompenser l'indolence, les emplois seront de plus en plus difficiles à trouver, tandis que l'industrie américaine deviendra non compétitive à l'intérieur du pays, comme à l'extérieur.

Nous devons avant toute autre chose maîtriser l'inflation. Vermont Royster a écrit :

« L'inflation est contre-productrice pour toute autre aspiration, y compris les besoins des pauvres, des Noirs, des malades, des jeunes. Elle sape notre prospérité économique. Elle nous coûte notre position dans le monde. Elle affaiblit notre capacité de nous défendre et nos intérêts à l'étranger. Et c'est sur les classes pauvres et moyennes qu'elle pèse le plus lourdement. Enfin, tragique ironie, elle place hors d'atteinte ces programmes sociaux, comme un programme valable de santé publique, si avidement désirés par ceux qui se prétendent *libéraux*. »

L'inflation ne peut être contenue qu'en attaquant le problème à sa racine : intervention abusive du gouvernement, habitude d'hypothéquer l'avenir en dépensant davantage que ses ressources, excès de réglementation, politiques monétaires inflationnistes, politiques fiscales qui pénalisent l'effort, mesures décourageant l'épargne et l'investissement, et faible productivité. Mais soigner les symptômes de l'inflation en imposant un contrôle des salaires et des prix ne servira absolument à rien.

Le 15 août 1971, j'ai fait une chose qui allait contre mon instinct profond de ce qui est bon pour l'économie américaine : j'ai imposé pendant quatre-vingt-dix jours à l'ensemble de la nation un gel des salaires et des prix, qui a été suivi par un retour progressif à l'absence de contrôle. L'histoire m'a appris qu'imposer ces contrôles est parfois politiquement populaire, mais toujours économiquement désastreux. La Rome impériale a imposé le contrôle des salaires et des prix en 300 après J.-C. Ce fut inefficace et contribua au déclin économique de l'Empire. Un historien de l'époque a écrit : « Le peuple n'apportait plus de provisions sur les marchés car on ne pouvait plus les vendre à des prix raisonnables, et cela ne fit qu'augmenter la cherté de la vie »...

Malgré mes protestations, un Congrès aux mains de l'opposition démocrate m'avait donné le pouvoir d'imposer le contrôle des salaires et des prix. L'inflation augmentait et partout au Congrès et dans les media, on réclamait ces mesures à cor et à cri. La clameur devint si puissante que le ministre des Finances, John Connaly, qui n'aimait pourtant pas plus que moi l'idée du contrôle, me dit sans ambages : « Si nous ne proposons pas un nouveau programme responsable, le Congrès fera déposer le sien sur votre bureau dans moins d'un mois, et il sera irresponsable. »

Quant les contrôles furent enfin imposés en août 1971, la nation frémit de joie et poussa des soupirs de soulagement. Le premier jour de mise en application, l'indice Dow-Jones monta à Wall Street de trente-trois points. Mais c'était une fausse euphorie. A court terme, les contrôles permirent de souffler un peu ; à long terme ils rendirent la situation plus difficile encore. Et une fois en place, il fut plus compliqué de s'en débarrasser de manière rationnelle que je ne l'avais cru. Plus longtemps ils restaient en place, et plus ils suscitaient de déséquilibres économiques pour lesquels il faudrait payer l'addition plus tard. Leur plus grande utilité, si l'on sait tenir compte des leçons du passé, c'est d'avoir démontré tragiquement que les contrôles ne fonctionnent pas.

Les contrôles des prix peuvent créer, soit des excédents, soit des disettes. Les prix-planchers pour les produits fermiers ont provoqué des excédents de céréales ; les prix-plafonds pour l'essence ont provoqué une pénurie d'essence. Quand le gouvernement paie pour un produit davantage que ne le feraient spontanément les consommateurs, les producteurs mettent sur le marché davantage de ce produit que le consommateur n'en désire. Quand le gouvernement impose un plafond à des prix de sorte que les consommateurs n'ont pas le droit de payer autant qu'ils accepteraient de le faire pour un produit donné, les producteurs n'en proposent pas assez pour satisfaire la demande du public. Il peut exister des circonstances où la création d'excédents est justifiée : nos excédents céréaliers, par exemple, ont contribué à stabiliser le prix du blé pendant vingt ans. Mais jamais la création de disette de matières premières industrielles ne saurait être justifiable.

Le contrôle des salaires et des prix dans l'ensemble d'une économie crée des milliers de points d'excédents et de points de disette. Il peut y avoir plus de planches qu'on n'en a besoin et pas assez de clous ; plus de voitures que les gens n'en désirent mais pas assez d'essence ; il peut y avoir d'énormes excédents de blé dans le Centre du pays et pas assez de wagons de chemin de fer pour les transporter sur le marché.

Le meilleur conseil économique que je puisse donner à mes successeurs à la Maison Blanche est de résister fermement aux pressions politiques en faveur du contrôle des salaires et des prix, si intenses ces pressions puissent-elles devenir. Le contrôle n'apportera pas la solution au problème de l'inflation. Il peut apporter un soulagement à court terme, mais à la longue, il aboutira inévitablement au désastre. La seule réponse à l'inflation, c'est que le gouvernement dépense moins et que le peuple produise davantage.

Ce que nous ferons de l'économie américaine est important non seulement à l'intérieur de nos fron-

305

tières mais à l'étranger. L'économie américaine produit plus de deux mille milliards de dollars de biens et de services — le quart de tout ce qui est produit dans le monde entier. 70 p. 100 du commerce international se traite en dollars. On a dit que quand l'économie américaine toussait, l'économie du Zaïre avait une pneumonie, et c'est toujours vrai. Or en ce moment nous avons une fièvre de cheval.

Il y a eu une époque où « fort comme le dollar » était une image réaliste, pas une boutade. Si le dollar continue à perdre sa valeur, le commerce international deviendra un jeu de hasard. Les marchés financiers du monde seront des foires d'empoigne où les spéculateurs connaîtront la fortune et les hommes d'affaires la ruine.

Aucune économie montante, aucune puissance militaire ne peut occuper sur la scène économique internationale la place des Etats-Unis. C'est à nous de faire de l'ordre dans nos affaires. Nous le devons à nous-mêmes, mais nous en sommes également responsables devant le reste du monde. La meilleure façon de restaurer à l'étranger la foi dans le dollar est de rétablir sa santé à l'intérieur du pays. Tant que nous ne le ferons pas, le spectre d'une inflation galopante dans le monde entier, et celui de nouvelles barrières protectionnistes, hanteront les hommes d'affaires partout dans le monde et handicaperont le commerce, qui est le sang et la vie du système économique international.

Comme l'a écrit Irving Kristol, notre politique étrangère et notre politique économique sont inexorablement liées :

« L'économie américaine est un organe vital d'une économie mondiale plus vaste, c'est un fait, et l'on ne peut y échapper. L'une ne peut pas vivre, et certainement pas prospérer, sans l'autre. Aujourd'hui la richesse des nations est indivisible. Notre croissance économique dépendra donc autant de notre politique étrangère que de notre politique économique.

Et si nous ne parvenons pas à établir les conditions de la croissance (économique), notre démocratie s'effilochera tandis que les tensions économiques feront surgir une polarisation politique à l'intérieur et à l'extérieur... Ce que peu de gens semblent concevoir, c'est qu'une perspective de croissance économique est la condition préalable cruciale de la survie de toute démocratie américaine comprise. »

L'énergie

Avec l'inflation, l'énergie est le problème le plus pressant qu'affrontent aujourd'hui l'économie américaine et l'économie mondiale. L'énergie est la base de l'économie du monde : toutes les industries dépendent d'elle.

La source énergétique du monde pré-industriel était le bois, celle de la première révolution industrielle, qui a débuté au XVIIIᵉ siècle, fut le charbon ; celle de la seconde révolution industrielle, qui se poursuit de nos jours, est le pétrole. D'autres sources d'énergie, notamment l'énergie nucléaire et solaire, alimenteront les progrès industriels du XXIᵉ siècle. Rien n'est plus naturel que l'épuisement d'une source d'énergie, l'augmentation progressive de son prix et son remplacement par une nouvelle source. Et pourtant, en ce moment, cette transition s'est transformée en crise.

En général on avance les noms de trois candidats pour jouer le rôle du méchant dans la débâcle énergétique actuelle : les compagnies pétrolières, l'O.P.E.P. et le gouvernement.

De nombreux hommes politiques se sont plu à prendre les compagnies pétrolières pour boucs émissaires. Mais ce ne sont pas les compagnies pétrolières qui ont créé la crise de l'énergie. Elles sont, en réalité, l'un des meilleurs alliés du consommateur en essayant de la résoudre. De 1950 à 1970, quand les compagnies pétrolières étaient au faîte de leur puissance, le prix de l'essence est passé de 27 *cents* le gallon (35 centimes actuels le litre) à 36 *cents* le gallon (45 centimes le litre) et la moitié de cette augmentation provenait d'un relèvement des taxes. Au cours des années 1970, quand l'O.P.E.P. et le gouvernement eurent dépouillé les compagnies pétrolières d'une grande partie de leur puissance, le prix de l'essence est passé de 36 *cents* à plus de 1 dollar le gallon (de 45 centimes à un peu plus de 1 franc le litre, en tenant compte de la dévaluation du dollar par rapport au franc au cours de cette période).

Le 1er janvier 1970, l'O.P.E.P. facturait 1,80 dollar le baril de pétrole brut (quarante-deux gallons, soit environ cent soixante litres) ; fin 1979, le même baril était vendu 30 dollars environ, soit plus de quinze fois plus. C'est donc l'augmentation des prix par l'O.P.E.P. et non une conspiration des compagnies pétrolières qui a provoqué le relèvement des prix à la station-service aux Etats-Unis. Outre l'augmentation des prix du brut, l'instabilité politique dans le golfe Persique fait peser des incertitudes sur l'approvisionnement. Aussi longtemps que l'Ouest dépendra du pétrole du Golfe, il y aura des crises ou des possibilités de crise. A cet égard, le gouvernement a un rôle à jouer, mais le rôle qu'il a choisi a transformé le drame de dimensions humaines qu'est la crise de l'énergie, en véritable tragédie grecque.

J'ai été le premier président des Etats-Unis à provoquer un programme énergétique de grande envergure. Je l'ai fait il y a environ dix ans, en 1971. Dans mon dernier « Discours sur l'Etat de l'Union », en janvier 1974, j'ai présenté le problème de l'énergie comme notre première priorité.

Comme mes successeurs, je suis allé de déception en déception quand j'ai tenté de faire agir le Congrès dans le sens de mes propositions : blocage législatif pour le pipe-line de l'Alaska, inaction sur mes propositions pour la conversion du charbon, la libéralisation des règlements concernant le gaz naturel, la mise au point de réacteurs de fission, et autres mesures nécessaires. Le but de ma politique de l'énergie — que j'avais nommée Projet Indépendance — était à long terme de stimuler la production d'énergie provenant de sources renouvelables (comme l'énergie nucléaire), et, à court terme, de diminuer notre dépendance à l'égard de fournisseurs de pétrole peu fiables. Les Etats-Unis ont sur tous ces plans des possibilités uniques. Mais des politiques gouvernementales inconsidérées ont eut l'effet opposé ; elles ont en réalité augmenté notre dépendance à l'égard du pétrole étranger.

A l'heure actuelle, les sources d'énergie conventionnelles fournissent 90 p. 100 de nos besoins énergétiques. Le pétrole (importé pour moitié) représente 45 p. 100 ; le charbon, 20 p. 100 ; et le gaz naturel 25 p. 100. En augmentant la production de ces sources et en encourageant les économies d'énergie, tout en accroissant parallèlement la quantité d'énergie provenant de sources renouvelables, nous aurions probablement pu résoudre notre « crise de l'énergie ». En réalité, les choses sont pires aujourd'hui qu'auparavant.

Les politiques gouvernementales de contrôle des prix, d'impôts élevés et de réglementation excessive, ont découragé l'exploitation de nos ressources énergétiques nationales, encouragé le gaspillage, et accru notre vulnérabilité aux augmentations de prix de l'O.P.E.P. et aux interruptions de livraisons. Le contrôle du prix du pétrole et un système de distribution nationalisé (que je regrette de ne pas avoir pu éliminer avant mon départ de la Maison Blanche en 1974), ont créé des points de disette et d'excédents disséminés au hasard dans tout le pays. L'ancien ministre des Finances William Simon, qui était responsable de l'énergie à mes côtés, a commenté comme il convient le système de distribution : « La chose la plus aimable que je puisse dire à ce sujet, c'est que c'est un désastre. »

La meilleure façon d'encourager les économies d'énergie, c'est par la liberté du marché. Quand le gaspillage devient trop onéreux, les gens trouvent bien le moyen de l'éliminer — d'une manière beaucoup plus efficace que le gouvernement pourrait l'imaginer, et à moindre frais. Pour que les fortes paroles du gouvernement sur les économies d'énergie deviennent réalité, il suffirait qu'il prenne une seule mesure : libérer une fois pour toutes les prix du pétrole et du gaz naturel.

La libération des prix diminuerait la consommation tout en stimulant la production. Depuis vingt-cinq ans, le contrôle des prix de vente de gaz naturel d'un État à l'autre a pratiquement empêché les États producteurs de vendre du gaz dans les autres États, où le gaz fait défaut : ce n'était pas rentable. Au cours de l'hiver 1976-1977, des milliers d'usines ont fermé leurs portes et plus d'un million de personnes se sont retrouvées sans emploi par suite de la pénurie d'énergie — pénurie provoquée par des contrôles comme celui qui empêche le gaz naturel de traverser les frontières des États.

Les impôts élevés sur les « bénéfices exceptionnels » découragent la production de la même manière. Si les producteurs d'énergie de ce pays ne peuvent pas gagner un dollar supplémentaire pour chaque effort supplémentaire qu'ils font, rien ne les poussera à résoudre le problème de l'énergie. La seule chose que produisent les impôts sur les « bénéfices exceptionnels » ce sont des rentrées exceptionnelles pour le gouvernement, aux dépens du consommateur.

Le charbon est la plus abondante de nos sources d'énergie, et c'est la nature qui nous l'a offerte. Au rythme de consommation de 1973, nous avons suffisamment de charbon pour 800 ans. Mais des contraintes écologiques exagérément sévères nous ont empêchés de l'utiliser pour diminuer notre dépendance à l'égard du pétrole importé ; au cours des dernières années, le pourcentage d'utilisation du charbon par rapport à nos besoins énergétiques a diminué en valeur absolue. Etre assis sur la moitié des réserves de charbon du monde libre et ne pas s'en servir, n'a absolument aucun sens. Les lois sur la protection de la nature promulguées à une époque d'abondance de l'énergie doivent être amendées.

Le ministère de l'Energie emploie vingt mille personnes et a un budget de 8 milliards de dollars par an. Il devrait être supprimé. Le principal résultat de son action à ce jour a été d'empêcher le jeu du libre marché de résoudre la crise de l'énergie. Tant que le gouvernement dirigera les affaires énergétiques du pays, nous aurons une crise de l'énergie. Toute la triste histoire des interventions gouvernementales dans le libre jeu du marché, que ce soit en Angleterre, en Union soviétique ou aux Etats-Unis, impose la même conclusion : la politique est préjudiciable à la santé économique.

Tournons-nous vers l'avenir : il faut nous préparer pour le jour où les sources d'énergie traditionnelles seront trop rares et trop chères pour demeurer le principal élément moteur de nos industries. A ce moment-là, les sources d'énergie renouvelables devront être opérationnelles, pour pouvoir nous offrir une réserve d'énergie virtuellement inépuisable. Il faut soutenir sans faiblesse, comme je l'ai souligné en 1973 et comme le président Carter l'a déclaré en 1979, les programmes de recherche sur l'énergie solaire, l'énergie géothermique et les autres sources.

Mais aucune de ces sources renouvelables n'offre autant de promesses à court et à long terme que l'atome. Hélas, la question de l'énergie nucléaire est devenue extraordinairement politisée, opiniâtre et émotive. L'opposition à l'énergie nucléaire est devenue la nouvelle « cause » de la gauche. De nouveaux disciples de Ludd[1], fauteurs de paniques, ont fait descendre dans la rue leur croisade idéologique contre l'atome pour tenter de couper court à tout débat rationnel. Déjà, des entreprises qui tentaient de se lancer dans ce domaine ont été paralysées par ce que William Simon appelle un « réseau dément de règlements écologiques », qui menace de détruire la viabilité économique de l'énergie nucléaire. La dernière centrale nucléaire construite aux Etats-Unis a exigé seize années de travaux ; en Corée du Sud il a fallu moins de cinq ans. Le résultat, c'est que même avant la dernière augmentation de l'O.P.E.P., l'électricité d'origine nucléaire coûtait en Corée du Sud deux fois moins cher que l'électricité des centrales alimentées au pétrole.

L'énergie nucléaire présente des risques, comme toutes les sources d'énergies. Et tout le monde a le droit de ne pas être d'accord sur l'étendue de ces risques. Mais nous devrions nous efforcer de maintenir la discussion au sein d'instances responsables et informées, plutôt que de laisser notre avenir énergétique se noyer sous un raz de marée d'affiches et de slogans. Si nos ancêtres n'avaient écouté que leurs craintes, l'Amérique n'aurait jamais été découverte et le monde moderne n'aurait jamais été construit.

Depuis mon bureau de San Clemente, je peux regarder chaque jour les dômes blancs de la centrale nucléaire de San Onofre. Ces dômes ne me menacent pas de radiations. Ils n'évoquent pas pour moi la mort ou la destruction. Si c'était le cas, je n'aurais pas placé ma « Maison Blanche de l'Ouest » presque à leur porte en 1969.

---

1. Ned Ludd est un ouvrier anglais de la fin du XVIIIe siècle qui brisait les métiers à tisser les bas de soie, accusés de réduire les travailleurs au chômage. Ses disciples ont tenté, au début du XIXe siècle, d'empêcher par tous les moyens, y compris le sabotage, l'introduction de machines supprimant les postes de travail. (N.d.T.)

Au contraire, ces dômes représentent chaleur et lumière pour moi et mes voisins, ainsi que des milliers d'emplois pour ceux qui travaillent dans les usines utilisant l'électricité qu'ils produisent. Ils représentent la croissance d'une économie en expansion et une amélioration du niveau de vie. Ils représentent la source d'énergie la plus abondante et en puissance la meilleur marché, une source d'énergie que le docteur Edward Teller décrit comme « la manière la plus sûre et la plus propre de produire de grandes quantités d'énergie électrique ». L'avenir du pays a besoin de cette énergie. Comme l'a précisé l'ancien ministre de l'Energie Schlesinger : « Disons-le sans ambages, si nous ne parvenons pas à utiliser beaucoup plus le charbon et l'énergie nucléaire dans les dix années qui viennent, cette société ne pourra peut-être pas s'en sortir. »

Sept ans se sont écoulés depuis que nous avons lancé le Projet Indépendance, mais nous ne sommes pas plus avancés vers l'indépendance énergétique aujourd'hui qu'en 1973. En fait, nous nous en sommes même éloignés. Nous devons nous préparer sans tarder à protéger nos intérêts dans les régions productrices de pétrole. Parallèlement, nous devons rejeter le négativisme incohérent de la « croissance limitée » et continuer sans relâche de promouvoir le développement de nos riches ressources énergétiques. C'est le seul moyen que nous ayons d'assurer notre viabilité en tant que première puissance économique et militaire du monde. Si nous ne suivons pas cette voie, nous nous heurterons, chaque année à venir, à des ténèbres de plus en plus opaques, aussi sûrement que le crépuscule suit le coucher du soleil.

Un plafond sans limites

L'économie n'est pas seulement le domaine du comptable. Elle relève aussi du domaine de l'esprit. Nous nous accomplissons dans le travail, il enrichit nos vies et celles des autres. Et, plus important encore, il y a une relation directe entre les libertés humaines et la liberté économique. Un économiste qui a reçu le prix Nobel, Milton Friedman, a fait observer : « Le lien entre liberté politique et économie de marché est une évidence historique qui parle d'elle-même. Je ne connais aucun exemple, dans le temps et dans l'espace, d'une société marquée par une certaine liberté politique, qui n'ait pas, parallèlement, utilisé quelque chose de comparable à la liberté du marché pour organiser le plus gros de son activité économique. » Réciproquement, quand la liberté économique disparaît, la liberté politique se dissout avec elle.

La rivalité entre la révolution américaine et la révolution communiste est un combat entre une société libre et une société contrôlée. Les communistes sont matérialistes, mais ils n'ont pas réussi à égaler les réalisations matérielles du capitalisme. Ce que promettait le socialisme, le capitalisme le donne. Ce que prédisaient les utopistes, le capitalisme l'inscrit dans les faits. Ce dont les rêveurs ont rêvé pendant des siècles, le capitalisme l'a réalisé et continue de le réaliser : liberté et bien-être, en même temps, pour le plus grand nombre.

Nous honorons la culpabilité, de là notre tendance à nous excuser et à nous défendre de notre richesse. Nous en sommes venus à croire que parce que notre société est riche, elle est foncièrement mauvaise. Accorder le moindre crédit à cette stupidité, c'est desservir l'Amérique et le reste du monde. La vérité toute nue, c'est que notre société est riche parce que c'est une société productive. Et si nous n'acceptons pas ce fait, l'exemple que nous donnerons aux pays dans le besoin sera un exemple faussé.

La pauvreté opprime. Le meilleur antidote à la pauvreté est la productivité, et la productivité se fait jour quand l'économie fournit des stimulants et récompense le travail, l'effort supplémentaire, l'augmentation de l'investissement.

La grande majorité de la population du monde désire un changement. Mais les gens veulent changer pour des conditions meilleures. C'est ce que promet le communisme, mais il impose ensuite un système qui aboutit à des conditions pires encore. Le capitalisme, en revanche, est le plus grand instrument de rénovation de l'histoire de la civilisation. Il enrichit davantage, plus égalitairement et avec davantage de liberté de choix, que tout autre système économique.

Il y a deux cents ans, au début de la révolution industrielle, le revenu moyen par habitant dans le monde (en dollars 1979) était de deux cents dollars. Aujourd'hui il est de deux mille dollars. Le futurologue Herman Kahn prédit qu'il s'élèvera à vingt mille dollars au XXIe siècle. Kahn affirme que nous sommes au point médian d'une révolution économique aussi significative que celle qui a transformé l'homme de chasseur en agriculteur il y a quelque deux mille ans. « Il y a deux cents ans, dit-il, presque partout dans le monde des êtres humains étaient comparativement peu nombreux, pauvres et à la merci des forces de la nature. Dans deux siècles, sauf si une grande malchance se conjugue à une mauvaise gestion, ils devraient être nombreux et riches, et maîtriser entièrement la nature. »

Ce qui distingue ces deux cents dernières années des milliers qui les ont précédées, c'est le capitalisme industriel. A une date aussi récente que 1780, quatre familles françaises sur cinq dépensaient 90 p. 100 de leur revenu uniquement pour acheter le pain qui leur permettait de survivre. Avec l'aurore du capitalisme, les chaînes qui maintenaient le peuple attaché à la terre ont été brisées et les paysans se sont rendus par milliers dans les villes en quête d'une meilleure vie. Des millions d'hommes ont accepté spontanément les souffrances de la vie urbaine de l'époque pour échapper au fardeau plus écrasant encore de la vie paysanne.

Tout comme pour ces paysans d'il y a deux cents ans, l'avenir est pour nous, aujourd'hui, un vaste inconnu. L'homme s'est toujours tourné vers l'avenir avec un mélange d'espoir et d'angoisse. Aujourd'hui, ces angoisses sont attisées par les apôtres d'un nouveau culte : celui de l'anti-croissance, de l'anti-technologie, de l'anti-commerce, de l'anti-progrès. Le sociologue Robert Nisbet nous prévient : « Je ne vois aucun changement intellectuel survenu en Amérique dans ces dernières années du XXᵉ siècle, qui soit aussi lourd de conséquences institutionnelles et matérielles que la disparition presque complète — parmi les intellectuels quoique peut-être pas encore dans la majorité de la population — de la foi dans le progrès. »

Il y a toujours eu des prophètes de malheur, des hommes d'esprit étroit et de peu de foi. Les pontifes du temps de Christophe Colomb avaient déclaré au roi et à la reine d'Espagne que les voyages projetés par le Génois n'auraient vraisemblablement aucun résultat. En 1853, les experts en chemins de fer estimaient « extrêmement improbable » la mise au point d'un système de transport permettant de se déplacer à plus de quinze kilomètres à l'heure. Une semaine avant le premier vol des frères Wright, le *New York Times* tournait en ridicule l'idée que des hommes puissent jamais quitter le sol. Sans relâche, des pessimistes timorés ont proclamé que l'avenir était impossible. Sans relâche, des hommes courageux ont démontré qu'ils avaient tort. Si nous ne nous laissons pas enchaîner par nos angoisses — ou plutôt, ce qui est plus juste, par les angoisses d'une minorité à la parole facile — nous ferons de nouveau éclater toutes les notions préconçues relatives aux « limites » de la croissance. Nous pénétrerons dans une ère de « plafond sans limites ».

Tous nos problèmes économiques actuels ont une solution commune : l'accroissement de la productivité. Tel est le défi qui s'offre à nous : utiliser la puissance économique de l'Occident pour provoquer un épanouissement à la dimension du globe. C'est possible, mais uniquement si nous conservons le dynamisme puissant du capitalisme industriel.

Il est caractéristique de notre temps qu'un théoricien militaire, expert en matière de stratégie soviétique, Sir Robert Thompson, ait mis le doigt sur l'une des questions économiques les plus contraignantes de notre temps. Thompson fait observer que les principaux objectifs des Soviétiques ont été de grands pays agricoles comme l'Inde. C'est une chose extrêmement inquiétante, dit-il, « car elle peut aboutir à une situation où les trois quarts environ de la population mondiale, après avoir adopté une économie marxiste, pourraient mourir de faim sans que l'Amérique du Nord puisse leur envoyer assez de vivres... On ne peut songer sans alarme à ce que serait le budget d'aide des Américains s'ils devaient nourrir un monde collectivisé... Et il est plus alarmant encore de songer à ce qui se passerait si les Etats-Unis ne les nourrissaient pas ». Le siècle prochain devra choisir entre un « plafond sans limites » pour un monde libre, ou des exigences illimitées imposées aux Etats-Unis d'Amérique.

L'Occident domine le monde communiste, sur le plan économique, avec une marge de trois contre un, mais les Soviétiques sont nos égaux en puissance militaire. Il est clair qu'ils concentrent leurs ressources économiques dans des activités qu'ils estiment susceptibles de leur faire gagner la Troisième Guerre mondiale. Nous devons utiliser notre principal avantage — notre puissance économique — pour nous mettre au niveau de leurs efforts militaires ou pour les surpasser, tout en apportant aux peuples du monde une nouvelle vie de paix et de prospérité. Richard McCormack, de nouveau, définit clairement le défi :

« Notre stratégie devrait consister à débloquer le capital privé sur une base mondiale et à le récupérer en croissance et en développement. Pour ce faire nous devons nous mettre à attaquer systématiquement et à maîtriser la peur, l'instabilité, et les politiques économiques qui par leur conjonction étouffent l'investissement — et avec lui les espoirs de croissance économique et de développement à l'échelle mondiale. Cela impliquera l'offre d'une plus grande sécurité matérielle aux sociétés qui sont actuellement mises en danger par l'Union soviétique, les terroristes, les guérilleros et les Cubains. »

Si nous utilisons ainsi notre puissance économique, nous livrerons la Troisième Guerre mondiale selon nos propres règles ; et dans ce cas nous la gagnerons, et le monde gagnera avec nous.

IX

LA PUISSANCE DE LA VOLONTE

Le crocodile est une espèce zoologique plus primitive que l'être humain ; mais si un homme s'avance tout nu et les yeux bandés dans une rivière à crocodiles, c'est le crocodile qui l'emportera.

Hugh Seton-Watson

Une des leçons de l'histoire qu'il faut apprendre, bien qu'elle soit déplaisante, c'est qu'aucune civilisation ne peut être tenue pour acquise. On ne peut jamais supposer qu'elle sera permanente ; il y a toujours un âge de ténèbres qui vous attend au coin de la rue, si vous jouez mal vos cartes ou si vous faites trop d'erreurs — et jamais nous ne devons penser que cela ne peut pas nous arriver. Oui, cela peut nous arriver, comme cela s'est déjà produit quatre ou cinq fois dans l'histoire du monde...

Je ne mets nullement en doute que l'Amérique possède non seulement les ressources matérielles mais, ce qui est aussi important, les ressources morales qui lui permettront de réaffirmer son rôle de leader dans le monde et de promouvoir ce rôle avec énergie... Je crois que l'Amérique doit accomplir un acte formidable de volonté, et plus tôt elle le fera, plus ce sera facile.

Paul Johnson

IL y a peu de temps, j'ai demandé au docteur Edward Teller, le physicien atomiste que l'on a souvent appelé « le père de la bombe à hydrogène », quelle serait à son avis la situation aux Etats-Unis en l'an 2000. Il a réfléchi longuement, puis il m'a répondu qu'il y avait cinquante chances sur cent pour que les Etats-Unis n'existent plus. Je lui ai demandé s'il l'entendait sur le plan matériel ou comme système de gouvernement. Il m'a répondu : « L'un ou l'autre — ou les deux à la fois. »

Ceci peut paraître apocalyptique. Mais comme l'a dit un jour Samuel Johnson : « Quand un homme sait qu'il sera pendu deux semaines plus tard, il concentre merveilleusement son esprit. » Notre devoir, aujourd'hui, est de concentrer notre esprit au plus tôt — pour éviter d'être pendus.

Le propre des civilisations avancées, c'est qu'avec l'accroissement de la richesse et de l'abondance, elles se ramollissent et deviennent plus vulnérables. Tout au long de l'histoire, les civilisations qui ont dominé leur époque ont été détruites par des barbares, non point parce qu'elles manquaient de richesses ou d'armes, mais parce que leur volonté s'était affaiblie, parce qu'elles s'étaient réveillées trop tard devant la menace, et que les réactions de leurs stratégies de résistance restaient trop timorées.

Certains optimistes, faute de pouvoir (ou de vouloir) affronter l'ampleur du défi, supposent que de toute façon l'Occident survivra ; que les sociétés libres, après tant d'épreuves surmontées dans le passé, surmonteront également l'épreuve qui s'annonce. Les pessimistes, au contraire, considèrent les progrès du « socialisme » comme une marée irrésistible, devant laquelle toute velléité de résistance est futile. Les uns et les autres préfèrent ne pas songer à la guerre nucléaire. Les pessimistes bradent volontiers un pays par-ci, un pays par-là, en échange de quelques années suplémentaires de calme et de confort. Les optimistes parlent de la perfectibilité de l'homme, et ils supposent que si nous adressons aux Soviétiques assez de sourires, leurs cœurs vont fondre soudain et leur politique se faire tout miel et tout sucre.

Mais à considérer froidement les choses, on se rend compte que ni la victoire ni la défaite ne sont inévitables. Les deux camps ont une puissance énorme. Chacun d'eux a beaucoup à défendre. Chacun d'eux a des points forts et des points faibles différents, et leurs objectifs respectifs divergent.

Nous ne devons absolument pas nous attendre que l'Union soviétique adoucisse sa politique, ou qu'au cours des vingt prochaines années les sentiments et les ambitions soviétiques soient sensiblement différents de ce qu'ils ont été, avec une constance exemplaire, au cours des soixante et quelques années qui nous séparent de la prise du pouvoir par Lénine. Les Soviétiques ont clairement exprimé ce qu'ils veulent. Nous savons ce que veulent les Etats-Unis et leurs alliés. Nous connaissons les moyens mis en œuvre par les Soviétiques pour parvenir à leurs fins. Nous connaissons les ressources dont dispose chaque camp. L'incertitude majeure ne réside pas dans la poussée soviétique, mais dans la réaction de l'Occident. Comme l'a écrit récemment Winston Churchill II : « L'époque de la suprématie sans effort de l'Occident est révolue. »

Le conflit Etats-Unis-Union soviétique est un combat entre deux pôles opposés de l'expérience humaine — dont les symboles sont l'épée et l'esprit, la crainte et l'espoir. Le système soviétique est dominé par l'épée, le nôtre est gouverné par l'esprit. Leur influence s'est répandue par la conquête, la nôtre par l'exemple. Ce conflit n'est pas nouveau. Il n'a débuté ni au lendemain de la Deuxième Guerre mondiale, ni avec la Révolution russe. Il est aussi vieux que la civilisation. Et l'histoire ne nous donne aucune indication précise sur l'issue de la confrontation, car à travers les siècles la victoire est allée d'abord dans un camp puis dans l'autre. C'est un combat aussi ancien que la tendance des gouvernements à imposer la tyrannie, et la tendance des peuples à l'esquiver ; aussi ancien que les efforts d'un pays pour conquérir et ceux des autres pour résister. Des tyrannies ont fleuri puis se sont écroulées ; et il en a été de même des démocraties. L'homme a lutté contre l'oppression et a triomphé ; mais les oppresseurs ont souvent triomphé eux aussi.

Edith Hamilton, spécialiste de l'histoire de la Grèce antique, a écrit : « Pour les Grecs de l'époque, leur acquit le plus précieux — la liberté — était la marque distinctive entre Orient et Occident... Hérodote cite un Grec disant à un Perse : — Vous ne savez pas ce qu'est la liberté. Si vous le saviez, vous combattriez pour elle avec vos mains nues faute d'avoir des armes. » La liberté est encore la marque distinctive de l'Occident par rapport à l'Orient.

Gandhi a dit : « Aucune société ne saurait être bâtie sur le déni de la liberté individuelle. » Mais comme l'a fait observer un historien soviétique, le dissident Andréi Amalrik, les idées de gouvernement autonome, d'égalité devant la loi et de liberté personnelle « sont presque complètement incompréhensibles pour le peuple russe... Quant au respect des droits de l'individu en tant que tel, cette simple idée provoquerait sa stupeur ».

Pour la plupart des Américains, l'expérience russe est tout aussi incompréhensible. L'illusion s'est largement répandue que, parce que le mode de vie soviétique est contre nature pour des Américains, il l'est également pour des Russes ; et qu'il suffirait de mettre le peuple soviétique en contact avec le mode de vie occidental pour qu'il change aussitôt. L'Occidental imagine volontiers que le système soviétique est appelé à se modifier simplement parce que les gens ne peuvent pas vivre ainsi. Or ils vivent réellement ainsi, et c'est une vérité dont l'Occident doit prendre conscience. Nous pouvons espérer que le système soviétique changera un jour, mais nous courons de graves dangers si nous comptons sur ce changement et si nous fondons notre politique sur cette espérance.

L'épée soviétique a été trempée dans les flammes de plusieurs siècles de souffrances. Pour les Soviétiques, les brutalités extrêmes ne sont pas impensables, car elles ont fait partie de leur expérience. Nous connaissons la liberté, l'espoir, la clémence ; ils connaissent la tyrannie, les massacres, la famine, la guerre et l'anéantissement. Ces expériences, qui font de la victoire soviétique une perspective si effroyable pour le monde, sont justement ce qui rend cette victoire possible.

Tout au long de leurs deux premiers siècles d'existence, les Etats-Unis ont joui d'un luxe rare : protégés par deux océans des conflits ravageant l'Europe et l'Asie, les Américains ont pu mettre en œuvre le rêve qui a inspiré la création de notre Etat. Ils ont pu se consacrer exclusivement ou presque à la domestication d'un continent, à l'édification de la machine industrielle la plus puissante que le monde ait jamais connue, à l'amélioration de notre démocratie, devenue un phare pour le monde entier.

Nous pouvions alors examiner d'un œil critique nos propres imperfections sans les comparer à celles d'autres nations — plus anciennes ou plus récentes — parce que nos erreurs étaient les seules dont nous fussions responsables. Nous n'étions pas tenus de nous juger par rapport au reste du monde. Le reste du monde était lointain, presque sans commune mesure. De temps en temps, il empiétait sur nous ; au cours de deux guerres, nous avions ainsi été amenés à intervenir après le début de ces guerres, pour que le camp de la liberté l'emporte. Mais nous restions essentiellement à part. Quand de nouvelles barbaries naissaient, d'autres pays étaient les premiers sur la ligne de front. D'autres que nous subissaient le premier choc de l'agression, tandis que nous moralisions de loin. André Malraux m'a fait observer un jour que les Etats-Unis étaient « le seul pays qui soit devenu le plus puissant du monde sans l'avoir cherché ». Pour cette raison, nous n'étions pas prêts à jouer ce rôle quand nous en avons assumé les responsabilités.

Maintenant, c'est nous-mêmes qui sommes sur la ligne de front, et notre adversaire est coriace.

Les hommes qui s'élèvent au sommet de la hiérarchie soviétique y parviennent en étant plus rusés, plus brutaux et plus implacables que leurs rivaux. Léon Trotski a écrit que « Lénine, chaque fois que l'occasion s'en présentait, soulignait la nécessité absolue de la terreur. » Lénine lui-même a déclaré sans ambiguïté en 1920 que « le concept scientifique de dictature signifie ni plus ni moins que le pouvoir absolu, reposant directement sur la force, limité par rien, ne subissant la contrainte d'aucune loi, d'aucune règle absolue. Cela et rien d'autre ».

Staline a tué près d'un million de personnes par an au cours du quart de siècle de son règne. Khrouchtchev et Brejnev ont fait l'un et l'autre leur apprentissage sous Staline, non point en distribuant des tickets de beurre mais en éliminant efficacement ceux que Staline considérait comme des menaces pour son pouvoir. En 1938, Khrouchtchev a été envoyé en Ukraine par Staline pour présider à un grand nettoyage politique. En une seule année, 163 membres du Comité central d'Ukraine sur 166 furent liquidés. Khrouchtchev devint aussitôt membre à part entière du Politburo.

Les forces darwiniennes du système soviétique engendrent des leaders implacables, et qui ne manquent pas d'habileté. Voici ce qu'écrit de Khrouchtchev l'ancien ambassadeur Foy Kohler :

« Pour moi il est l'incarnation de l'adjectif russe presque intraduisible *khitryi*... Selon le dictionnaire, il veut dire : rusé, matois, ingénieux, difficile à deviner, astucieux. Mais il signifie en fait plus encore ; il signifie aussi : sans scrupules, malin, adroit, retors. Combinez tous ces adjectifs en un seul et vous avec le *khitryi* Khrouchtchev — un lécheur de bottes ou un fanfaron, selon ce qu'exigent les circonstances, un démagogue et un opportuniste, toujours. »

Souvent, en Occident, nous nous laissons trop fortement impressionner par le style des manières et l'éducation des dirigeants d'autres pays, en oubliant que des manières élégantes ne font pas forcément un leader fort. L'éducation peut fortifier le cerveau et affaiblir le caractère.

Au début, de nombreux experts américains spécialistes de l'Union soviétique ont eu tendance à sous-estimer Khrouchtchev, en faisant valoir qu'il avait peu d'éducation, qu'il parlait mal le russe, qu'il buvait trop, qu'il avait des manières vulgaires. Mais ils étaient à côté du problème. John Foster Dulles, en revanche, avait su voir ce que cachait cette façade. Devant le conseil de la sécurité nationale, peu après la venue au pouvoir de Khrouchtchev, il l'a déclaré en termes très nets : « Toute personne qui survit et parvient au sommet dans cette jungle communiste, a-t-il dit à Eisenhower, est forcément un leader puissant et un ennemi dangereux. »

Dulles avait raison. Tout homme qui accède au sommet en Union soviétique est passé sur un tas de cadavres pour y parvenir. Il n'aurait pas réussi s'il n'avait pas donné aux autres des raisons de le craindre plus fortes que ses propres raisons de les craindre. Après avoir traversé les flammes des purges, des intrigues et des rivalités à couteaux tirés pour le pouvoir, les dirigeants soviétiques sont, à la sortie, de l'acier bien trempé.

Si les leaders soviétiques sont durs, il en est de même du peuple. Chaque souffrance infligée par les dirigeants a été supportée par la masse. L'adversité est un bon maître, et le peuple soviétique a donc été à bonne école. Remarquant qu'il connaissait des gens qui avaient survécu à la Révolution, à la collectivisation agricole, à la terreur stalinienne et à l'invasion allemande de la Seconde Guerre mondiale, le dissident soviétique Lev Kopelev a déclaré à un Américain : « Songez à quel point nous avons plus d'expérience que vous. »

Tout ceci n'est pas pour dire que le peuple soviétique, ou même ses dirigeants, sont mauvais en soi. Le vieil adage nous apprend à « détester le péché, mais jamais le pécheur ». J'aime le peuple russe. J'aime le peuple chinois. Je déteste le communisme et ce qu'il fait aux peuples. Les dirigeants communistes sont les produits d'un système cruel et les héritiers d'une tradition de violence. Ils agissent par instinct, exactement comme le tigre mangeur d'hommes et le piranha.

Dans son ensemble, le peuple d'Union soviétique est chaleureux, généreux, bon, et très capable à bien des égards. Il a souffert de violences, avant la Révolution et depuis. Les Russes ont tendance à s'entendre extrêmement bien avec les Américains. De nombreux dirigeants soviétiques peuvent être très charmants et se montrer sincèrement émus quand ils évoquent leurs espoirs pour la prochaine génération ou les dévastations subies par leur peuple au cours de la guerre. En 1973, j'ai donné un petit dîner privé pour Brejnev dans ma maison de San Clemente en Californie. Je lui ai porté un toast personnel particulièrement chaleureux. Quand on le lui a traduit, des larmes lui sont montées aux yeux, il s'est levé brusquement de sa chaise et m'a enveloppé dans une de ces étreintes d'ours, typiques des Russes. Mais plus tard, le même soir, il a entraîné Gromyko et Dobrynine dans mon bureau et il s'est lancé dans une violente attaque qui a duré trois heures sur les problèmes du Proche-Orient.

Le fait que les dirigeants russes puissent être personnellement très amicaux alors même qu'ils complotent la destruction du pays de leur interlocuteur, est une dichotomie, pas une contradiction. Ils opèrent sur plusieurs niveaux en même temps.

Ils peuvent être aussi chaleureux et démonstratifs en tant qu'individus qu'ils sont implacables en tant que détenteurs du pouvoir d'Etat. Car telle est la manière du système soviétique. La générosité, l'amour, la tendresse, la charité d'esprit, occupent une grande place dans l'âme russe, mais non dans les actions du gouvernement soviétique. C'est là une distinction que trop peu d'Américains semblent capables de faire.

La nature totalitaire du système soviétique est à la fois sa principale force et sa principale faiblesse. Fait remarquable, c'est Benito Mussolini qui a introduit le mot « totalitarisme » dans notre vocabulaire. Dans un texte de 1932, il a donné — de bonne source — cette interprétation du système fasciste :

« Le système fasciste souligne l'importance de l'Etat et ne reconnaît l'individu que dans la mesure où ses intérêts coïncident avec ceux de l'Etat... La conception fasciste de l'Etat embrasse tout ; en dehors de l'Etat, aucune valeur humaine ou spirituelle ne peut exister, encore moins avoir un quelconque prix... Pour le fascisme, l'Etat est absolu, les individus et les groupes ne sont admissibles que dans la mesure où ils agissent en concordance avec l'Etat. »

Cette description du fascisme par Mussolini se lit comme une charte du communisme.

La force du totalitarisme soviétique, c'est que le gouvernement peut concerter son effort dans tous les domaines : armée, économie, propagande, sciences, éducation. Une société libre pluraliste ne peut le faire. La plupart de ses décisions économiques sont prises sur la place du marché, son système d'éducation suit sa propre voie, sa presse est libre. Notre gouvernement peut subventionner certains aspects de la recherche scientifique et donc, par exemple, accélérer la mise au point de nouvelles armes ou de nouvelles techniques qu'il a choisies, mais le plus gros de notre recherche est orienté par le secteur privé, à des fins privées.

La faiblesse correspondante du système soviétique, c'est que son contrôle bureaucratique centralisé paralyse la créativité et limite les stimulants. Notre système plus libre offre des stimulants et encourage la créativité, et par conséquent nous *produisons* davantage : plus de biens, plus d'idées, plus d'innovations. Mais ils *concentrent* leur production, plus limitée dans les domaines qu'ils estiment mieux à même de servir leurs objectifs essentiels.

De même que Staline a exporté du beurre à la tonne et du blé par bateaux entiers pendant que des millions de paysans russes mouraient de faim, de même l'Union soviétique peut vraiment, aujourd'hui, arracher la chemise du dos de ses ouvriers pour construire davantage de missiles et des missiles plus puissants. Dans une perspective froidement militaire, c'est là un de ses plus grands avantages, car il permet aux dirigeants soviétiques de dépenser pour leurs forces armées une proportion du P.N.B. deux fois plus élevée que les Etats-Unis. Ils peuvent dire à leurs ouvriers où travailler, pendant combien d'heures, pour quel salaire, et sans jamais craindre de grèves.

Par suite de ces différences dans le système, la mobilisation de la nation est beaucoup plus difficile en Occident. Or elle est plus importante. En Union soviétique, l'Etat parle et le peuple obéit. Dans les pays de l'Ouest ce sont les gens qui parlent, leurs voix deviennent cacophonie, et chacun va son propre chemin. Les dirigeants soviétiques commandent. Les dirigeants occidentaux ne peuvent que conduire.

En Amérique, la volonté existe, à condition de trouver l'étincelle pour l'embraser. Comme l'a dit Churchill : « Nous n'avons pas accompli tout ce chemin à travers les siècles, à travers les océans, à travers les montagnes, à travers les pays, parce que nous étions faits de sucre d'orge. »

La plus grande force de l'Amérique dans ce conflit planétaire, c'est l'Amérique elle-même — notre peuple, notre terre, notre système, notre culture, notre tradition, notre réputation. L'histoire de l'Amérique est pleine de héros exemplaires : le rude paysan du Vermont, le mineur de Pennsylvanie, le gentleman-farmer du Sud, le « pétrolier » du Texas, le joueur de Las Vegas, le chercheur d'or de Californie, le bûcheron de l'Oregon — et j'en passe. Cow-boys, voleurs de grand chemin, pionniers, trappeurs, hors-la-loi et voleurs de chevaux — possèdent tous un trait commun, cher au folklore américain : l'individualisme. Nous avons toujours estimé et encouragé l'individu. L'acception des différences individuelles a toujours été notre marque.

Les Américains sont, eux aussi, un peuple généreux. Nous nous sommes montrés toujours prêts à aider les autres partout sur la planète. Nous avons offert des secours et encouragé le progrès dans le reste du monde parce que notre histoire nous a conditionnés à tenir la croissance pour un bien. Nous désirons avoir des voisins indépendants et autonomes, et des partenaires commerciaux prospères — des nations qui s'associent à nous pour chercher une forme d'intérêt commun dont chacun puisse profiter. C'est la raison pour laquelle les Etats-Unis ont des amis et des alliés, alors que l'Union soviétique a des sujets et des satellites.

Depuis la Proclamation de Neutralité de George Washington jusqu'au plan Marshall en passant par la doctrine Monroe, la politique américaine a été animée par le mépris de la guerre et le désir de répandre la liberté et la prospérité. Nous avons un respect naturel pour l'individualité des autres, et nous nous soucions de leur bien-être. Ces instincts débouchent sur une politique étrangère constructive, susceptible de forcer le respect sincère des autres nations — si nous faisons également preuve de la détermination que l'on attend d'une grande puissance.

Or c'est là, précisément, que réside notre principale faiblesse virtuelle, et le plus grand risque pour l'Occident. S'il doit y avoir une course aux armements nous pouvons la gagner, cela ne fait aucun doute. S'il doit y avoir une confrontation économique, nous pouvons la gagner, cela ne fait aucun doute. S'il doit y avoir une bataille pour « les cœurs et les esprits » des peuples du monde, nous pouvons la gagner, cela ne fait aucun doute. Mais ce qui est douteux, c'est notre chance de gagner la bataille dans laquelle nous allons être engagés : une épreuve de volonté et de détermination entre nous-mêmes et la puissance la plus dangereusement armée que le monde ait jamais connue.

William Buckley Jr a fait observer un jour qu'il préférerait être gouverné par les cent premiers noms de l'annuaire téléphonique de Boston que par les spécialistes de l'Université Harvard. Ceci traduit une analyse cruellement perspicace des forces et des faiblesses de l'Amérique. Le peuple dans son ensemble manque souvent de culture subtile, mais possède un bon sens pratique inné et, si nécessaire, il peut constituer un immense réservoir de courage et de volonté. L'observation de Buckley ne vise pas Harvard en particulier, mais Harvard symbolise bien la majorité de l'élite intellectuelle et culturelle de l'Amérique : brillante, créatrice, esclave des modes, facile à mystifier, imbue d'elle-même et aveugle d'un œil : elle a tendance à voir le mal uniquement vers la droite, pas vers la gauche. Extrêmement subtile quand il s'agit d'idées dans l'abstrait, elle a tendance à devenir extrêmement simpliste et naïve quand on la place devant le conflit planétaire réel dans lequel nous nous trouvons engagés. La « guerre » est « mauvaise », la « paix » est

« bonne », et se gargariser de mots répond à tout.

Mais alors que les guerres de l'Amérique sont livrées par l'homme de la rue, leur ordre du jour est fixé par l'élite intellectuelle — et c'est là le problème le plus grave du pays. Aujourd'hui la vie ou la mort de l'Occident reposent entre les mains de cette nouvelle élite puissante : les gens qui déterminent les conditions du débat public, qui manipulent les symboles, qui décident si telle ou telle nation, tel ou tel homme d'Etat seront présentés sur cent millions de postes de télévision comme « bons » ou « mauvais ». Et cette élite puissante fixe même les limites de ce qui est possible aux présidents et au Congrès. Elle modèle les sentiments qui mettent en branle le pays, ou qui l'embourbent.

L'Amérique a perdu au Vietnam parce que cette élite puissante a dépeint systématiquement, tout d'abord Diem, puis Thieu, comme des dictateurs corrompus, insinuant donc que la guerre ne valait pas la peine d'être livrée — mais en refusant de voir que l'autre terme de l'alternative serait bien pire. Le Chah d'Iran et le président Anastasio Somoza du Nicaragua ont connu le même destin — avec les Etats-Unis lançant des peaux de bananes pour précipiter leur chute. Et pendant ce temps, Andrew Young, qui était encore notre ambassadeur aux Nations unies, proposait une auréole de saint à l'Ayatollah Khomeiny et louait les troupes cubaines pour avoir apporté la « stabilité » en Afrique. La télévision pare de romantisme les révolutionnaires, ce qui accroît de beaucoup les chances de victoire des guerres révolutionnaires soutenues par les Soviétiques — exactement comme l'auréole romantique offerte à Fidel Castro il y a vingt ans par le *New York Times* a joué un rôle déterminant pour légitimer sa révolution, condition de sa victoire.

Cette constellation d'attitudes n'a rien de nouveau. Reinhold Niebuhr a fait remarquer jadis que le communisme était plus dangereux pour l'Occident que le fascisme à visage découvert des Nazis, car « la Russie se présente à chaque nation qu'elle entend asservir comme un "libérateur" du "fascisme" et de l'oppression "impérialiste". Un idéal corrompu peut être plus puissant que la négation manifeste de toutes les valeurs idéales. La preuve de cette efficacité supérieure se manifeste dans le fait que les "cinquièmes colonnes" russes dans le monde occidental ne sont pas composées par les misérables traîtres qui constituaient le *Bund* dominé par les Nazis, ni même par de simples agents du parti communiste. Elles comprennent des milliers d'idéalistes abusés qui croient encore que la Russie est la sage-femme d'une société idéale sur le point de naître ». La plus grande subtilité du communisme ne le rendrait pas plus dangereux que le nazisme si les mandarins de la pensée occidentale faisaient preuve de plus de discernement.

Bien que la définition du fascisme par Mussolini décrive parfaitement bien le communisme soviétique, le fascisme a été catalogué « à droite » et donc « mauvais », alors que le communisme était catalogué « à gauche » et par conséquent, sinon véritablement « bon », du moins digne d'être considéré sous un jour sympathique, qui met en valeur ses promesses tout en laissant dans l'ombre ses horreurs.

La collectivisation forcée de l'agriculture soviétique au cours des années 30 a été l'une des plus monumentales cruautés de l'histoire humaine, et à bien des égards le modèle du génocide tragique du Cambodge de notre temps. Des familles ont été écartelées, des paysans abattus pour avoir essayé de conserver un porc ou une vache ; des millions d'êtres, une fois leurs biens confisqués, ont été entassés dans des charrettes et envoyés à la mort dans les déserts glacés de Sibérie. Des enfants, devenus orphelins ou séparés de leurs parents, erraient dans la campagne sans abri, avant de mourir de faim. Mais à l'Ouest, les mandarins de la mode intellectuelle s'étaient tellement entichés du romantisme de la révolution qu'ils fermaient les yeux sur ces flots de sang pour ne voir que la gloire. George Bernard Shaw, par exemple, au beau milieu de ces horreurs, a pu dire dans une conférence de presse à Moscou qu'il était « plus que jamais convaincu » que les pays capitalistes « devaient adopter les méthodes de la Russie », et il a écrit dans le livre d'or de son hôtel : « Il n'y a pas aujourd'hui dans le monde un pays plus intéressant à visiter que la Russie soviétique, et j'ai trouvé mon voyage ici sûr et agréable... Je quitte demain cette terre d'espérance et je retourne dans nos pays occidentaux de désespoir. »

Evoquant l'époque où il était le correspondant à Moscou du *Manchester Guardian*, au cours de l'ère stalinienne, Malcolm Muggeridge a rappelé récemment « le spectacle extraordinaire de l'intelligentsia libérale qui accourait alors à Moscou comme des pèlerins à La Mecque. Et ils étaient tous absolument ravis et excités par ce qu'ils y voyaient. Des prêtres allaient et venaient, sereins et heureux, dans les musées anti-Dieu, des hommes politiques proclamaient qu'aucun système de société ne pouvait être plus équitable et plus juste, des avocats admiraient la justice soviétique, et des économistes chantaient les louanges de l'économie du pays ». C'est cela, ajoute-t-il, « qui m'a fait toucher du doigt le grand désir de mort du libéralisme, qui m'a fait réaliser que l'homme occidental avançait comme un somnambule vers sa propre ruine ».

William Pfaff du *New Yorker* remarque que ceux « qui croyaient dans le communisme russe, et qui sont partis, enthousiastes, à Moscou il y a un demi-siècle pour voir ce qu'ils désiraient voir et rien d'autre, n'étaient pas des hommes sans importance. Il y avait parmi eux John Reed, Bernard Shaw, André Gide (pour peu de temps), Theodore Dreiser, John Dos Passos, Julian Huxley ». Plus récemment, poursuit-il, « avec Staline mort et l'Union soviétique discréditée en tant que société réformatrice, les communistes de Mao Tsé-toung et de Hô Chi Minh ont assumé la fonction " d'idéal de beauté " pour une nouvelle génération d'idéalistes européens et américains ». Ces gens « ne voient dans le caractère politique et dans les réalisations d'autres pays que ce qu'ils veulent y voir... Pour certains étrangers admiratifs, le Vietnam et la Chine n'ont trop souvent été que des pays existant surtout dans leurs têtes. Et comme il s'agissait de pays imaginaires, ils étaient préservés de la corrosion de l'existence, de l'usure de la vie. Leur foi en eux pouvait demeurer intacte ; ils pouvaient continuer obstinément de croire que c'étaient des sociétés justes, de coopération chaleureuse, d'assistance mutuelle, d'honnêteté simple, où l'on dit toujours toute la vérité ».

La même vision borgne existe à l'égard de l'Afrique. Longtemps avant la chute d'Idi Amin, les brutalités qu'il commettait en Ouganda étaient si largement révélées qu'aucun de ses éventuels défenseurs n'aurait osé qualifier la chose autrement que de boucherie barbare. Pourtant, on passa sous silence l'hypocrisie des dirigeants africains lorsqu'ils élurent Idi Amin président de l'Organisation de l'Unité africaine, sans cesser pour autant d'accabler l'Occident de leurs foudres moralisatrices. Les étudiants de Harvard réclamèrent le boycott de l'Union sud-africaine, pas celui de l'Ouganda ou du Mozambique dominé par les communistes. En Afrique du Sud, les Noirs sont contraints de rester dans certaines zones, et certaines formes de fraternisation leur sont interdites. En Ouganda, les têtes de Noirs ougandais ont été écrasées à coups de marteau, leurs jambes ont été coupées en morceaux et on les a forcés à manger la chair de leurs compagnons de détention avant de les mettre à mort à leur tour. Mais l'indignation « de bon ton » ne s'enflamme que contre l'apartheid, pas contre la sauvagerie.

Le philosophe Eric Hoffer a écrit :

« L'un des privilèges étonnants des intellectuels, c'est qu'ils sont libres de se montrer scandaleusement stupides sans mettre à mal leur réputation. Les intellectuels qui idolâtraient Staline au moment où il « purgeait » des millions d'hommes et où il étouffait les derniers sursauts de liberté, n'ont pas été discrédités pour autant. Ils continuent de pontifier sur tous les sujets possibles, et on les écoute avec déférence... Le grammairien métaphysique Noam Chomsky, qui est allé à Hanoï célébrer le culte des droits de l'homme et de la démocratie, n'a pas été discrédité et réduit au silence quand les communistes humanitaires ont déployé leur cauchemar sur le Vietnam du Sud et le Cambodge. »

Il n'est pire aveugle que celui qui ne veut pas voir — et telle a été l'attitude d'une grande partie des intellectuels qui tiennent le haut du pavé dans l'Amérique de notre temps. Malheureusement, comme l'a fait observer Hugh Seton-Watson, « rien ne peut protéger une société contre elle-même, si les cent mille hommes et femmes de son élite — ceux qui prennent les décisions et ceux qui contribuent à modeler la pensée présidant à ces décisions — sont déterminés à capituler ».

Un trop grand nombre d'hommes, parmi ceux qui devraient sauvegarder et défendre ce que l'Amérique représente, ont été, à la place, paralysés par un sentiment de culpabilité mal placé, qui les a poussés à ne plus avoir foi en notre civilisation. Comme l'a écrit le rédacteur de *Commentary*, Norman Podhoretz, « les forces qui ont empêché à la fois le renforcement de notre puissance militaire et la vitalisation de notre potentiel économique semblent se fonder sur la conviction persistante, partagée par bon nombre de gens, que la forme de société et de civilisation que nous possédons ne mérite pas d'être maintenue — ne mérite ni d'être défendue par des moyens militaires, ni d'être perpétuée par des moyens économiques ».

Si l'Amérique perd la Troisième Guerre mondiale, ce sera par la faute de sa classe dirigeante. Plus particulièrement, ce sera à cause de l'attention, de la célébrité et de la légitimité que l'on accorde aux intellectuels à la mode, les *trendies* qui déterminent les tendances — ces dilettantes à la gloire surfaite, qui font la roue avec les idées « dernier cri », qui organisent des manifestations « de bon ton », et que la presse ne cesse de couvrir de fleurs (après tout, ce sont les media qui les ont créés de toute pièce). L'attention qu'on leur accorde et les « causes » qu'ils défendent, parent de romantisme ce qui est trivial et rendent trivial ce qui est sérieux. Ils rabaissent la discussion publique au niveau de la bande dessinée. Quelle que soit la dernière cause qu'ils embrassent — antiguerre, antinucléaire, antimilitaire, antiéconomique — c'est presque invariablement une cause allant contre l'intérêt des Etats-Unis dans le contexte de la Troisième Guerre mondiale.

Ces intellectuels « dans le vent » ont toujours une opinion toute prête quand on leur tend un microphone, et leurs opinions sont traitées comme de l'actualité — non point parce qu'ils font autorité, mais parce que ce sont des célébrités. Leurs esprits sont imperméables à la discussion et leurs arguments imperméables au fait. Tout n'est que façade et ronds de jambes. Certains considèrent que le spectacle qu'ils donnent est un complot, et ils se demandent s'il n'est pas orchestré depuis Moscou. Mais là n'est pas la question. Ce n'est pas un complot, c'est du conformisme. Si c'était un complot, le problème serait plus facile à résoudre. Les *trendies* sont une armée de jobards, faisant voile selon les caprices de la mode, aimantés par le bruit des bravos. Ils se baptisent « libéraux » parce que le « libéralisme » est dans le vent. Comme l'a souligné Michael Novak, « l'esprit libéral croit en l'énergie puissante de l'âme individuelle. Il croit en une économie libre et en une politique libre... Les libéraux devraient commencer par renforcer les institutions modérées de la société qui sont les seules capables, en tant qu'organismes sociaux, de tenir en échec le pouvoir de l'Etat. »

Il existe une sorte de loi de Gresham [1] qui s'applique à la discussion publique : les mauvaises idées chassent les bonnes et les prises de position creuses ferment la porte à tout débat sérieux.

A une époque moins dangereuse nous pouvions nous permettre de tolérer sur la scène publique les simagrées des songe-creux à la mode. Mais aujourd'hui notre survie en tant que nation dépend de notre aptitude à distinguer entre le significatif et l'insignifiant.

Nous sommes confrontés à des problèmes complexes, et les solutions ne sont pas du tout évidentes. L'étude calme, rationnelle, des diverses possibilités et des diverses conséquences est donc plus que jamais nécessaire. Et il est de même plus que jamais nécessaire de veiller scrupuleusement à ce que nos décisions soient prises sur la base de faits, et non de fantasmes.

Le trait le plus caractéristique de l'élite intellectuelle et de la presse de notre temps, c'est qu'elle nage joyeusement dans une mer de fantaisie. Le monde de la télévision est essentiellement un monde d'irréalité, or la télévision est aujourd'hui le dénominateur commun de la communication, le facteur unificateur de l'Amérique contemporaine. Ceci représente pour l'avenir des perspectives effrayantes.

Les idées que l'on peut mettre sur des autocollants ne sont pas des idées du tout, ce sont de simples slogans. Et les slogans ne sauraient remplacer

---

1. Gresham, financier anglais du XVIᵉ siècle a fait l'observation suivante : quand deux pièces de monnaie ont la même valeur pour acquitter les dettes, mais des valeurs intrinsèques inégales, celle qui a une valeur intrinsèque inférieure a tendance à rester en circulation tandis que l'autre est thésaurisée ou exportée sous forme de lingots. *(N.d.T.)*

l'analyse. Hélas ! la télévision est trop souvent, par rapport à l'actualité, ce que les autocollants sont à la philosophie, et cela a un effet corrosif sur la compréhension par le public des problèmes dont peut dépendre la survie du pays.

C'est seulement au cours de ces dernières années que s'est dissipée l'idée que la vie devait par nature être facile. Choyés, cajolés, gâtés, idolâtrés, les Américains de toute une génération ont été élevés dans la croyance qu'ils étaient destinés à traverser la vie en vol plané — et que toute différence entre la société américaine telle qu'elle est et un idéal utopique aseptisé était la preuve que la société américaine est corrompue. La principale menace qui pèse sur une société fortement développée n'est pas que la surconsommation épuise ses ressources, mais plutôt que, privée de l'aiguillon des rigueurs de la vie, elle laisse s'affaiblir son sens de la réalité et devienne la proie des barbares, toujours à l'affût. Là où l'abondance est facile, il devient trop facile de supposer que la sécurité est tout aussi aisée à assurer. Le bon sens de la rue, la sagesse de la jungle, la prudence aiguë qui vient naturellement à ceux qu'une existence précaire maintient constamment en alerte, s'atrophient sur le mol oreiller d'une existence où le bien-être et le respect de la personne sont tenus pour acquis.

Si on leur donnait le choix, la plupart des gens aimeraient mieux partir en croisière dans les Antilles que faire l'exercice avec la milice. Nous avons pris l'habitude, et c'est très tentant, de consulter nos espérances plutôt que nos craintes, et de parer des oripeaux de la vertu morale toute conception optimiste de la nature humaine. Il est ensuite tellement plus facile, la conscience tranquille, de dénoncer comme « alarmistes » ceux qui nous disent de nous préparer au pire pour sauver le meilleur ! Nous réveiller de la léthargie exige un effort de volonté.

338

Le relâchement est la maladie que donne le confort et c'est la raison pour laquelle, dans le passé, toutes les civilisations parvenues au confort ont été détruites par des civilisations moins avancées. Notre devoir est de nous assurer que cela ne nous arrive point.

Si l'Occident perd la Troisième Guerre mondiale, ce sera pour ne pas avoir voulu voir la réalité en face. Ce sera pour s'être laissé vivre dans un monde de rêve, pour avoir introduit dans le dialogue public des fictions romantiques, et pour avoir imaginé que les moralisations simplistes peuvent triompher de l'acier.

Mais il faut reconnaître — et c'est l'une des clefs du problème — que le déclin de la volonté en Amérique n'a pas été un défaut du peuple mais une carence des dirigeants. Robert Nisbet écrit : « On dirait que nous vivons dans un nouvel âge où le " manque de nerf " est le trait dominant ; non point dans les esprits de la majorité de l'Amérique, mais dans les têtes de ceux qui devraient être les gardes-barrières des idées : les intellectuels. » Alexandre Soljénitsyne a fait observer que le « déclin du courage » était le trait le plus frappant de l'Occident : « Ce déclin du courage est particulièrement manifeste parmi les groupes au pouvoir et l'élite intellectuelle, ce qui donne l'impression que la société tout entière a perdu sa vaillance... Faut-il souligner, demande-t-il, que depuis l'Antiquité, le déclin du courage a toujours été considéré comme le commencement de la fin ? »

L'Amérique est un géant qui sommeille. Il est temps de réveiller ce géant, de définir ses objectifs, de rétablir sa force et de revitaliser sa volonté. C'est le seul moyen de sauver l'Occident et les institutions de liberté partout dans le monde, de la barbarie implacable qui nous menace tous. Comme Soljénitsyne l'a également écrit, « aucune arme, aucun élément matériel, si puissant soit-il, ne pourra aider l'Occident s'il ne se guérit pas de son manque de volonté agissante. Dans un état de faiblesse psychologique, les armes deviennent un fardeau pour le camp prêt à capituler ».

La guerre du Vietnam n'a pas été perdue sur les champs de bataille de l'Asie. Elle a été perdue dans les antichambres du Congrès, dans les salles de délibération des sociétés, dans les bureaux des établissements et dans les salles de rédaction de grands journaux et de grands réseaux de télévision. Elle a été perdue dans les réceptions de Georgetown, dans les salons du « beau monde » de New York, et dans les amphithéâtres des grandes universités. La classe qui a donné au pays l'élan puissant qui a permis la victoire au cours des deux premières guerres mondiales, a trahi l'Amérique au cours de l'une des batailles décisives de la Troisième Guerre mondiale — le Vietnam.

Ils avaient leurs excuses. Ils disaient que c'était une mauvaise guerre, au mauvais endroit (comme si une guerre pouvait être une bonne guerre au bon endroit !). Ils disaient qu'en aidant le Sud-Vietnam, nous ne faisions qu'apporter la mort et la destruction. Ils disaient que le Sud-Vietnam était sans importance et ne valait pas la peine d'être sauvé. Depuis lors, l'afflux des réfugiés du Vietnam et le destin tragique du peuple du Cambodge ont déchiré les consciences de plus d'un d'entre eux. Aujourd'hui, ils ont à la fois le devoir et l'occasion de contribuer à rétablir la force et le rayonnement de l'Amérique, pour éviter que les tragédies de ce genre se reproduisent à une échelle encore plus vaste.

Le plus grand changement survenu dans les institutions de la classe responsable en Amérique, a été la mise en place, entre les mains des media, d'un énorme pouvoir de nature nouvelle. Mais les carences de la classe responsable ne se limitent pas à l'élite intellectuelle et à la presse. Jadis les responsables des « grosses affaires » constituaient un bastion défendant la puissance américaine, tout en restant rigoureusement indépendants. Aujourd'hui, à certaines exceptions près, ils sont devenus timides, ils hésitent à faire des vagues dans les eaux bureaucratiques ou à offenser les porte-paroles du consommateur ; à mesure que les grandes sociétés sont devenues d'énormes bureaucraties, les directeurs et les présidents eux-mêmes sont devenus des bureaucrates. Il reste très peu de grands capitaines d'industrie que j'oserais lancer dans l'arène en face d'un Brejnev en bonne santé. Un George Meany ou un Frank Fitzsimmons auraient tout de même fait l'affaire. Quand la situation était au plus bas, quand l'avenir de l'Amérique était en jeu et que j'ai eu besoin de soutien pour des décisions vraiment dures, je l'ai rarement obtenu de directeurs de sociétés ou de recteurs d'universités. Je l'ai obtenu de responsables syndicaux, de petits hommes d'affaires, de l'« Amérique moyenne ». Le peuple a le cœur solide, la volonté ferme et les « tripes » qui ont sauvé l'Amérique dans le passé et qui la sauveront de nouveau.

Maintenant que les passions soulevées par le Vietnam se sont apaisées et que les Soviétiques utilisent impudemment l'Armée Rouge elle-même pour accaparer certains pays, l'élite intellectuelle commence à s'émouvoir et à prendre conscience de la réalité du défi soviétique. La France, où la gauche a dominé pendant si longtemps les cercles intellectuels, produit aujourd'hui les réflexions les plus rigoureuses et les plus réalistes de l'Occident. J'espère que cela deviendra une « tendance » dans tout l'Occident et que les dirigeants américains recommenceront bientôt à orienter leurs décisions selon les exigences de la survie nationale.

L'Amérique doit affronter la réalité du pouvoir. Elle doit l'accepter, souscrire à son existence, consentir à son exercice et admettre les résultats parfois teintés d'ambiguïté inévitables dans ce monde imparfait et dominé par le jeu des conflits.

L'époque est révolue où nous pouvions nous permettre de temporiser, de tergiverser, d'hésiter ; où nous pouvions nous offrir le luxe de ratiocinations moralisantes — c'était une bonne excuse pour ne pas tremper nos pieds dans les eaux bourbeuses. Mais aujourd'hui, nous devons préparer notre contre-offensive stratégique, et chaque instant perdu rétrécit notre marge de sécurité, déjà dangereusement mince.

Il est vrai qu'un pays qui confond célébrité et sagesse, et qui considère ses idoles de rock'n'roll et ses actrices de cinéma comme des oracles, mérite peut-être de perdre ; mais l'Amérique ne se réduit pas à cela. On trouverait davantage de force de caractère, davantage de bon sens, davantage de détermination — si seulement le public pouvait être éveillé à la réalité. Et qu'on ne s'y trompe pas : si le peuple américain se réveille un jour en face du choix brutal entre guerre et servitude, il se battra. Il combattra avec des missiles, des avions, des bateaux, des tanks ; il combattra s'il le faut avec des bâtons et des cailloux, et avec ses ongles nus.

Les Américains n'ont pas connu la souffrance à la même échelle que les Soviétiques. Mais nous l'avons connue et nous l'avons surmontée. La conquête de l'Ouest n'était pas une partie de plaisir. La Première et la Deuxième Guerre mondiale n'étaient pas Woodstock. Les immigrants qui ont abordé nos rivages à une époque où la Sécurité sociale n'existait pas encore, ont dû lutter des pieds et des mains pour survivre, et cela a fait d'eux des hommes forts. Nous n'avons pas affronté la souffrance à l'échelle soviétique parce que nous n'avons pas eu à le faire. Mais nous avons prouvé à maintes reprises que nous pouvions faire ce que nous avions à faire, une fois admise la nécessité de le faire.

Si ceux qui n'ont jamais vécu l'absence de liberté

sont lents à reconnaître à quel point la liberté compte pour eux, il est tout aussi vrai que ceux qui n'ont jamais vécu *en* liberté, peuvent sous-estimer la force que possède un peuple libre, déterminé viscéralement à sauvegarder sa liberté. Confronté soudain à la perspective de perdre sa liberté, ce peuple redécouvrira sa valeur. Et c'est cela, en définitive, qui doit donner à réfléchir aux dirigeants du Kremlin.

Quoi qu'il en soit, nous devons étayer cette vérité de base par des actes qui expriment comme il convient toute sa portée. Nous devons montrer au Kremlin que sa course à la suprématie militaire est futile en dernière analyse. Nous devons admettre que la situation dans laquelle nous sommes engagés est une guerre, même si ce n'est pas une « guerre » au sens conventionnel défini par nos livres d'histoire. Et si nous voulons éviter l'escalade jusqu'au niveau d'un véritable conflit armé, nous devons livrer le combat efficacement sur le plan non militaire.

L'élément crucial qui permettra de définir une stratégie permettant d'obtenir la victoire sans guerre, c'est le pouvoir de la volonté. Le pouvoir militaire et le pouvoir économique sont nécessaires, mais ils sont inutiles sans la volonté.

On a dit que quand la volonté existe, les solutions existent. Comme nous l'avons si souvent prouvé dans le passé, en mobilisant notre volonté, nous mettrons les solutions à jour.

X

LE POUVOIR DU PRESIDENT

> Les présidents doivent posséder une volonté de puissance, sinon ils ne seront pas de bons présidents. Ils doivent constamment rechercher la puissance, la construire (si nécessaire) à partir du moindre élément d'autorité officielle et d'influence personnelle qu'ils peuvent réunir. Ils doivent sauvegarder constamment toute puissance qu'ils ont réussi à acquérir. Ils doivent accumuler la puissance pour la mettre à la disposition de l'avenir.
>
> James McGregor Burns

> Quand on veut faire silence, on baisse la voix ; quand faut-il relever le menton avec défi ?
>
> Hugh Sidey

La première fois que je suis entré au Congrès, il y a plus de trente ans, Truman était à la Maison Blanche, Staline au Kremlin, MacArthur gouvernait le Japon et l'Europe était en ruine. Depuis lors, j'ai observé les nations, leurs progrès et leurs déclins , et j'ai vu des hommes d'Etat réussir et échouer. L'Amérique a vécu sept mandats présidentiels. Elle a affronté bien des crises, livré deux guerres, et a évité de peu d'en livrer plusieurs autres.

En observant le déroulement des événements du monde au cours de toutes ces années, je me suis rendu compte que l'un des facteurs les plus décisifs pour la force et la cohésion de l'Occident — et pour les perspectives de paix — est l'autorité du président des Etats-Unis.

Le Président exerce un grand pouvoir en période de guerre, en tant que commandant en chef des forces armées. Mais il a également un pouvoir énorme quand il s'agit d'empêcher la guerre et de sauver la paix. Ayant eu ces deux responsabilités, je sais que la seconde peut être encore plus importante que la première. Et il est sûrement plus difficile de l'exercer efficacement, surtout en cette époque de « guerre que l'on nomme paix ».

En temps de paix, les Américains préfèrent mener les débats sur la scène internationale selon les règles du marquis de Queensberry[1]. Mais les dirigeants soviétiques appliquent en temps de paix les mêmes règles que pendant la guerre — et ce sont les règles du combat de rue : tous les coups sont permis. Pour relever leur défi, le président des Etats-Unis doit utiliser tout le pouvoir dont il dispose de façon efficace et responsable. Et dans cette phrase, « responsable » évoque notamment la responsabilité particulière qu'il est le seul à assumer : celle de la survie de la nation et de l'avenir du monde libre.

Ceci exige de sa part un certain réalisme de la pensée, et non de la naïveté ; il doit être un diplomate d'expérience ; il doit savoir quand s'adresser au sommet et ce qu'il faut faire dans ces circonstances : il ne doit jamais céder à nos adversaires sans obtenir quelque chose en échange, tout en respectant le principe de l' « ouverture » quand cela est possible, il doit conserver le secret quand cela est nécessaire ; il doit admettre que réunir des renseignements et entreprendre des opérations secrètes sont des procédés aussi justifiés pour empêcher la guerre que pour la livrer ; et enfin il doit accepter la réalité telle qu'elle est : à savoir que l'on ne peut attendre, et que l'on ne saurait exiger, de la conduite des nations qu'elle réponde à des critères de perfection morale. Un

1. Le marquis de Queensberry, qui a patronné à ses débuts le règlement de la boxe sportive, est devenu le symbole du « fair play ». *(N.d.T.)*

président doit avoir une vision planétaire des choses, le sens de la juste proportion des éléments en présence, et un sentiment aigu de ce qui est *possible*. Il doit savoir comment le pouvoir fonctionne, et il doit avoir la volonté de s'en servir.

L'utilisation efficace du pouvoir, en particulier sur la scène mondiale, est un art que seule l'expérience peut enseigner. Mais nous pouvons tirer des leçons de l'expérience d'autrui. Nous pouvons nous fonder sur la sagesse des autres. Aux jours de gloire de l'Empire britannique, les jeunes Anglais étaient éduqués avec les yeux tournés vers les coins les plus reculés de la terre. Les Anglais possédaient, parmi leurs traditions nationales, celle de gouverner un vaste empire à partir d'une petite île ; c'est une des raisons pour lesquelles ils étaient si habiles à cet égard. La vision planétaire est une chose qui s'acquiert naturellement, de même que la conscience intime de l'exercice du pouvoir et des manières d'être du monde. Dans le monde de l'après-guerre, l'Amérique a assumé des responsabilités planétaires ; nous devons essayer de préparer la prochaine génération à les assumer à son tour. Nous devons comprendre que même si le choix du président des Etats-Unis est l'affaire des seuls Américains, ce choix peut déterminer l'avenir des peuples libres partout dans le monde.

Si j'avais la possibilité de graver dix commandements sur les murs du Bureau ovale à l'intention de mes successeurs au cours des années dangereuses que nous allons vivre, ils seraient les suivants :

1. Toujours être prêt à négocier, mais ne jamais négocier sans être prêt.

2. Ne jamais prendre d'attitude belligérante mais toujours être ferme.

3. Toujours se souvenir que les accords doivent être conclus aux yeux de tous, mais négociés dans le secret.

4. Ne jamais chercher une publicité susceptible de handicaper les résultats.

5. Ne jamais abandonner unilatéralement ce qui

pourrait servir de monnaie d'échange. Forcer les Soviétiques à donner quelque chose pour tout ce qu'ils obtiennent.

6. Ne jamais laisser votre adversaire sous-estimer ce que vous *feriez* en réponse à un défi. Et ne jamais lui dire à l'avance ce que vous *ne ferez pas*.

7. Toujours laisser à votre adversaire une ligne de retraite lui permettant de sauver la face.

8. Faire toujours une distinction nette entre les amis qui respectent certains droits de l'homme et les ennemis qui répudient *tous* les droits de l'homme.

9. Faire toujours pour nos amis au moins autant que nos adversaires font pour nos ennemis.

10. Ne jamais perdre la foi. Dans une cause juste, la foi peut remuer des montagnes. La foi sans la force est futile, mais la force sans la foi est stérile.

Ces dix règles posées, j'aimerais suggérer que le Président conserve dans le tiroir de son bureau, dans sa tête mais hors de vue, un onzième commandement : en disant « toujours » et « jamais », faire toujours une réserve mentale ; ne jamais exclure l'exception unique ; se garder en toutes circonstances une marge de manœuvre. « Toujours » et « jamais » sont les bornes du chemin, mais dans la diplomatie au niveau planétaire, les enjeux sont trop élevés pour que l'on puisse se donner des principes immuables. Un président doit toujours être prêt à faire ce qu'il pensait ne jamais devoir faire.

Diplomatie et secret

Par sa nature même, la diplomatie, pour avoir une chance de réussir, doit échapper au concert des caméras et des microphones. La diplomatie n'a rien à voir avec les âpres marchandages des bazars de l'Orient ; c'est au contraire un processus silencieux, souvent subtil, permettant de sentir à quel point précis les divers éléments de la position de votre interlocuteur sont négociables. Il s'agit d'essayer diverses combinaisons d'échange. Les négociateurs doivent avoir la possibilité de proposer des solutions d'essai, d'étudier des contre-propositions, et de mettre à l'épreuve les réactions de leur interlocuteur. Ils ne peuvent pas se le permettre si la négociation n'est pas secrète. Toute négociation authentique est la recherche d'une forme d'accommodement qui fait progresser les intérêts particuliers de chacun. Dans un accord de ce genre, chaque partie obtient quelque chose, et chaque partie renonce également à quelque chose. La révélation prématurée d'une fraction de l'accord — ou même de propositions provisoires susceptibles d'être abandonnées plus tard — peut saboter l'ensemble de l'accord. Le secret des négociations fait avancer l'entente. La publicité la détruit.

Très souvent, la diplomatie du silence parvient à des résultats que n'aurait jamais obtenus la diplomatie publique. Un exemple classique illustrant cette vérité s'est produit pendant mon premier mandat, en 1970. A l'automne de cette année-là, les vols d'avion U-2 sur Cuba révélèrent que l'on était en train de construire à Cienfuegos une base susceptible d'être utilisée par des sous-marins armés de missiles nucléaires. C'était une violation flagrante de l'accord américano-soviétique sur Cuba. Mais au lieu de lancer publiquement au visage des Russes que nous étions au courant de cette violation, nous avons préféré utiliser la diplomatie du silence, pour qu'ils puissent se retirer sans perdre la face aux yeux du monde. Henry Kissinger a informé l'ambassadeur soviétique Anatoli Dobrynine que nous étions au courant de la construction de cette base, lui a dit sans ambiguïté que nous considérions cela comme une violation de notre accord, et a fait savoir à Dobrynine que nous ne faisions aucun bruit autour de l'affaire uniquement pour que les Soviétiques puissent se retirer sans confrontation publique.

Deux semaines plus tard, Dobrynine remettait à Kissinger une note réaffirmant les termes de notre accord de 1962 sur Cuba et précisant que les Soviétiques ne faisaient rien en violation de cet accord. Les vols d'U-2 montrèrent que sur le site des sous-marins la construction s'était ralentie. Après quelques atermoiements pour sauver la face, elle s'arrêta complètement et la base de Cienfuegos fut abandonnée. Notre stratégie avait fonctionné. Les Russes avaient décidé de profiter de la marge de manœuvre que leur offrait notre stratégie souple. En niant l'existence même de la violation, ils faisaient marche arrière tout en sauvant la face : la crise était évitée. La diplomatie du silence, soutenue par des nerfs solides et un arsenal militaire encore supérieur à ce moment-là, avait triomphé. Nous n'avons pas lancé l'affaire en pâture au public, car les Russes n'auraient pu se retirer qu'en perdant beaucoup de prestige. Nous avons délibérément facilité leur retraite, évitant ainsi une nouvelle confrontation à propos de Cuba.

Cet épisode a bien démontré la sagesse du précepte de Liddell Hart :

« C'est un principe élémentaire de stratégie : si vous rencontrez votre adversaire dans une position forte, difficile à abattre, il vous faut lui laisser une ligne de retraite — c'est le moyen le plus rapide d'affaiblir sa résistance. Ce devrait être également un principe de politique, surtout en temps de guerre, que de donner à votre adversaire l'échelle qui lui permettra de s'enfuir. »

Notre silence a été l'échelle dont les Soviétiques se sont servis.

Au cours des réunions de Camp David en 1978 avec le président égyptien Anouar el-Sadate et le premier ministre israélien Menahem Begin, le président Carter a également démontré de façon indéniable les avantages que l'on a à négocier dans une atmosphère libre des aboiements de la presse. Ses réunions secrètes avec Sadate et Begin se sont révélées absolument essentielles pour les accords de principe qui ont ouvert la voie au traité de paix israélo-égyptien.

Il y a évidemment des moments où rendre les choses publiques devient une tactique utile pour faire avancer la négociation, pour rallier des soutiens, pour exercer des pressions sur l'interlocuteur, ou bien pour contrer la propagande de l'ennemi. En janvier 1972, j'ai révélé au public que depuis deux ans et demi Henry Kissinger faisait périodiquement des voyages secrets à Paris pour conduire des négociations avec des représentants du Nord-Vietnam, et j'ai également révélé les propositions secrètes que nous avions avancées. Le Nord-Vietnam exploitait avec cynisme le secret de ces négociations : on nous accusait d'intransigeance alors qu'en réalité nous avions fait des propositions de paix extrêmement conciliantes, et que les Nord-Vietnamiens se montraient aussi intraitables qu'un mur de pierre. Dans ce cas, avec le Nord-Vietnam qui tentait de fatiguer la bonne volonté américaine en nous reprochant l'absence de progrès — ce qui attisait les sentiments antimilitaristes à l'intérieur — il devenait important d'ouvrir le dossier au public. Comme je l'ai déclaré à ce moment-là : « De même que des négociations secrètes peuvent parfois résoudre une impasse publique, de même une révélation au public pourra peut-être résoudre une impasse dans les négociations secrètes. » Mais même dans un cas comme celui-là, la révélation au public est une tactique ; les négociations elles-mêmes doivent malgré tout se dérouler en secret.

Le diplomate anglais Sir Harold Nicolson a évoqué le problème de la diplomatie secrète dans son ouvrage *Diplomacy*. Selon ses termes, alors que la politique étrangère doit être proclamée ouvertement et soumise à l'examen le plus strict du public, les négociations qu'il faut entreprendre pour mettre en œuvre cette politique doivent rester secrètes, sinon la politique elle-même sera sabotée. En commentant les démarches secrètes de Woodrow Wilson au cours de la négociation du traité de Versailles, Nicolson a fait remarquer que même « le plus grand apôtre de la *diplomatie ouverte* s'est aperçu, quand il en est venu à la pratique, qu'il est parfaitement impossible de faire aboutir une négociation ouverte ». Wilson, a-t-il déclaré, n'avait pas su « voir qu'il y a toute la différence du monde entre des « accords publics » et des accords « discutés en public » — entre politique et négociations ».

La « carte gardée »

La diplomatie exige un équilibre délicat et complexe d'ambiguïté et de franc-parler, où se mêlent l'imprévisible et le très prévisible. Les adversaires jouent un jeu savant, un jeu qui comporte, où devrait comporter, une proportion moindre de devinettes du côté américain et une proportion plus grande de l'autre côté.

A cet égard, les relations internationales ressemblent beaucoup au poker — au *stud poker*, où l'on retourne toutes les cartes sauf une. C'est cette carte gardée qui est importante, parce que sans elle, votre adversaire — le responsable soviétique par exemple — saurait clairement s'il peut ou ne peut pas vous battre. S'il sait qu'il gagnera, il fera monter les enchères. S'il sait qu'il ne peut pas gagner, il passera la main et vous n'aurez rien gagné.

La société américaine est une société ouverte. Nous retournons toutes nos cartes sur la table sauf une. Notre unique carte inconnue est la volonté, le cran et l'imprévisibilité du Président — sa capacité de faire réfléchir l'ennemi à deux fois avant de poser sa mise sur la table. Si nous retournons cette carte, le jeu est terminé. Nous devons, bien entendu, avoir de bonnes cartes étalées sur la table. Mais nous devons également faire croire aux Russes que la carte qu'ils ne voient pas est vraiment excellente. Les Russes sont passés maîtres dans l'art d'utiliser leur carte gardée — ce sont les maîtres du bluff. Le plus souvent, leur carte inconnue n'est en fait que du bluff.

Mais nous ne pouvons jamais en être absolument certains, et il nous faut donc faire preuve d'extrême précaution dans nos négociations avec eux ou avec leurs satellites. Pour être sur un pied d'égalité avec eux, nos cartes « retournées » doivent être aussi bonnes que les leurs, et notre carte « secrète » — le Président — doit être absolument aussi inconnaissable que la leur.

Au cours de ces dernières années, de nombreux exemples illustrent le danger qu'il y a à retourner toutes ses cartes, et l'avantage que l'on obtient en en gardant une secrète.

En 1950, les Etats-Unis possédaient une supériorité écrasante dans le domaine nucléaire. Mais lorsque le ministre des Affaires étrangères Dean Acheson évoqua les intérêts vitaux de l'Amérique dans le monde, il exclut la Corée du Sud. Les Nord-Coréens communistes crurent que nous avions retourné toutes nos cartes sur la table, et qu'elles n'incluaient pas la défense de la Corée du Sud. Ils attaquèrent donc, assurés de l'appui des Soviétiques et des Chinois. Ce fut une erreur de calcul de leur part, due à une erreur de présentation de notre part. Si la formule de Dean Acheson avait laissé planer le doute dans l'esprit des communistes, la guerre en Corée du Sud aurait (peut-être) été évitée.

Au cours de la guerre, Truman retourna encore une carte en annonçant son intention de ne pas utiliser d'armes nucléaires tactiques ou stratégiques. Une fois de plus, les Coréens du Nord, les Chinois et les Soviétiques prirent connaissance de l'ensemble de notre jeu, et ils purent sans crainte continuer la guerre sur le plan conventionnel. Ce fut uniquement lorsque Eisenhower accéda au pouvoir que cette carte redevint un mystère. Eisenhower était un chef militaire confirmé, réputé pour son énergie. Nos adversaires avaient de bonnes raisons de s'interroger sur ses intentions, et Eisenhower ne leur donna aucune occasion de croire qu'il n'utiliserait pas notre supériorité stratégique. Au contraire, son ministre des Affaires étrangères, John Foster Dulles, laissa entendre avec insistance, par la voie diplomatique, que le Président n'hésiterait pas. Une fois le mystère réintroduit dans l'équation, les communistes se mirent à négocier sérieusement, et la guerre se termina très vite.

Lorsque les forces françaises et britanniques intervinrent en Egypte au plus fort de la crise de Suez, le premier ministre soviétique, Nicolas Boulganine, proposa au président Eisenhower que les Soviétiques et les Américains engagent une action militaire conjointe pour arrêter les combats en Egypte, proposition que la Maison Blanche repoussa aussitôt comme inacceptable. Mais quand les combats se développèrent et qu'il sembla possible que les Soviétiques prennent des mesures unilatérales, Eisenhower ordonna aux chefs d'état-major interarmées de mettre les unités américaines en état d'alerte. Même après l'annonce du cessez-le-feu, les Soviétiques continuèrent de menacer d'envoyer des « volontaires » en Egypte. La réponse d'Eisenhower fut rédigée en termes diplomatiques, mais le commandant en chef de l'O.T.A.N., Alfred Gruenther, fut autorisé à être plus ferme : une attaque communiste contre l'Ouest aboutirait à la « destruction » du Bloc soviétique... « aussi certainement que le jour succède à la nuit ». Comme l'a fait observer Eisenhower dans ses mémoires : « La menace soviétique ne fut en réalité que paroles en l'air. » Mais il était très clair que la crédibilité d'Eisenhower en tant que chef militaire fort, associée à notre supériorité nucléaire écrasante, fut le facteur décisif qui dissuada les Soviétiques d'intervenir.

Deux ans plus tard, en 1958, lorsque les Etats-Unis affrontèrent les menaces des communistes chinois prêts à s'emparer des îles de Quemoy et de Matsu, aux mains des nationalistes de Formose, Eisenhower m'expliqua sa version du principe de la « carte gardée ». Méditant sur son expérience personnelle de chef militaire, il me dit : « Il ne faut jamais permettre à l'ennemi de savoir ce que l'on fera, mais il est plus important encore de ne jamais lui laisser deviner ce que l'on ne fera pas. »

Si l'adversaire sent que vous êtes imprévisible, voire capable d'un coup de tête, il aura peur de vous pousser à bout. Les chances qu'il renonce deviennent alors beaucoup plus grandes, et le Président imprévisible gagne ainsi une autre manche.

Au contraire, les déclarations qui semblent exclure l'utilisation de la force, même si leur seule intention est d'éviter la provocation, provoqueront en réalité l'adversaire à exiger davantage.

Même quand on est fort, paraître faible est une mauvaise stratégie, qui risque de provoquer de dangereuses erreurs de calcul de la part de votre adversaire. Le Sommet de Vienne de 1962 entre Khrouchtchev et Kennedy a abouti à une erreur de calcul de ce genre. Peut-être Kennedy avait-il confiance en sa volonté de vaincre, mais il ne fit pas partager cette opinion à Khrouchtchev. Comme James Reston l'a écrit depuis : « Kennedy s'est rendu à Vienne peu de temps après sa bourde monumentale de la baie des Cochons, et il a été « mangé » par Khrouchtchev... J'ai passé une heure seul à seul avec le président Kennedy après sa dernière réunion avec Khrouchtchev à Vienne, rapporte Reston. Khrouchtchev a supposé, m'a dit Kennedy, qu'un président américain ayant tenté d'envahir Cuba sans préparation convenable était inexpérimenté, et qu'un président n'ayant pas usé de sa puissance pour assurer le succès de l'invasion était faible. Kennedy a reconnu que Khrouchtchev était logique sur ces deux points. »

Par la suite, Khrouchtchev a voulu sonder le jeu de Kennedy en envoyant des missiles à Cuba. Il s'en est suivi une dangereuse confrontation, qui aurait pu être évitée si l'attitude de Kennedy à Vienne avait fait sur Khrouchtchev une plus vive impression de force et de détermination.

En 1973, les Etats-Unis et l'Union soviétique disposaient de forces nucléaires à peu près égales, avec une légère marge en faveur des Etats-Unis. Brejnev demanda que les Etats-Unis envoient, conjointement avec l'Union soviétique, des troupes au Proche-Orient où venait d'éclater la guerre israélo-arabe. Cela aurait été une situation explosive en puissance. Et Brejnev menaçait d'envoyer des forces de façon unilatérale si nous n'acceptions pas une action conjointe.

Quand nous avons ordonné l'alerte militaire, Brejnev a reculé. L'alerte n'aurait pas eu cet effet si Brejnev n'avait pas conclu de ses conversations avec moi, en juin de la même année, ainsi que des mesures fermes que nous avions prises en 1972 pour protéger nos intérêts au Vietnam, que j'étais capable d'appuyer mes paroles fortes par des actes forts. Il s'est refusé à prendre ce risque.

En 1979, la réaction relativement modérée de l'administration Carter aux avancées soviétiques précédentes a probablement induit Brejnev à conclure qu'il pouvait envoyer l'Armée Rouge en Afghanistan sans provoquer une réaction forte des Etats-Unis.

Les déclarations publiques claironnant que nous ne laisserons pas les Russes nous bousculer un peu partout dans le monde ne sont pas efficaces. Ils les négligent, les considérant comme des bravades, surtout d'ailleurs parce qu'ils se livrent souvent à des rodomontades de ce genre. Il faut toujours qu'ils se posent des questions inquiétantes sur ce que fera le Président. Par exemple, nous ne devrions pas affirmer que nous ne lancerons jamais une attaque préventive. C'est une option que nous n'exercerons peut-être jamais, mais nous devrions de toute façon nous laisser la possibilité de l'exercer dans des circonstances extrêmes.

Une volonté confirmée, du cran et l'imprévu des décisions présidentielles deviennent plus importants encore à une époque où l'Union soviétique passe de l'infériorité à la supériorité dans le domaine de l'armement nucléaire. Si les Soviétiques craignent une réaction violente du Président, ils auront moins tendance à le mettre à l'épreuve. Mais s'ils constatent qu'ils peuvent prédire sa réaction, et que ce sera une réaction de faiblesse, ils le mettront à l'épreuve aussitôt. Ensuite, s'il se révèle qu'ils avaient raison, ils triompheront. S'il se révèle qu'ils avaient tort, leur erreur de calcul aura peut-être déclenché une guerre décisive, conventionnelle ou même nucléaire. L'histoire nous apprend que les guerres ont très souvent pour origine ce genre d'erreurs de jugement.

Du bon usage du secret

Le secret est une condition *sine qua non* de la conduite des affaires internationales, avec nos alliés comme avec nos adversaires. Sans secret, et sans la garantie du secret, il existe peu d'espoir de réaliser quoi que ce soit.

La liberté avec laquelle un dirigeant échange des renseignements et des idées en toute franchise avec ses alliés est directement proportionnelle à la confiance qu'il a en leur capacité de conserver secret ce qu'il leur dit en confidence. Les présidents américains ont eu en général des relations exceptionnellement ouvertes avec leurs homologues britanniques, et l'une des raisons a toujours été que les Anglais savaient garder une confidence. Jamais une seule de mes conversations privées avec un dirigeant britannique n'a fait l'objet de fuites. Il en a été de même pour un certain nombre de nos autres alliés. Hélas ! ce n'a pas été vrai de tous, et même lorsque c'était vrai pour les chefs de gouvernement, cela cessait de l'être pour les discussions à d'autres niveaux.

J'ai pu avoir des conversations très franches avec Charles de Gaulle quand il gouvernait la France ; mais uniquement lorsque nous étions seuls, avec seulement un interprète. Et la personne même de cet interprète comptait pour beaucoup. De Gaulle parlait librement en présence de son interprète personnel, mais non avec l'interprète de notre département d'Etat, qu'il ne connaissait pas. Mais quand j'ai fait venir mon vieil ami le général Vernon Walters, l'un des interprètes les plus expérimentés du monde, mais surtout un homme que de Gaulle connaissait et en qui il avait confiance, de Gaulle fut ravi et parla librement.

Chaque fois que nous ne nous sommes pas sentis libres d'échanger avec nos alliés des éléments d'information d'une importance critique, cela a porté un tort très grave à nos relations réciproques. Ce fut même le cas lorsque les risques de fuites étaient indirects, quand nous ne pouvions pas dire une chose à l'un sans la dire à un autre.

Le 15 juillet 1971, la nouvelle que j'allais me rendre en Chine populaire a frappé le Japon de stupeur ; on qualifia l'événement de « Bombe Nixon ». Les Japonais estimaient, non sans raison, qu'étant notre principal allié en Asie, ils auraient dû au moins être informés qu'un grand tournant politique comme celui-là se préparait. Oui, ils auraient dû l'être. Et dans un monde idéal, ils l'auraient été. Mais si un seul mot de cette affaire avait transpiré, cela aurait pu saboter complètement l'initiative chinoise. Nous ne pouvions donc pas prendre le risque d'informer tel ou tel allié susceptible de provoquer des fuites, et si nous avions informé l'un d'eux sans informer les autres, ceux-ci nous l'auraient amèrement reproché quand ils l'auraient appris.

Nous ne pouvons partager avec des alliés des renseignements particulièrement délicats que si nous avons pleinement confiance en leur discrétion. Réciproquement, ils ne peuvent nous communiquer leurs informations sensibles que s'ils sont certains qu'aucune fuite ne se produira chez nous.

Le secret est extrêmement important dans nos rapports avec les dirigeants des pays communistes. Ils sont les produits d'un système qui valorise le secret — c'est la raison pour laquelle j'ai toujours pu parler en toute franchise avec les Chinois : il n'y a jamais de fuites. En revanche, ils s'attendent que nous gardions les secrets. Si nous ne le faisons pas, nos chances de négocier avec eux de façon positive sont aussitôt très largement réduites, sinon entièrement nulles.

Malheureusement pour le pays, des fuites sur les questions de sécurité ont provoqué des situations particulièrement difficiles au cours de mon mandat. Les plus dramatiques de toutes se sont produites en juin 1971, quand on a soudain rendu publics les « Papiers du Pentagone ». Il s'agissait de sept mille pages de documents classés secrets relatifs à la guerre du Vietnam et comprenant notamment des éléments encore brûlants, non seulement pour les Etats-Unis mais aussi pour un certain nombre de nos alliés. Ils avaient été livrés au *New York Times* quelques mois plus tard. Le *Times* prit des précautions infinies pour conserver absolument secret le fait qu'il les possédait, jusqu'au moment où il fut prêt à les faire exploser sous nos yeux — sans même un instant de préavis, et sans donner à un seul haut fonctionnaire responsable l'occasion de les lire, et encore moins de prévenir le *Times* des éléments qui risquaient d'être particulièrement sensibles. J'ai toujours eu beaucoup de respect pour le *New York Times*, qui est un des meilleurs journaux du monde, et je n'ai pas changé d'avis. Mais je considère sa décision dans ce cas comme l'un des exemples les plus choquants d'irresponsabilité journalistique dont j'aie été le témoin au cours d'un quart de siècle de vie publique. Le fait que le *Times* n'ait pas consulté le gouvernement a été qualifié par le procureur général Warren Burger en ces termes :

« Pour moi, il est à peine croyable qu'un journal longtemps considéré comme une grande institution de la vie américaine n'ait pas accompli l'un des devoirs de base de tout citoyen à l'égard de la découverte ou de la possession d'objets volés ou de documents secrets du gouvernement... Ce devoir est le même pour les chauffeurs de taxi, les juges et le *New York Times*. »

Le mois suivant, le 23 juillet, la veille du jour où nous devions présenter officiellement notre position de début de négociation aux conversations Salt d'Helsinki, le *New York Times* exposait en première page le détail de notre position de repli.

Ces événements avaient lieu juste au moment où Kissinger effectuait son premier voyage secret à Pékin, les négociations Salt débutaient, et au Vietnam la guerre était à un tournant critique. A l'automne, la C.I.A. rendit compte que nous étions au milieu de la pire épidémie de fuites que nous ayons connue en presque vingt ans, depuis 1953. Tenter de construire efficacement des relations internationales dans une telle atmosphère, mieux encore, essayer de poser la première pierre d'une structure durable de paix, relevait du cauchemar et menaçait de devenir une impossibilité.

Quand je me suis rendu à Pékin en 1972, les dirigeants chinois se sont montrés particulièrement inquiets sur les risques de fuites. En décembre 1971, au cours de la guerre entre l'Inde et le Pakistan, le journaliste Jack Anderson avait publié mot pour mot les minutes d'une discussion à un niveau très élevé sur notre politique de guerre. Faisant allusion à la fuite d'Anderson, le premier ministre Chou En-lai m'a fait observer : « Les minutes de trois de vos réunions ont été rendues publiques parce que toutes sortes de gens y étaient invités. » Il me signifiait élégamment qu'il n'aimerait pas que les comptes rendus de nos conversations subissent le même sort. Ce n'était pas une éventualité invraisemblable. Au cours des recherches sur la fuite Anderson, nous avions découvert qu'un mémorandum de la conversation de Kissinger avec Chou au cours de son premier voyage secret à Pékin avait été recopié et transmis à d'autres personnes qui, heureusement ne l'avaient pas rendu public. Mais le danger subsistait. J'ai senti nettement que si les Chinois n'étaient pas certains que nous garderions le secret sur nos entretiens avec eux, ils hésiteraient à nous révéler jusqu'à quel point ils étaient prêts à aller pour obtenir un accord avec nous. J'ai affirmé à Chou que le destin de nos deux pays, et peut-être le destin du monde entier, était en jeu et que nous pouvions donc parler dans un secret absolu. C'est seulement à ce moment-là que nous avons pu faire avancer nos négociations.

A la lumière des faits, je suis certain aujourd'hui que l'ouverture à la Chine en 1972 et les progrès de nos relations depuis lors, ne se seraient pas produits si nous n'avions pas gardé un secret absolu, à la fois sur la préparation de mon voyage à Pékin et sur le déroulement de nos entretiens là-bas.

Un pays incapable de protéger ses propres secrets vitaux ne se verra sûrement pas confier les secrets les plus importants d'un autre pays. Comme Cord Meyer l'a souligné : « Même l'allié le plus amical est forcé d'hésiter à collaborer avec les Etats-Unis s'il doit redouter que ses sources soient exposées. Il s'en est suivi un affaiblissement de l'alliance occidentale, et aucun membre de cette alliance n'y a perdu davantage que les Etats-Unis. »

La « liberté de l'information » est devenue une vache sacrée. Le secret est tenu pour méprisable et mauvais ; mais le bon sens devrait nous apprendre que les révélations aboutissant à de mauvais résultats ne sont pas nécessairement bonnes, et que le secret aboutissant à de bons résultats n'est pas forcément mauvais. Nous avons besoin de sanctions juridiques plus efficaces pour décourager les révélations préjudiciables. Plus important encore, nous devons cesser de porter aux nues comme des héros nationaux les personnes qui révèlent illégalement des renseignements ultra-secrets. Nos présidents *désirent* que tout soit rendu public, mais ils ont besoin avant tout de résultats. Nous devons les applaudir, et non les condamner, quand ils résistent aux exigences insatiables des mass media afin d'accomplir la tâche pour laquelle ils ont été élus.

La nature et la qualité des renseignements mis à la disposition d'un président américain peuvent être décisives pour le succès ou l'échec de son rôle de leader mondial. Il en est de même des moyens dont il dispose en dehors de la guerre pour développer la puissance américaine ou promouvoir les intérêts américains dans des situations instables ou menaçantes, ce qui implique souvent le recours à des opérations secrètes.

Il y a toujours eu une grande ambivalence dans les attitudes américaines à l'égard des services secrets. Quand les Américains ne se sentent pas menacés, ils ont tendance à considérer ces activités comme immorales ou « non américaines ». Mais quand ils se sentent menacés, ils se demandent aussitôt pourquoi notre espionnage n'est pas meilleur. Pendant chaque guerre que nous avons livrée, nous avons édifié d'excellents services de renseignements, uniquement pour les démanteler dès la fin des hostilités. Aujourd'hui, nos dirigeants doivent prendre des décisions presque instantanées, engageant souvent des enjeux très élevés. S'ils ne sont pas prévenus des dangers qu'ils encourent, ils auront beaucoup moins de chances de prendre les décisions les meilleures.

L'espionnage et les opérations secrètes sont aussi vieux que l'humanité. Ils ont existé parallèlement au système du droit international depuis qu'il existe un système de droit international. Tous les pays, sauf peut-être certains de nos mini-Etats modernes, s'y sont livrés de tout temps ; seuls les Etats-Unis ont adopté la doctrine pour le moins curieuse qu'il faudrait s'y livrer en public. En Grande-Bretagne, où est née la démocratie moderne, le seul fait de rendre public le nom du chef de l'Intelligence Service peut conduire un citoyen en prison. Des actes que les Américains s'obstinent à justifier au nom de la liberté d'expression seraient, dans d'autres démocraties comme la Suède ou la Suisse, qui n'ont ni l'une ni l'autre les mêmes responsabilités que les Etats-Unis à l'égard de la politique mondiale, récompensés par de longues peines de prison.

Ce pays semble avoir adopté l'étrange doctrine selon laquelle le gouvernement a le devoir de garder ses secrets, tandis que les mass media ont le devoir, tout aussi sacré, de les révéler. Il nous faudra à l'avenir, trouver une solution conciliant la liberté de la presse et les exigences de la survie nationale dans un monde menacé et incertain, une solution qui permette la survie.

Les échecs en matière d'espionnage peuvent être désastreux. Au cours des années 1960 et dans les premières années 70, pendant onze ans de suite, la *Central Intelligence Agency* a sous-estimé le nombre de missiles que les Russes pouvaient mettre en ligne ; pendant la même période, la C.I.A. a également sous-estimé l'ensemble des efforts soviétiques dans le cadre de leur programme stratégique, ainsi que leurs objectifs ambitieux. En 1976, les évaluations des dépenses militaires russes pour 1970-1975 ont été doublées du jour au lendemain, quand on a découvert et corrigé les erreurs. Tout au long de la période critique du milieu des années 60 (lorsque McNamara décida de réduire unilatéralement les programmes nucléaires des Etats-Unis alors que les Russes redoublaient d'efforts pour rattraper leur retard) puis au début des années 70 (lorsque l'on prit les premières mesures pour la maîtrise des armements), les présidents américains recevaient de la C.I.A. des chiffres relatifs aux dépenses militaires soviétiques inférieurs de moitié à ceux que l'Agence reconnut plus tard comme réels. C'est en partie « grâce » à cette défaillance des services de renseignements que nous nous retrouverons au milieu des années 1980 en état de nette infériorité nucléaire.

La véritable question à poser au peuple américain est celle-ci : pouvons-nous nous permettre d'entrer en trébuchant comme un géant aveugle et sourd dans les vingt dernières années de ce siècle, en attendant le jour où nous n'aurons plus le choix qu'entre la reddition et la destruction totale ? Si nous ne possédons pas le service de renseignements qui convient, « nous entrerons dans l'arène les yeux bandés », selon l'expression de l'ancien commandant en chef du corps des fusiliers marins, David Shoup.

Il existe une différence énorme entre la quantité et la qualité des renseignements provenant de la société fermée des Soviétiques, et d'une société ouverte comme la nôtre. Le budget militaire soviétique est publié sous la forme d'un chiffre avec huit mots de commentaire, et les Soviétiques ne révèlent rien des débats qui ont abouti à ce budget. S'ils publiaient ne serait-ce que l'équivalent du rapport annuel non secret de notre ministère de la Défense, et si ce rapport était aussi fiable que le nôtre, nous en saurions beaucoup plus sur les programmes militaires soviétiques. En outre, les enquêtes du Congrès multiplient énormément la quantité de renseignements utiles que nous livrons de nous-mêmes aux Soviétiques, car elles ne se bornent pas à énumérer les points d'opposition, elles révèlent la nature des incertitudes de notre politique de défense. Le personnel de l'ambassade soviétique peut assister à ces enquêtes ; nous n'avons pas les mêmes privilèges à Moscou.

Nous dépendons également de nos agences de renseignement et de contre-espionnage pour des opérations secrètes ayant pour objectif d'aider nos amis ou de rendre la tâche de nos ennemis plus difficile. A cet égard également les Américains ont des sentiments ambivalents. Depuis les origines de l'histoire, presque tous les pays ont cherché à influencer le cours des événements des autres pays dans un sens favorable à leurs propres intérêts. C'est une pratique admise. Les pays tolèrent la propagande venue de l'étranger par l'intermédiaire de publications, d'émissions de radio, et même d'émissions de télévision.

Un des objectifs de base de toute ambassade dans le monde est d'influencer les événements du pays qui l'héberge, dans un sens favorable au pays que l'ambassade représente. Aujourd'hui, l'Union soviétique subventionne et contrôle des partis communistes locaux partout dans le monde, ce qui donne à Moscou un moyen souvent puissant d'exercer des pressions à l'intérieur des autres pays.

Beaucoup plus graves sont les armes, l'entraînement et le matériel de toute sorte que l'Union soviétique envoie régulièrement pour soutenir les prétendues guerres de libération du peuple, euphémisme pour la mise en place d'une autorité pro-soviétique dans le pays. Pour les Soviétiques, intervenir dans un autre pays en vue de faire triompher leurs amis est un devoir sacré. Nous devons nous donner les moyens d'aider nos amis de l'étranger partout où leur liberté est attaquée et où leur · survie est menacée.

A cet égard, une fois de plus, le problème n'est pas purement moral : « A-t-on, oui ou non, le droit d'intervenir dans les affaires intérieures d'un autre pays ? » Il s'agit plutôt de savoir si les Etats-Unis seront en mesure d'aider leurs amis étrangers à résister à une menace armée contre leur liberté, par des moyens efficaces (en dehors de l'utilisation de nos forces armées). Si nous excluons ces moyens, notre choix se limite à la protestation diplomatique ou à l'emploi délibéré de notre armée. Il ne faut pas laisser supposer à nos amis que nous ne leur offrirons aucune aide, quoi que fassent les ennemis de la liberté. L'amélioration de nos services de renseignement pourrait aussi nous aider à combattre certaines formes de terrorisme, et peut-être même nous donner plus de choix dans les circonstances de viol flagrant des droits américains comme l'affaire des otages en Iran.

La plupart des opérations secrètes ne sont pas des actions armées. La plupart du temps elles consistent seulement à aider un journal démocratique à survivre aux pressions économiques dirigées contre lui, à financer des activités culturelles ou à payer les voyages de quelques jeunes pour telle ou telle assemblée internationale où ils feront entendre la voix de la liberté.

Les Soviétiques n'ont aucun remords sur la moralité de leurs actions. Ils utilisent le parti communiste de l'U.R.S.S. comme un instrument de subversion, puis ils nient toute responsabilité de leur gouvernement, bien que parti communiste et gouvernement soviétique soient une seule et même chose. Nous n'avons pas cette option. Mais ce que nous pouvons faire, c'est soutenir de façon occulte les organismes politiques des autres pays qui défendent notre position et s'opposent à une prise de pouvoir communiste.

Le domaine de l'action secrète en temps de paix est plus limité qu'en temps de guerre ; sa nécessité est moins manifeste mais ses résultats peuvent être tout aussi importants. Si nous ne rétablissons pas les possibilités d'action secrète de la C.I.A., nous serons éliminés par les Soviétiques de tous les pays l'un après l'autre. La proportion du budget de la C.I.A. réservée aux opérations secrètes est tombée de 50 p. 100 à moins de 5 p. 100. Cette mesure a peut-être éliminé certains abus, mais nous sommes en danger de jeter le bébé avec l'eau de son bain. La loi sur la liberté de l'information permet à n'importe qui, y compris à des agents de renseignements de l'ennemi, de fouiller parmi les dossiers de la C.I.A. et du F.B.I. aux frais du contribuable. Selon des hauts fonctionnaires de la C.I.A., l'Agence a fourni plus d'heures de travail à répondre à des requêtes au titre de la liberté de l'information, que « dans n'importe lequel des autres secteurs clefs de ses activités de renseignement ». En outre, la révélation de ces dossiers a un effet terrifiant sur le moral des hommes prêts à risquer leur vie et leur réputation pour aider les Etats-Unis dans des régions sensibles ou dans des opérations brûlantes. Obliger la C.I.A. à rendre compte de ses activités secrètes à huit commissions distinctes comprenant le tiers des membres du Congrès ainsi que les membres de leurs états-majors personnels, revient en fait à envoyer un bulletin officiel à nos adversaires. Cette exigence condamne la C.I.A., comme l'a déclaré le sénateur Daniel Moynihan, à « faire des recherches que n'importe qui pourrait effectuer à la Bibliothèque du Congrès ». Les agences de renseignements étrangères, et les agents eux-mêmes, ne veulent plus prendre le risque d'être « grillés » par le simple fait de collaborer avec la C.I.A., et toutes nos opérations sont paralysées. Les « Arts de la nuit », comme l'a écrit le *London Economist* devraient « être rendus à une lumière plus tamisée, ou à l'obscurité, dans laquelle ils peuvent prospérer ».

Tout au long de l'histoire, on a eu tendance à considérer l'espionnage comme un instrument de guerre. Aujourd'hui c'est un facteur générateur de paix. Mieux nous connaîtrons les Soviétiques et moins nous aurons tendance à sous-estimer ou à mal interpréter ce qu'ils font. Et s'ils savent que nous possédons une organisation de renseignement efficace, capable de suivre tout ce qu'ils font, leurs tentations seront beaucoup moins grandes.

Nous avons châtré la C.I.A. et les autres agences de renseignement. Nous devons rétablir leur capacité de tenir le Président et nos autres dirigeants informés, prêts, et en mesure de répondre au danger. Nous devons leur donner les moyens de faire leur travail.

Les rencontres au sommet

Harold Nicolson a montré dans *Diplomacy* les dangers de la politique au sommet. « Ces rencontres, a-t-il écrit, provoquent beaucoup d'espoir dans le public, conduisent à des malentendus et créent de la confusion. Le temps dont disposent les interlocuteurs n'est pas toujours suffisant pour permettre la patience et la délibération calme. Les honneurs que l'on rend à un ministre dans une capitale étrangère fatiguent son corps, excitent sa vanité ou désorientent son jugement. »

Les conférences au sommet présentent plusieurs autres écueils. Quand un président négocie en personne, il se prive de trois atouts majeurs :

Il perd une partie de l'énorme prestige de sa position de chef d'Etat *et* de chef de gouvernement en parlant sur un plan d'égalité avec le chef du gouvernement d'un autre pays. Frank Cobb a exposé cette idée dans un mémorandum au colonel House en 1918 : « Dès l'instant où le président Wilson s'assied à la même table que ces premiers ministres et ces ministres des Affaires étrangères, il perd toute la puissance que lui confèrent l'éloignement et le détachement... Il devient un simple négociateur traitant avec d'autres négociateurs. »

Il réduit le mystère, qui est l'une des armes les plus efficaces de la diplomatie ; un président peut paraître plus puissant et moins prévisible de loin qu'au cours de rencontres en tête à tête.

Et, ce qui est probablement le plus important, il perd de la souplesse : un ambassadeur, ou même un ministre des Affaires étrangères, peuvent prendre des positions que le Président aura la possibilité de modifier ou même de rejeter plus tard. Par exemple, Dulles, avec l'approbation d'Eisenhower, adoptait souvent une ligne dure, ce qui permettait ensuite à Eisenhower d'agir en conciliateur. Kissinger, en revanche, avec mon appui, affirmait toujours une volonté de plus grande conciliation et se servait de ma dureté comme moyen de pression dans la négociation. Comme l'a fait observer un ancien ambassadeur britannique, « parfois la fonction d'un diplomate est d'échouer dans la négociation, de faire peu de progrès ou même pas du tout. Mais quand un chef d'Etat est impliqué, le besoin qu'il a de passer pour vainqueur peut handicaper lourdement un processus délicat ».

A ces inconvénients correspondent deux avantages, que seule une conférence au sommet peut apporter :

Dans le cadre des relations américano-soviétiques, une rencontre au sommet permet à chaque dirigeant de prendre la mesure de l'autre, ce qui tend à réduire la possibilité d'erreur de jugement en cas de confrontation ultérieure. Par exemple, ma réunion au milieu de la nuit avec Brejnev en juin 1973 a contribué à rendre crédible l'état d'alerte I que j'ai décrété quelques mois plus tard au cours de la guerre du Kippour.

Les sommets peuvent également donner à un président l'occasion d'exercer son pouvoir de persuasion personnel. Les négociations de Carter sur le Moyen-Orient illustrent ce point de façon saisissante.

Mais un président ne devrait se rendre à une rencontre au sommet que si les enjeux en valent la peine, et si la réunion a été soigneusement préparée à l'avance. Aucun président américain ne devrait monter au sommet avec un adversaire s'il ne sait pas ce qu'il y a de l'autre côté de la montagne.

Les conférences officielles au sommet, qui font l'objet d'une énorme publicité, peuvent apparaître comme le forum ultime pour une discussion des relations d'Etat à Etat à un niveau élevé. Ce n'est pas le cas. De nombreuses personnes assistent aux réunions officielles programmées et la presse bourdonne toujours, à l'affût de détails pouvant faire la « une » du lendemain. Dans de telles circonstances, la règle diplomatique selon laquelle on ne traite jamais de problèmes importants en public, se met à jouer. Je me suis rendu compte que dans les séances officielles auxquelles assistent beaucoup de gens, les dirigeants soviétiques étaient moins conciliants que lorsque nous nous rencontrions officieusement, ou seuls avec un interprète. Plus le groupe est important et moins la conversation est libre, surtout quand le groupe est constitué par des communistes de haut rang. Dans les réunions officielles, tout le monde parle pour le compte rendu et surveille ses paroles. Les progrès réels ont plus de chances de se produire au cours de réunions limitées, officieuses — non pas celles qui se tiennent par pure courtoisie, mais les séances de travail privées qui permettent un plus grand degré de sincérité et de concentration.

Il est catastrophique, au cours d'une conférence au sommet, de jouer son rôle à l'intention de la presse. Quand un dirigeant le fait, il est tenté de prendre des attitudes héroïques qui ne sauraient déboucher plus tard sur une conciliation réaliste. Il est difficile de revenir en arrière sur des positions de négociation que l'on a ouvertement proclamées. En diplomatie, on obtient de meilleurs résultats quand les dirigeants parlent entre eux au lieu de s'adresser à la presse.

L'un des autres dangers des conférences au sommet est de créer une atmosphère d'euphorie. Au cours de mon administration, il s'est produit un excès d'euphorie autour des réunions au sommet de Pékin et de Moscou en 1972. J'assume à cet égard une part importante des responsabilités. C'était une année d'élection et je désirais utiliser le crédit politique de ce que je considérais sincèrement comme de grands pas en avant vers une paix durable. En outre, certains de nos accords au sommet se heurtaient à l'opposition du Congrès, et pour pouvoir obtenir leur approbation, nous avons essayé de les présenter sous le meilleur jour possible, en soulignant les grands espoirs qui s'offraient à nous si les deux interlocuteurs adhéraient à la lettre et à l'esprit de ces accords. J'ai bien tenté de mettre un frein aux espoirs insensés : par exemple, à mon retour de Moscou, j'ai déclaré dans un discours (télévisé) au Congrès réuni en séance plénière, que nous ne « ramenions pas de Moscou la promesse d'une paix instaurée, mais seulement le début d'un processus susceptible d'aboutir à une paix durable ». Et j'ai bien précisé : « L'idéologie soviétique continue de se proclamer hostile à certaines des valeurs les plus fondamentales de l'Amérique. Les dirigeants soviétiques demeurent fidèles à cette idéologie. »

Mais les événements étaient en eux-mêmes si spectaculaires que malgré ces avertissements et plusieurs autres, ils provoquèrent des espérances irréalistes. Bien des gens adoptèrent l'idée naïve que dans la nouvelle ère de détente, les Soviétiques abandonneraient soudain leurs ambitions et que nous pourrions tous vivre heureux à jamais. Quand l'aventurisme soviétique continua, ils tournèrent casaque et clamèrent que la détente était un échec. A cause de cette euphorie, il devint plus difficile d'obtenir les soutiens nécessaires pour des mesures décisives sur le renforcement des forces armées — mesures indispensables au succès de la détente. L'euphorie est une illusion dangereuse qui engendre automatiquement la déception, et elle invite à l'irrésolution.

Non-autonomie de la négociation

Il existe une règle cardinale pour la conduite des relations internationales : ne donnez rien à votre adversaire à moins d'obtenir quelque chose en retour. Au cours d'un sommet, on ne devrait faire aucune « fleur » aux dirigeants du Kremlin. Nous ne devrions jamais nous lancer dans une conférence au sommet pour la simple ivresse des sommets et pour l' « esprit de coopération » éphémère que ces réunions produisent le plus souvent. Ces ivresses rapportent en général très peu aux Etats-Unis et beaucoup aux Soviétiques.

Ce fut au cours de la période de transition entre mon élection en 1968 et ma première entrée à la Maison Blanche en 1969 qu'Henry Kissinger et moi-même avons mis au point ce que l'on appelle aujourd'hui le concept de *linkage*, de non-autonomie de la négociation. Nous avons décidé que les Soviétiques n'obtiendraient pas ce qu'ils désiraient, la bonne réputation que confèrent les sommets, la coopération économique et des accords sur les limitations des armes stratégiques, sans céder l'équivalent en échange. A cette époque, les concessions majeures dont nous avions besoin étaient : leur assistance pour parvenir à un règlement au Vietnam, de la modération de leur part au Proche-Orient, et une solution pour les problèmes en suspens à Berlin.

Dans le cadre des négociations Salt, ils voulaient un accord limitant uniquement les armes défensives, domaine dans lequel nos progrès étaient beaucoup plus rapides que les leurs. Sur ce point, l'approbation du traité sur la limitation des systèmes antimissiles balistiques (Salt I) par le Congrès était indispensable. En diplomatie, comme dans d'autres domaines de l'existence, on ne peut obtenir une chose désirée qu'en donnant à son adversaire une chose dont il a besoin. Les concessions unilatérales, pour faire preuve de notre « bonne volonté », sont une chose stupide et dangereuse. Comme l'a déclaré Henry Kissinger, « en règle générale, l'Union soviétique ne paie pas les services qui lui ont déjà été rendus ».

Nous avons donc placé nos objectifs en relation directe avec les leurs. Le Kremlin a mis deux ans à accepter cette politique au cours de la négociation Salt I, mais il l'a finalement acceptée.

La non-autonomie dans la négociation demeure une stratégie viable. Les Soviétiques ont besoin aujourd'hui encore d'accords sur la maîtrise des armements et de coopération économique, et les Etats-Unis doivent de nouveau réclamer l'équilibre dans les échanges. Nous avons de bonnes raisons de nous inquiéter de l'aventurisme des Soviétiques en Afrique, de la conduite de leur allié le Vietnam, du soutien qu'ils apportent aux mercenaires de Castro, de l'intervention de l'Armée Rouge à l'extérieur de l'U.R.S.S. et de leurs tentatives de contrôle du golfe Persique et d'intervention au Proche-Orient. Tous ces points inquiétants sont pour les Etats-Unis d'un intérêt légitime. C'est sans timidité et sans honte que nous devrions exiger ce que nous désirons dans ces domaines, en échange de ce que les Soviétiques désirent dans d'autres secteurs. Et nous n'avons pas à nous excuser quand nous exigeons que les intérêts américains soient suffisamment protégés par les termes mêmes d'un accord sur le contrôle des armements.

Il n'existe pas de frontière pure et dure séparant telle forme de l'impérialisme soviétique de telle autre. Elles sont toutes tissées en un même fil qui conduit au Kremlin. Les Soviétiques le savent, et s'ils sont contraints par le pouvoir américain à accepter la non-autonomie dans la négociation, ils s'y conformeront. Ils l'ont fait dans le passé. Ils le feront de nouveau.

Mais il est certain qu'ils n'accepteront pas cette interdépendance dans la négociation par simple souci altruiste de sauvegarder la paix du monde. Si nous ne l'exigeons pas, nous ne l'obtiendrons pas. Les Soviétiques n'aiment pas la volonté des Américains de faire régner la justice, mais ils la respecteront. La non-autonomie des négociations est un concept juste. Si on l'exploite avec énergie, il donnera de bons résultats.

Le but essentiel de la maîtrise des armements est de réduire les risques de guerre. Mais elle ne peut pas, seule, atteindre cet objectif. Les causes fondamentales de la guerre sont les divergences politiques et non l'armement ; et tant que ces divergences ne seront pas résolues il existera toujours assez d'armes pour une guerre extrêmement dévastatrice, quel que soit le nombre d'accords existants.

Le commerce ne réduit pas, par lui-même, le danger de guerre. Au cours des deux guerres mondiales des pays liés par des relations commerciales sont entrés en guerre les uns contre les autres, à cause de divergences politiques.

Si l'on veut réduire les risques de guerre, il faut lier le règlement des divergences politiques, à la politique commerciale et aux négociations sur le contrôle des armements. C'est seulement en utilisant de cette manière le principe de non-autonomie de la négociation que l'on attaquera les causes fondamentales de la guerre.

Négocier avec nos alliés

Au cours des cent cinquante premières années de notre histoire, on a souvent dit que le Président portait quatre casquettes : celle de chef d'Etat, celle de chef de gouvernement, celle de commandant en chef des forces armées, et celle de chef de son parti politique. Depuis la Deuxième Guerre mondiale, le président des Etats-Unis en a acquis une cinquième : celle de leader du monde libre.

L'Union soviétique a des sujets et des satellites ; les Etats-Unis ont des alliés et des amis. L'Union soviétique dicte la politique de ses alliés. Notre responsabilité de leader provient naturellement du fait que nous sommes le pays le plus fort et le plus riche du monde libre. Le président des Etats-Unis est seul à posséder le pouvoir et le prestige que confère cette fonction de leader. Et ce cinquième rôle est souvent plus difficile à remplir que les quatre autres réunis, car il exige une combinaison rare de fermeté, de subtilité, d'esprit de décision et d'expérience.

La diplomatie peut servir d'épée ou d'aiguille, d'arme ou de trait d'union. Quand il négocie avec des alliés, le Président cherche avant tout à réparer les accrocs et à renforcer les coutures.

L'Amérique demeure puissante, mais n'est pas toute-puissante ; nos alliés ont besoin de nous, mais nous avons également besoin d'eux. Cet intérêt réciproque est à l'origine des alliances. L'un des principaux devoirs du Président est de cultiver ce sens de l'intérêt commun.

A bien des égards, dans une rencontre au sommet, les bonnes relations personnelles sont plus importantes avec des alliés qu'avec des adversaires. Avec des adversaires, la cordialité personnelle n'a aucune chance de faire disparaître les divergences des intérêts nationaux ; elle peut, bien entendu, empêcher les irritations de devenir inutilement violentes, et elle contribue parfois à trouver des idées de solution permettant de combler des fossés à première vue infranchissables. Mais avec des alliés, les relations peuvent se placer sur un niveau de confiance et de sincérité entièrement différent. Deux dirigeants qui se connaissent, se font confiance, respectent mutuellement leurs jugements et partagent les mêmes objectifs, peuvent établir des relations de travail qui transcendent la diplomatie normale. Ce sera à l'avantage de leurs deux pays. Les relations personnelles entre Roosevelt et Churchill au cours de la Deuxième Guerre mondiale en sont un bel exemple. Ma propre amitié avec de Gaulle a beaucoup contribué, quand je suis arrivé à la Maison Blanche, à améliorer les relations auparavant tendues entre les Etats-Unis et la France. Et de Gaulle, dont le regard était toujours braqué vers le long terme, m'a donné de sages conseils sur la façon de concevoir les responsabilités planétaires de l'Amérique, notamment en ce qui concerne l'Union soviétique et la Chine. Konrad Adenauer, en Allemagne fédérale, concevait lui aussi les choses dans une perspective très large ; bien qu'il soit mort avant que je devienne président, j'ai pu profiter de ses conseils d'autrefois. J'ai souvent eu des discussions très fructueuses avec des dirigeants anglais ; avec Harold Macmillan avant ma rencontre avec Khrouchtchev de 1959, par exemple, et avec Harold Wilson et Edward Heath avant mes voyages à Pékin et Moscou en 1972. Le président français Georges Pompidou avait, ainsi que le président Giscard d'Estaing, une connaissance étendue des problèmes économiques internationaux, qui a rendu mes entretiens avec eux à la fois instructifs et constructifs.

Les conseils d'alliés de confiance peuvent être particulièrement utiles et efficaces quand ils se rapportent à des parties du monde qu'ils connaissent mieux que nous. Mes discussions avec des dirigeants japonais comme Nobusuke Kishi, Eisaku Sato et Masayoshi Ohira m'ont ouvert des perspectives sur les problèmes de l'Asie qu'aucun Européen ou Américain n'aurait pu m'offrir. Et les Français connaissent mieux l'Afrique noire que nous ne la connaissons et ne la connaîtrons probablement jamais ; il en est de même pour les Anglais, les Belges, et bien d'autres. Les Anglais, du fait de leur ancien empire, possèdent un vaste répertoire de connaissances sur l'Asie du Sud, le golfe Persique et de nombreux endroits perdus sur la carte mais stratégiquement importants. Certains responsables de petits pays ont une compréhension intime de la région où ils sont, et ont beaucoup à nous apprendre sur l'ensemble du monde. Lee Kuan Yew, le Premier ministre de Singapour, est à mon sens l'un des plus grands hommes d'Etat du monde, même si la scène où il exerce ses fonctions est trop exiguë pour que tous ses talents puissent s'exprimer.

La différence entre rencontrer ses amis et rencontrer ses adversaires peut être résumée ainsi : quand on parle à ses adversaires on apprend des choses *sur eux* ; quand on parle à ses amis on apprend des choses *d'eux*.

Les Américains ont souvent tendance à négliger l'importance vitale qu'il y a à conserver et à renforcer leurs liens avec des pays qui ne sont pas des puissances de première grandeur, même si certaines, comme l'Australie et le Brésil, en raison de leurs vastes ressources, sont appelées à devenir de grandes puissances. Si un jeune homme me demandait conseil sur l'endroit où chercher fortune au XXIe siècle, je lui recommanderais le Brésil ou l'Australie. Les Brésiliens se sont battus courageusement au coude à coude avec les soldats américains, en Italie pendant la Seconde Guerre mondiale, et j'ai été témoin personnellement de la bravoure et de l'esprit de sacrifice des soldats australiens et néo-zélandais dans le Sud du Pacifique. Ils ont été dans la guerre des alliés magnifiques, et nous devrions rechercher leurs conseils et leur assistance pour le maintien de la paix.

L'alliance avec le Canada, notre ami à toute épreuve, ne devrait pas être tenue pour un fait acquis, simplement parce que nous partageons avec eux la plus longue frontière non surveillée du monde. Les Canadiens sont notre meilleur client, ils achètent 20 p. 100 de nos exportations. Mais vivre sur le seuil d'un géant industriel comme les Etats-Unis est parfois difficile. Leur désir compréhensible de voir diminuer la mainmise américaine sur leurs entreprises commerciales devrait être respecté et encouragé.

Les Etats-Unis ont la chance d'avoir de véritables alliés et non des satellites. Nous devrions les traiter tous *vraiment* en alliés : reconnaître qu'ils sont aussi importants pour nous que nous le sommes pour eux, et que leur jugement sur les grands problèmes peut parfois être meilleur que le nôtre.

Tant que les alliances seront nécessaires, maintenir l'efficacité de ces alliances demeurera l'une des principales responsabilités du Président. Le succès ou l'échec dépendra souvent de l'habileté personnelle du Président à négocier avec les dirigeants alliés, ainsi que de la façon dont ils perçoivent la dimension de son autorité.

La « *chaire où l'on prêche* »

Des présidents des Etats-Unis, notamment au cours de ce siècle, se sont souvent servis du Bureau ovale de la Maison Blanche comme d'une « chaire où l'on prêche » (selon l'expression de Theodore Roosevelt). Le pouvoir du Président en tant que leader moral du monde libre est immense, mais il faut l'utiliser avec une grande habileté si l'on veut qu'il soit efficace. Surtout, le Président ne doit intervenir que si les enjeux sont suffisamment élevés pour justifier sa prise de position. Les droits de l'homme sont un des domaines où ce pouvoir, exercé comme il convient, peut être extrêmement efficace. Mais il faut l'exercer avec discrimination, en ayant une conscience claire des nombreuses distinctions qui s'imposent dans le monde des réalités.

La tragédie de l'Iran est un exemple typique de ce qui se produit quand les Etats-Unis ne savent pas faire la distinction entre régime autoritaire et régime totalitaire, entre ceux qui respectent dans une certaine mesure les droits de l'homme, et ceux qui les répudient entièrement, entre ceux qui sont nos alliés et nos amis fidèles et ceux qui sont nos ennemis en puissance.

J'ai rencontré le Chah pour la première fois à Téhéran il y a vingt-sept ans. J'avais quarante ans et il n'en avait que trente-quatre. Il venait d'être rétabli sur son trône, mais à cette époque il se bornait à régner : il ne gouvernait pas. Le pouvoir était exercé de façon compétente par le général Zahedi, le père du dernier ambassadeur du Chah aux Etats-Unis. J'avais alors jugé le Chah comme un homme intelligent, noble, calme, et pas très sûr de lui. Mais il savait écouter et il faisait preuve d'une compréhension profonde, non seulement des problèmes de son propre pays mais aussi du monde qui l'entourait. Le docteur Mossadegh, le premier ministre renversé, antioccidental orienté à gauche, avait laissé l'économie de l'Iran en ruine. 85 p. 100 de la population était analphabète. Les femmes n'avaient aucun droit politique. L'Iran en était encore au XIXe siècle.

Depuis cette époque, j'ai rencontré le Chah bien des fois. Nous sommes devenus amis. J'ai vu son pouvoir s'accroître, ainsi que sa sagesse. Au cours des années 1960, alors que j'étais sans responsabilités officielles, je suis allé le voir à Téhéran quatre fois. A ce moment-là, il avait mûri et faisait figure d'homme d'Etat de première grandeur. En outre, et c'était plus important encore, il avait accompli une véritable révolution en Iran. En moins de vingt ans il avait introduit l'Iran dans le XXe siècle. Avant sa venue au pouvoir, plus de la moitié des terres du pays étaient détenues par moins de 1 p. 100 de la population. Il lança un programme de réformes agraires massives qui comprenait l'aliénation de l'ensemble des terres de la Couronne et obligeait les riches latifundiaires et le clergé musulman à abandonner une grande partie de leur patrimoine terrien. Pour les paysans iraniens, c'était une première chance de posséder la terre qu'ils cultivaient. Il lança en outre un projet plein d'imagination visant à accorder aux ouvriers iraniens une part dans la marche de l'économie, d'abord par un partage des bénéfices, puis en encourageant les travailleurs à acheter des actions des entreprises dans lesquelles ils étaient employés ; le gouvernement leur prêtait même le capital nécessaire pour acheter. Pour aider les pauvres des régions rurales, pendant longtemps une des populations du monde les plus touchées par la misère et la maladie, il organisa avec des jeunes Iraniens, à la place de leur service militaire, un Bataillon d'Education, un Bataillon de Santé et un Bataillon de Reconstruction et Développement, qu'il envoya dans les campagnes. Le nombre des écoles et des lycées monta en flèche ; le taux d'analphabétisme s'effondra ; et avec le soutien et l'encouragement du Chah, plus de quarante mille jeunes Iraniens purent faire leurs études à l'étranger. L'état sanitaire du pays fit des progrès énormes. Et, changement vraiment révolutionnaire dans l'Iran musulman, les femmes obtinrent les mêmes droits politiques que les hommes, en dépit de l'opposition acerbe des chefs islamiques traditionalistes.

Même avant le boom du pétrole, qui a débuté en 1973, l'économie de l'Iran avait un taux de croissance impressionnant de 9 p. 100 par an. Le chômage et le sous-emploi avaient presque disparu. Le Chah m'a dit que le Premier ministre travailliste de Grande-Bretagne, Harold Wilson, avait fait observer un jour que sous la direction du Chah, l'Iran avait fait davantage dans la voie du socialisme, dans le sens d'un partage équitable de la prospérité, que la Grande-Bretagne elle-même. Le Chah avait également constitué des forces armées importantes et comblait le vide laissé par les Anglais après leur retrait de la région du golfe Persique.

Il n'a pas accordé autant de droits politiques que la plupart des Américains l'auraient souhaité. L'Iran n'avait aucune tradition démocratique et son gouvernement appliquait encore, pour tenir en échec son opposition politique, des mesures tenues pour répressives selon les normes occidentales. Mais le peuple iranien avait davantage évolué dans le domaine des droits politiques et des droits de l'homme que tous ses voisins, hormis Israël. Sous le règne du Chah, l'Iran se développait à l'intérieur et était en sécurité sur le plan extérieur. Dans l'une des dernières études exhaustives consacrées à l'Iran avant les soulèvements de 1979 par l'Institut Hoover de l'Université de Stanford, le gouvernement du Chah devait être jugé, à juste titre, comme responsable de « la transition de l'Iran de la faiblesse à la puissance, de l'obscurantisme au progrès, de la pauvreté à la richesse ».

Quand je l'ai rencontré à Cuernavaca, au Mexique, en juillet 1979, j'ai pu me rendre compte qu'il n'avait nullement perdu la dignité, la force de caractère et le courage qui constituaient le fond de sa personnalité lorsqu'il était au pouvoir. Mais il semblait profondément déprimé. Des larmes lui montaient aux yeux quand il évoquait le massacre sauvage de ses amis et de ses partisans par le nouveau régime. Mais il n'avait aucun regret pour lui-même : il souffrait pour son pays. L'horloge du temps avait fait un bond de cent ans en arrière. Les femmes avaient perdu leurs droits. L'économie était en miettes. Quatre millions de personnes étaient sans emploi. L'inflation galopait au rythme de 40 p. 100. L'Iran n'était plus l'ami indéfectible de l'Ouest tenant en respect les forces internes et externes qui menaçaient de couper le pétrole nécessaire à notre survie.

Le Chah s'est montré dur pour lui-même, il a reconnu sa part d'erreurs. Mais il avait tenté désespérément de faire de son mieux. Il conserve encore beaucoup d'attachement et de respect pour les Etats-

Unis. Mais il a du mal à comprendre la politique du gouvernement américain à son égard tout au long de cette épreuve. Malgré le progrès économique réalisé sous son règne, malgré l'évolution lente mais sûre vers plus de démocratie, les Etats-Unis, en privé comme publiquement, le poussaient à faire davantage. C'est bien ce qu'il a tenté. Mais, comme il me l'a déclaré, il a aujourd'hui le sentiment d'avoir essayé de réaliser trop de choses trop tôt, sur le plan politique comme sur le plan économique. Plus le peuple a obtenu, et plus il a désiré. Il s'est aliéné les chefs musulmans en les forçant à donner leurs terres aux paysans. Il a développé énormément les possibilités d'accéder à des études supérieures, et maintenant des milliers de jeunes Iraniens cultivés, et notamment ceux qui ont fréquenté les universités américaines, se sont joints à ses adversaires et ont provoqué son abdication pour que l'Iran bénéficie tout de suite d'une démocratie et des droits de l'homme selon les normes américaines.

Au lieu des droits de l'homme, ils ont eu une dictature islamique.

Il avait du mal à comprendre l'attitude des Français. L'Iran avait été l'ami de la France et avait même des contrats d'achat de produits français représentant au moins dix milliards de dollars. Or le gouvernement a permis à l'ayatollah Khomeiny d'établir aux portes de Paris ce qui revenait en fait à un gouvernement en exil, véritable plate-forme qui a permis d'attaquer le Chah depuis l'étranger, et de manœuvrer les foules pour les inciter à l'émeute dans les rues de son pays.

Aujourd'hui, il considère que l'erreur cruciale des Etats-Unis n'a pas été de le soutenir ou de ne pas le soutenir, mais d'être restés indécis. Un jour, il recevait des assurances publiques et privées de soutien indéfectible. Le lendemain, on laissait filtrer la nouvelle que des émissaires américains d'un autre niveau prenaient contact avec ses adversaires. Le jour suivant, une déclaration de la Maison Blanche affirmait que si le Chah était renversé, les Etats-Unis reconnaîtraient tout gouvernement désiré par le peuple. Un gouvernement américain hésitant ne semblait pas pouvoir décider s'il soutiendrait le Chah sans équivoque, l'obligerait à faire un compromis avec ses ennemis, ou le laisserait libre de manœuvrer sans son appui.

Les Soviétiques, eux, n'ont pas hésité. Ils ont lancé des appels radiodiffusés incendiaires sur Téhéran et les autres grandes villes. Ils ont soutenu le parti communiste, faible mais bien organisé, ainsi que les autres groupes dissidents. Ils ne comptaient pas entraîner tout de suite l'Iran dans le camp soviétique. Mais ils savaient que le chaos en Iran était leur allié ; et que s'ils pouvaient provoquer suffisamment de désordres pendant un temps assez long, Téhéran romprait ses liens avec l'Occident pour devenir au moins neutre, et peut-être même se rapprocher de l'U.R.S.S. Leur stratégie a fonctionné.

Le Chah est devenu un homme sans pays, pourchassé d'un refuge à un autre. Le personnel diplomatique de l'ambassade américaine a été pris en otage et l'Iran de l'ayatollah Khomeiny fait la nique aux Nations Unies et au reste du monde civilisé. On a refusé de renvoyer le Chah de force en Iran comme les nouveaux dirigeants l'exigeaient, mais la façon dont la plupart de ses amis et alliés d'autrefois l'ont traité dès qu'il a perdu le pouvoir, contraste par sa bassesse avec la dignité dont il avait toujours fait preuve à leur égard.

Les Etats-Unis et l'Ouest ont perdu un ami fidèle dans une région du monde explosive où nous avions désespérément besoin d'alliés capables d'agir en tant que force de stabilisation. Certains pays de cette région, comme l'Arabie Saoudite, ont bien la volonté d'assumer ce rôle stabilisateur, mais leur puissance militaire est insuffisante. D'autres, comme l'Irak, possèdent la puissance nécessaire mais non le désir. Aujourd'hui, les Etats-Unis et nos alliés occidentaux doivent combler le vide.

L'Iran a perdu un homme d'Etat efficace. Le monde a perdu l'un de ces grands leaders qui, loin de ne s'intéresser qu'à leur propre paroisse, ont une meilleure compréhension des grandes forces qui animent le monde que les dirigeants de bien des pays plus puissants. Pendant une heure, à ma demande, le Chah m'a donné son opinion personnelle sur l'évolution actuelle en Union soviétique, en Chine, en Inde, dans le Proche-Orient, en Afrique et en Amérique latine. Ses connaissances étaient encyclopédiques et sa sagesse pénétrante.

Cet épisode tragique comporte des leçons pour l'avenir.

Surtout lorsqu'un pays clef comme l'Iran est impliqué, nous ne devons jamais oublier que notre choix, en règle générale, ne se pose pas entre l'homme au pouvoir, qui est notre ami, et quelqu'un de meilleur — mais plutôt entre lui et quelqu'un de pire.

Nous ne devons pas établir pour nos amis des normes de conduite plus élevées que pour nos ennemis.

Nous ne devons pas insister pour établir par force une démocratie de style américain dans les pays dont le cadre naturel, le passé et les problèmes sont essentiellement différents. Ils doivent évoluer selon leur voie propre, à leur rythme propre, vers les objectifs que nous-mêmes, en Occident, avons mis plusieurs centaines d'années à atteindre.

Enfin et surtout, nous devons à l'avenir soutenir nos amis. Sinon, nous nous apercevrons bientôt qu'il ne nous en reste plus. Après avoir vu ce qu'il est advenu du Chah en Iran et comment les Etats-Unis l'ont traité après son départ du pays, d'autres dirigeants, dans des pays qui sont très importants pour nous, comme l'Arabie Saoudite, se demandent aujourd'hui s'il ne leur arrivera pas la même chose au cas où ils seraient attaqués par des révolutionnaires de leur pays, soutenus par l'étranger.

Comme l'a fait observer le *Wall Street Journal* : « Les Etats-Unis ont besoin d'amis. Et le Chah s'était montré prêt à nous aider plus souvent que la plupart de nos alliés, par exemple, en alimentant en combustible les vaisseaux de guerre américains au milieu de l'embargo arabe sur le pétrole. Si la récompense pour un tel geste est l'infamie même aux Etats-Unis, combien de souverains prendront à l'avenir le risque de se ranger dans le camp américain ? Nous pouvons être certains que le sort du Chah ne passe pas inaperçu, au contraire, du prince Fahd qui contrôle les puits de pétrole, du roi Hussein sur les bords du Jourdain et du roi Hassan qui détient l'un des côtés du détroit de Gibraltar. Dans la mesure où le Chah est traité sans égards par les Etats-Unis, ils ont une raison de plus de rechercher le meilleur compromis possible avec les anti-Américains. »

Nous devons distinguer nettement les régimes « totalitaires » qui refusent toutes les libertés, et les régimes « autoritaires », qui limitent peut-être sévèrement les droits politiques mais qui accordent certaines libertés personnelles, par exemple le droit de libre choix en matière d'éducation, de religion, d'emploi, de mariage, d'amitiés, de lieu de travail, de vie familiale, et qui bénéficient dans certains cas d'un système de jurisprudence — certes moins évolué que le nôtre mais néanmoins beaucoup plus valable que la légalité purement formelle de l'Union soviétique ou la protection du Coran dans l'Iran d'aujourd'hui.

De nombreux pays du tiers monde sont gouvernés par des régimes autoritaires ayant à leur tête des dictateurs, souvent militaires. Le père du Chah était un militaire, il avait pris le pouvoir et s'était couronné Chah lui-même ; Franco était le général victorieux de la guerre civile espagnole ; les colonels grecs avaient un régime autoritaire ; ainsi que la junte chilienne.

Mais nous devons reconnaître une qualité à ces régimes et aux autres régimes du même ordre : c'est qu'ils ne sont pas dirigés par des fanatiques déterminés à imposer leur volonté de fer sur tous les aspects de la vie privée de leurs citoyens. Pour ces dirigeants autoritaires, la répression politique est un expédient qui leur permet de conserver le pouvoir et de maintenir l'ordre. Au contraire, le bain de sang survenu au Cambodge a été une tentative brutale de transformer une société et de détruire toute personne réfractaire au changement. A cet égard, la différence avec les autres régimes communistes n'était qu'une question de degré, pas de nature.

Nous devons également faire une distinction radicale entre les régimes qui menacent leurs voisins et ceux qui ne le font pas. Un auteur anglais a écrit : « Nous devrions distinguer entre les systèmes, en général totalitaires, qui veulent *exporter* leur répression et ceux, en général autoritaires, qui ne le font pas. Même un simple d'esprit peut comprendre que, si odieux soient-ils, ni le Chili ni l'Afrique du Sud n'ont de sous-marins qui rôdent autour des puits de pétrole de la mer du Nord. » Et, à l'inverse de Cuba, aurait-il pu ajouter, ils n'exportent pas la subversion communiste chez leurs voisins d'Amérique latine, et n'envoient pas leurs soldats jouer le rôle de mercenaires soviétiques dans les guerres de « libération » de l'Afrique.

Exercer de plus grandes pressions sur des régimes amicaux qui offrent certains droits et ne menacent pas leurs voisins, que nous n'en exerçons sur des régimes hostiles qui n'offrent aucun droit et menacent leurs voisins, n'est pas seulement hypocrite mais aussi stupide. Les alliances sont des accords de convenance. Les alliés n'ont pas besoin de s'aimer, ni même de s'admirer ; il suffit qu'ils aient besoin l'un de l'autre. Accorder notre alliance ne nous oblige pas à offrir à nos partenaires des sermons condescendants sur la moralité politique, cela ne nous en donne pas le droit. Les « impérialistes moraux » qui veulent pour prix de notre amitié que les autres pays soient re-créés à notre image, ne rendent aucun service à la liberté.

Je ne propose pas de renoncer à toute référence aux « droits de l'homme » dans nos relations avec nos amis. Mais nous avons besoin d'adopter une politique de réalisme. Et dans ce but nous devons faire dans nos têtes une discrimination simple mais décisive entre les perspectives à long terme et à court terme, entre les objectifs idéaux et ce qui est faisable dans l'immédiat.

A long terme, nous devons brandir bien haut l'étendard de la Révolution américaine comme la norme à laquelle tout homme aspire. Mais à court terme, dans l'immédiat, dans le monde réel auquel nous sommes confrontés, nous devons admettre que pour une très grande partie du monde, cet objectif est encore un rêve lointain. Il a fallu des siècles pour que l'Europe occidentale, avec sa civilisation relativement évoluée, mette au point des cadres politiques démocratiques, et plusieurs pays d'Europe sont même parfois retombés pour un certain temps dans l'autoritarisme. La démocratie américaine ne convient pas, c'est une évidence, à certains pays ; et s'ils tentaient de la mettre en pratique, elle ne fonctionnerait pas. La démocratie est comme un vin capiteux, certains la supportent, d'autres non, en tout cas pour le présent.

Dans un monde en conflit, l'une des armes les plus puissantes de l'Ouest est l'idée de liberté. Les pays communistes ont démontré qu'ils pouvaient être nos égaux sur le plan militaire. Dans le domaine économique ils continueront d'essayer de nous rattraper. Mais à l'égard des aspirations fondamentales de l'homme, il n'y a aucune contestation possible : l'Ouest gagne haut la main.

En tant que leader du monde libre, le Président doit se servir de cette arme — l'idée de liberté — sans ménagement ni réticences. Mais il doit l'utiliser de façon précise et efficace. Le mauvais usage d'une arme aussi puissante serait dramatique : en la bran-

dissant à tort et à travers, en frappant indistincte-
ment nos amis et nos ennemis, nous risquons en
définitive de nous blesser nous-mêmes. Le Bureau
ovale du Président est une « chaire » d'autorité
morale, pas d'impérialisme moral.

XI

RIEN NE REMPLACE
LA VICTOIRE

La Russie redoute notre amitié davantage que notre
hostilité. La dictature soviétique ne pourrait pas
survivre à des relations libres avec l'Occident. Nous
devons faire en sorte que Moscou redoute davantage
notre hostilité que notre amitié.

> Winston Churchill

L'objet de la guerre est de parvenir à une meilleure
paix... La victoire, au vrai sens du mot, suppose que
l'état de paix, et la situation du peuple, soient
meilleurs après la guerre qu'avant.

> B.H. Liddell Hart

Il y a près de trente ans, alors que j'étais jeune sénateur de Californie, j'entendis le général Douglas Mac-
Arthur déclarer à une séance plénière du Congrès
que « dans la guerre, rien ne remplace la victoire ».
Les membres de l'assemblée se levèrent. Ils l'accla-
mèrent. Des hommes dans la force de l'âge se mirent
à pleurer. C'était l'époque où le pays s'enfonçait dans
le bourbier d'une guerre en Corée. MacArthur, le héros
du Pacifique au cours de la Seconde Guerre mondiale, venait d'être relevé de son commandement en
Corée par le Président Truman. MacArthur aurait
voulu poursuivre la guerre. Truman était décidé à la
limiter et à rechercher une trêve négociée.

Qui avait raison, dans les circonstances de l'époque ? Les historiens et les stratèges en discuteront

longtemps. Mais quand on considère les perspectives de stabilité jusqu'à la fin du siècle et au-delà, quand on réfléchit aux enjeux, on est forcé de conclure que dans la Troisième Guerre mondiale, rien ne remplace la victoire.

La victoire exige que l'on sache quand, comment et où utiliser la puissance, pas seulement la puissance militaire, mais toutes les formes de puissance dont on dispose.

L'histoire nous enseigne qu'à maintes reprises des nations plus puissantes sur le plan militaire et sur le plan économique, et même des nations qui possédaient une volonté et un courage décisifs, ont été vaincues parce que leurs ennemis avaient utilisé leur puissance de façon plus efficace. Dans la Troisième Guerre mondiale, les Soviétiques ont à la fois un objectif et une stratégie de victoire. Leur objectif est la victoire totale, inconditionnelle, et la reddition inconditionnelle de l'Occident ; et leur stratégie implique l'utilisation et l'orchestration de tous les moyens vers cette fin, aussi prudemment que possible.

Tous les pays du monde veulent être du côté du vainqueur. La plupart d'entre eux ont perdu des guerres. La plupart d'entre eux, et tout particulièrement le Japon et l'Allemagne, ne veulent pas se trouver du côté du perdant. Le peuple américain veut gagner. C'est la raison pour laquelle MacArthur avait frappé une corde aussi sensible, c'est la raison pour laquelle il avait obtenu une réaction aussi instinctive, viscérale. L'un des résultats les plus catastrophiques de ce qui s'est passé au Vietnam, c'est que pour la première fois l'Amérique a eu l'impression d'avoir perdu une guerre.

Dans la Troisième Guerre mondiale, l'alternative à la victoire n'est pas, à long terme, une trêve bancale, mais la défaite militaire ou la reddition sans guerre. L'une et l'autre sont inacceptables.

Les Américains n'ont pas l'habitude de penser en termes planétaires, et ils sont mal à l'aise dans l'exercice du pouvoir quand on ne les provoque pas directement, comme à Pearl Harbor. Mais aujourd'hui, tout le monde devrait se rendre compte que le défi soviétique est une provocation du même ordre à l'échelle planétaire.

L'évolution de la réaction américaine au défi soviétique depuis la Deuxième Guerre mondiale peut être considérée, d'une manière exagérément simplifiée mais expressive, comme le passage de la confusion à l'endiguement puis à la détente. Au lendemain de l'intervention soviétique en Afghanistan, les années 1980 débutent par un concert de hauts cris enterrant, trop hâtivement à mon sens, la politique de détente. La plupart des gens ont mal compris le sens de la détente, la manière dont elle fonctionnait et les raisons qui lui permettaient de fonctionner. L'Afghanistan a interrompu la détente. Mais si l'on se tourne vers l'avenir il demeure toujours nécessaire d'adopter une politique permanente dont le cadre permette de nouveau à l'Union soviétique d'avoir intérêt à négocier avec les Etats-Unis sur une base réaliste, la réciprocité des concessions. Une détente couronnée de succès peut contribuer à rendre la victoire de l'Occident possible, sans guerre. Mais nous devons d'abord comprendre que la résistance à la poussée soviétique est un élément essentiel de la détente. C'est la politique de l'endiguement qui permet à la détente de réussir.

La politique de l'endiguement

Au lendemain de la Seconde Guerre mondiale, l'Occident, las de la guerre, s'est désarmé et a consacré tous ses soins à reconstruire sur les cendres du conflit. L'Europe était dévastée, impuissante. Les Soviétiques avancèrent dans le vide ainsi créé, et consolidèrent leur empire sur l'Europe de l'Est. Avec le soutien des Soviétiques, les communistes s'emparèrent du pouvoir en Chine et resserrèrent leur étreinte sur la Corée du Nord.

En réaction aux poussées soviétiques après la Seconde Guerre mondiale, les Etats-Unis définirent ce que l'on connaît maintenant sous le nom de « politique de l'endiguement ». Sur le front européen, la doctrine Truman en 1947 et la constitution de l'O.T.A.N. en 1949 mirent un frein à toute autre avancée soviétique. Ensuite, en 1950, avec l'appui soviétique et chinois, la Corée du Nord envahit la Corée du Sud. Une réaction militaire instantanée des Nations Unies, les Etats-Unis en tête, tint en échec l'agression communiste dans la région. La politique d'endiguement américaine était manifestement bien en place.

George Kennan, qui était à ce moment-là directeur des cadres de prévision politique aux Affaires étrangères, exposa en 1947 les principes de cette politique dans un article de la revue *Foreign Affairs* signé du pseudonyme de « M. X. ». Il insistait dans cet article sur la nécessité « d'une politique d'endiguement rigoureuse, consistant à opposer aux Russes une contre-force partout où ils se montraient prêts à empiéter sur les intérêts d'un monde pacifique et stable ».

Kennan estimait qu'en maintenant les contradictions inhérentes au communisme confinées dans le bloc communiste et en empêchant leur diffusion par expansion, cette politique pourrait « promouvoir des tendances qui aboutiraient dans l'avenir soit à la destruction, soit à l'adoucissement progressif de la puissance soviétique ». En fait, il reprenait les idées de ce conseiller de la Grande-Bretagne qui, deux siècles plus tôt, affirmait que ce qui cessait de pousser ne manquerait pas de pourrir.

Kennan était assez sage pour savoir que les seules promesses militaires ne suffiraient pas à assurer la vie d'une démocratie. Il disait que les Etats-Unis seraient obligés d'offrir « aux peuples du monde pris dans leur ensemble, l'image d'un pays qui sait ce qu'il veut, qui affronte avec succès ses problèmes intérieurs et ses responsabilités de puissance mondiale, et qui possède une vitalité spirituelle capable de maintenir sa conception du monde au niveau des grands courants idéologiques du temps ».

Il signalait que si, au lieu d'une résistance ferme et d'une attitude de confiance en soi et de force, les Etats-Unis donnaient le spectacle de « l'indécision, du manque d'unité et de la désintégration interne », cela aurait un « effet revigorant sur l'ensemble du mouvement communiste ». Ces tendances provoqueraient « un surcroît de suffisance... dans le camp de Moscou » ; de nouveaux groupes de partisans étrangers monteraient dans ce qu'ils considéreraient comme la « locomotive de la politique internationale » ; et, au lieu d'assister à « la destruction ou à l'adoucissement progressif de la puissance soviétique », on verrait la « pression russe » augmenter « sur tout le front des affaires internationales ».

Quand on considère avec le recul du temps les trente années qui nous séparent de l'époque où Kennan a écrit ces mots, il est évident que son analyse était prophétique. Huit pays d'Europe et deux pays d'Asie sont devenus communistes entre 1945 et 1949. Mais au cours des vingt-cinq années de 1949 à 1974, grâce à la politique d'endiguement, seulement deux pays, le Vietnam du Nord et Cuba, sont passés au communisme. Peu de politiques étrangères ont connu une aussi grande efficacité.

Au cours de cette période, les seules actions entreprises par l'Armée Rouge ont été dirigées contre les propres alliés de l'Union soviétique en Europe de l'Est. En Allemagne de l'Est en 1953, en Hongrie en 1956 et en Tchécoslovaquie en 1968, des rébellions ont été écrasées et des mouvements de libération étouffés. Le Bloc sino-soviétique est devenu la Faille sino-soviétique, et le fossé s'est tellement élargi que les deux anciens alliés ont été au bord de la guerre en 1969.

La politique d'endiguement convenait parfaitement aux réalités pour lesquelles elle avait été conçue. Elle exploitait notre grand potentiel économique et militaire et elle tirait parti des faiblesses internes de l'ennemi. Mais quand mon administration arriva au pouvoir en 1969, les conditions avaient changé, en partie justement en raison du succès de cette politique d'endiguement. Les Soviétiques étaient devenus plus puissants sur le plan militaire, mais ils connaissaient de graves difficultés économiques. Le ferment nationaliste et démocratique dans leurs satellites d'Europe de l'Est leur donnait du souci, et ils devaient affronter sur leur flanc oriental une superpuissance potentielle, pleine de colère, d'amertume et de ressentiment.

Ainsi donc, les pays d'Europe de l'Est exerçaient une pression silencieuse mais constante pour accroître leur liberté d'action. La Chine commençait à percevoir comme son principal ennemi l'U.R.S.S. et non plus les Etats-Unis. La politique d'endiguement avait été conçue en fonction d'un bloc communiste monolithique. Il y avait désormais des divisions profondes au sein de ce monde et nous pouvions les exploiter à notre profit. Notre politique avait besoin de prendre une dimension supplémentaire.

Sur le plan militaire, comme nous étions passés, du monopole nucléaire à la supériorité puis à la parité, l'effet de dissuasion de notre avance nucléaire n'était plus décisif. Parallèlement, les dangers d'erreurs de calcul et de guerre accidentelle atteignaient un niveau de plus en plus élevé. La force destructrice formidable des nouvelles armes présentait manifestement de nouveaux risques effrayants pour les deux superpuissances. Les intrigues constantes pour assurer une meilleure position, les marches et les contre-marches de la guerre froide, étaient devenues inquiétantes. Il existait un danger réel, toujours croissant, de voir se déclencher une guerre nucléaire à la suite d'une escalade involontaire.

A l'échelle du monde, le système bipolaire de l'après-guerre avait fait place à une structure internationale plus complexe, aux formes moins précises. Cinquante et un pays étaient entrés aux Nations-

Unies lors de leur fondation en 1945. Vingt-cinq ans plus tard, il y avait cent vingt-sept pays membres et leur nombre ne cessait d'augmenter. Un bloc de pays « non alignés » se constituait et la plupart des pays se réclamaient maintenant de ce groupe.

Enfin, l'Amérique commençait à payer le tribut des responsabilités qu'elle avait prises pendant vingt-cinq ans pour le reste du monde. Longtemps avant 1950 les États-Unis avaient assumé, en tant que grande puissance, les charges du maintien de la paix en Amérique centrale et en Amérique du Sud, c'était la doctrine Monroe. Quand le Japon avait attaqué la Chine au cours des années 30 et que l'équilibre des puissances s'était effondré dans le nord-est de l'Asie, c'étaient les États-Unis qui l'avaient rétabli au cours des années 1940, et ils avaient l'intention de le maintenir, surtout après l'invasion de la Corée en 1950. En 1947 nous avions repris les tâches que les Anglais accomplissaient en Grèce et en Turquie, et en 1948 nous nous étions engagés dans la défense et dans la reconstruction de l'Europe. Après la crise de Suez en 1956, la crédibilité de l'Angleterre et de la France comme garants de la paix au Proche-Orient allait s'évanouir en fumée. Nous avons également assumé cette responsabilité, codifiée dans la doctrine Eisenhower en 1957. Lorsque les anciennes puissances coloniales perdirent leur pouvoir et leur capacité de maintenir la paix, les États-Unis firent un nouveau pas en avant pour combler le vide, remplaçant notamment la Grande-Bretagne, la France, le Japon et l'Allemagne, en Europe, dans le Nord-Est de l'Asie, en Asie du Sud-Est et au Proche-Orient. Même pour nous, cela devenait trop.

Juste au moment où l'équilibre du pouvoir militaire commençait à pencher en notre défaveur, nous nous sommes engagés dans la plus vaste et la plus coûteuse entreprise militaire de la période de l'endiguement, la guerre du Vietnam... Et l'année même où l'administration Johnson lançait une ambitieuse « guerre à la pauvreté » dans notre pays ! Ce double fardeau gigantesque assené à la structure sociale et économique de notre société survenait à une époque de suprême confiance en soi, mais alors même que la suprématie effective justifiant cette confiance commençait à s'éroder. Ce double engagement maximal a surchargé nos systèmes, et nous nous sommes trouvés en court-circuit.

Quand je suis arrivé au pouvoir, le moment était venu de la consolidation et du retranchement, aussi bien à l'intérieur qu'à l'étranger. De nouvelles conditions exigeaient la mise au point d'une nouvelle stratégie pour traiter les vieux problèmes, les nouveaux défis et les nouvelles occasions qui s'offraient. Cette nouvelle stratégie allait comprendre notamment la doctrine Nixon, selon laquelle nous nous engageons à fournir des armes et de l'argent à des pays menacés d'agression directe ou indirecte, à la condition qu'ils fournissent les hommes. Elle comprenait notre ouverture à la Chine et de nouvelles ouvertures à des pays d'Europe de l'Est qui voulaient se tourner vers l'Occident. Elle comprenait également une évolution mesurée de la confrontation à la négociation dans nos rapports avec l'Union soviétique, afin de canaliser autant que possible notre rivalité dans des domaines pacifiques, de limiter les armes nucléaires et de créer un réseau d'interdépendances augmentant pour les Soviétiques le prix de revient de toute agressivité future, et réduisant les risques de guerre nucléaire.

La détente : mythe et réalité

Bien des objections à la politique de détente tiennent au fait que les gens ne comprennent pas ce qu'*est* la détente et ce qu'elle *n'est pas*. La détente n'est pas l'entente. Une entente est une alliance entre des pays ayant un intérêt commun. La détente est un accommodement entre des Etats ayant des intérêts divergents. C'est la situation qui existe entre les Etats-Unis et l'U.R.S.S. Nous sommes différents de

394

l'Union soviétique sur les points les plus fondamentaux. Nos intérêts, pour la majeure partie, s'opposent fondamentalement aux leurs et continueront de le faire.

Theodore Draper écrit que la détente est devenue « un moyen profondément ambigu pour une fin contradictoire et fuyante ». Et aujourd'hui, c'est la vérité. Le sens donné à la détente par mon administration a été tellement dévié, à la fois par le comportement soviétique et par les malentendus aux Etats-Unis, que le terme a perdu toute son utilité pour décrire les relations américano-soviétiques. Et quand on qualifie la détente d'« alternative à la guerre froide », cela devient même un obstacle à toute pensée claire.

Ce que j'entendais par détente n'était pas une « alternative à la guerre froide ». La détente et la guerre froide sont l'une et l'autre des alternatives à la guerre chaude, et notamment à la guerre nucléaire, entre les deux puissances. L'objectif principal de la détente est d'éviter la guerre nucléaire. Mais la détente ne saurait y parvenir à elle seule. Il faut lui associer une puissance suffisante pour maintenir l'équilibre nucléaire, ainsi que la capacité et la détermination proclamée des Etats-Unis d'empêcher toute agression soviétique.

La rivalité est un élément inévitable des relations américano-soviétiques, mais une certaine coopération est possible et, en fait, essentielle. La détente était une tentative de développer l'élément de coopération et de déterminer certaines limites à l'élément de rivalité. Elle n'invite pas à un relâchement de la vigilance de la part des Etats-Unis, ni à une réduction de l'opposition aux tentatives que font les Soviétiques pour développer leurs intérêts aux dépens des nôtres. La détente autorisait l'espoir, elle ne justifiait pas l'euphorie.

Nous ne nous attendions pas à ce que les dirigeants soviétiques abandonnent leurs objectifs fondamentaux, seulement qu'ils se montrent plus accommodants dans des accords sauvegardant et développant nos intérêts mutuels. Nous savions qu'ils n'avaient aucune intention de cesser le combat contre l'Occident. Brejnev, au cours de ses conversations avec moi lors de trois sommets Etats-Unis-U.R.S.S., même dans ses moments de conciliation extrême, n'a jamais reculé sur le principe de base du soutien des « guerres de libération » par l'Union soviétique. Il en a été de même des dirigeants chinois au cours de mes entretiens avec eux. Et je suis demeuré tout aussi ferme en indiquant que les Etats-Unis continueraient de résister à ces efforts, comme nous l'avons fait au Vietnam. Les dirigeants soviétiques ont proclamé une intensification de la « lutte idéologique ». Pour eux, comme l'a précisé Walter Laqueur, cela ne représente pas « des débats philosophiques sur les mérites des systèmes sociaux respectifs, mais un véritable combat politique qui peut très bien impliquer des opérations militaires limitées. Cela signifie, à toutes fins pratiques, l'expansion de la sphère d'influence soviétique ». La détente ne signifiait pas que nous fermions les yeux sur cette réalité, et elle ne signifiait pas que nous hésiterions à nous opposer aux tentatives d'expansion dominatrice des Soviétiques. En réalité, pour obtenir la coopération des dirigeants du Kremlin, il nous fallait montrer que nous étions capables d'opposition efficace si nous y étions contraints. C'est la raison pour laquelle ma décision de miner Haiphong et d'accroître les bombardements du Nord-Vietnam (en réaction à l'offensive appuyée par les Soviétiques contre le Sud-Vietnam) avant la réunion au sommet de 1972 à Moscou, a joué un rôle essentiel. Il ne peut pas y avoir de détente sans endiguement, car il faut s'attendre à ce que les Soviétiques tirent parti de la moindre occasion que nous leur donnons. De nombreuses personnes ont eu tendance à l'oublier, et le mot de *détente* a été complètement détourné de son sens.

En envisageant les stratégies de nos relations avec les Soviétiques dans l'avenir, nous devons considérer la détente comme un complément de l'*endiguement* et non comme son substitut. L'*endiguement*, la résistance à l'expansionnisme russe, doit demeurer la condition *sine qua non* de la politique étrangère américaine, car si nous ne pénalisons pas les Soviétiques pour tout comportement agressif, ils n'auront aucune raison d'écarter l'agression de leur politique. Et la détente, qui cherche à éviter les éventuelles erreurs d'évaluations fatales, à réduire les divergences partout où la négociation est possible, et à donner aux Russes et aux Chinois des raisons qui les stimulent à collaborer avec nous pour maintenir un ordre mondial stable est, à l'âge de l'atome, une simple question de bon sens.

L'*endiguement* sans la détente est à la fois dangereux (en raison des effroyables arsenaux nucléaires des superpuissances) et stupide (parce que cela nous empêche de tirer parti des divergences entre l'U.R.S.S et la Chine). Mais la détente sans l'*endiguement* est une illusion creuse. Les Russes n'auront aucune raison de modérer leur comportement agressif s'ils se rendent compte que l'agression est payante. Si les stimulants positifs de la détente sont offerts sans la menace des sanctions négatives de l'*endiguement*, la détente n'est plus dans la pratique qu'auto-censure et apaisement.

Si les Russes croient pouvoir sans risque utiliser la détente comme une couverture pour l'agression, directe ou indirecte, ils essaieront de le faire. Au cours de ces dernières années, ils ont non seulement essayé, mais réussi, de même qu'ils ont réussi à utiliser l'agression comme couverture pour faire pencher en leur faveur l'équilibre militaire. Mais cela ne condamne pas la détente en elle-même. Cela prouve simplement que les Etats-Unis n'ont pas fait preuve de la résolution indispensable pour que la détente fonctionne selon nos intérêts, alors que les Soviétiques ont fait preuve, eux, d'assez de résolution pour qu'elle fonctionne selon les leurs. La détente peut encore constituer une base valable pour une stratégie américaine victorieuse, mais uniquement en conjonction avec les politiques de force, de courage et de volonté qui lui sont nécessaires.

La conjonction de l'*endiguement* et de la détente est la politique qui convient quand on a à traiter avec une dictature. Le spécialiste de la stratégie B. H. Liddell Hart a expliqué en peu de mots pourquoi les Russes nous comprennent quand nous parlons le langage de la force, lorsqu'il a fait observer que « moins une nation a d'égards pour les obligations morales, plus elle a tendance à respecter la force physique ». Il a écrit notamment :

C'est une folie d'imaginer que le type agressif (qu'il s'agisse d'individus ou de pays) puisse être acheté — ou dans le langage moderne « apaisé » —, car le paiement d'un *danegeld* [1] pousse l'adversaire à exiger un *danegeld* plus important. Mais les agressifs peuvent être domptés. Leur croyance même en la force les rend plus sensibles à l'effet de dissuasion d'une force d'opposition redoutable...

Alors qu'il est difficile de faire une paix véritable avec le type prédateur, il est plus aisé de l'induire à accepter un état de trêve — et c'est beaucoup moins épuisant que de tenter de l'écraser, du fait qu'il est, comme tous les types humains, animé par l'énergie du désespoir.

Les Russes comprennent la puissance et ils réagissent à la force beaucoup plus promptement qu'aux appels ronflants à la coopération pour le bien de l'ensemble de l'humanité. Ils nous font vraiment plus confiance quand nous parlons le langage de la puissance que quand nous nous mettons à leur prêcher nos idéaux.

Winston Churchill a dit un jour : « Je ne peux prédire ce que fera la Russie. C'est une énigme, enve-

---

1. Taxe annuelle payée à l'origine par les Anglais pour éviter les ravages des envahisseurs danois. *(N.d.T.)*

loppée d'un mystère au milieu d'un rébus ; mais il existe peut-être une clef. Cette clef, c'est l'intérêt national russe. » Maintenant comme à l'époque, les Russes ne coopéreront avec nous que si c'est dans leur intérêt. Et ils n'y trouveront leur intérêt que si, comme l'a dit Churchill avec tant de discernement, « ils redoutent notre hostilité davantage que notre amitié ».

La détente n'élimine pas d'un coup de baguette magique les différences d'attitude, de valeurs et d'intérêts qui prennent racine dans l'horizon dont les pays héritent, dans les idéologies qu'ils adoptent, et dans les réalités économiques et militaires qu'ils affrontent. C'est en revanche un processus par lequel des pays cherchent à vivre avec leurs divergences au lieu de mourir pour elles. Les divergences ne peuvent pas être effacées. Les options se limitent à essayer de prendre ces tensions de front et de les résoudre, ou bien à les laisser déterminer complètement la nature des relations internationales. L'un des meilleurs arguments en faveur de la détente que j'ai entendus, m'a été donné par le gouverneur général anglais de l'Australie, William Slim, quand je l'ai rencontré en 1953. Il était fortement persuadé que « nous devions briser la glace. Si nous ne brisons pas la glace, nous serons tous si bien gelés au milieu de la banquise qu'il faudra une bombe atomique pour nous dégager ».

La détente, du point de vue américain, c'est cela : briser la glace, partout où c'est possible, en tentant d'aborder nos divergences de façon rationnelle.

L'accord négocié sur Berlin en 1971 est l'exemple même de ce que la détente peut accomplir.

En 1948 puis en 1958, des tensions à propos de Berlin menacèrent d'impliquer les Etats-Unis et l'U.R.S.S. dans une escalade qu'ils ne désiraient ni l'un ni l'autre. Par la suite, Berlin, divisé entre l'Est et l'Ouest et profondément enclavé dans l'Allemagne de l'Est, demeura un point douloureux pour les deux camps et une source constante d'éventuelle confrontation. En 1971, après seize mois de négociations acharnées, nous signâmes un accord avec l'Union soviétique sur l'accès à Berlin et d'autres problèmes corollaires, dangereux en puissance. Ces accords de Berlin traitaient de questions qui pouvaient paraître relativement mineures en soi, mais qui étaient extrêmement sensibles pour les deux camps, et les risques qu'ils éliminaient étaient très grands. En parvenant à ces accords, nous avions substitué avec succès la négociation à la confrontation. Ce fut l'accord de Berlin qui prépara la voie au premier sommet Etats-Unis-U.R.S.S. de mon administration en 1972. Nous avions eu l'impression qu'ayant pu résoudre nos divergences sur une controverse aussi épineuse et aussi ancienne, nous serions capables de parvenir à des accords sur d'autres questions.

Ce que peut faire la détente, c'est réduire les possibilités d'erreurs d'estimation aboutissant à la guerre nucléaire, et éliminer certains des points chauds en remplaçant la confrontation par la négociation.

Mais il y a bien des choses que la détente *ne peut pas faire*. Elle ne peut pas transformer tout d'un coup des Russes en « braves types ». Et elle ne peut pas éliminer le fait que nous sommes en état de rivalité avec eux partout dans le monde, et que certaines de ces tensions conduiront inévitablement à des confrontations. Ce que nous pouvons espérer, c'est que la détente minimisera les risques dans les domaines mineurs en remplaçant la confrontation par la négociation, et offrira des méthodes pour résoudre pacifiquement les confrontations dans les domaines majeurs. En tant que superpuissances capables de nous détruire mutuellement, nous avons tous deux un intérêt réel à empêcher les confrontations de nous échapper des mains.

Certains semblent penser que si nous tentions réellement de comprendre les Russes, nous pourrions résoudre toutes nos divergences et parvenir à une entente. Croire cela, c'est ignorer des siècles d'expériences nationales totalement différentes, négliger les effets d'idéologies diamétralement opposées, et perdre de vue la rivalité intense, géopolitique et militaire, qui court en filigrane de toutes nos relations avec l'Union soviétique. « Faire connaissance » avec quelqu'un, ce n'est pas nécessairement l'apprécier. En fait, dans ce cas précis, c'est peut-être découvrir que nous nous apprécions mutuellement encore moins que nous ne le pensions.

S'apprécier mutuellement est une chose. Apprendre à vivre côte à côte en est une autre. Si nous pouvons parler ensemble, nous avons au moins une chance de découvrir et de cultiver certains domaines où notre intérêt est le même, et d'éviter les erreurs de jugement et le soupçon qui se produisent quand deux camps sont isolés l'un de l'autre. Si nous ne nous parlons pas, nous ne pourrons trouver aucune base de coopération : nos divergences ne feront que grandir, et nos haines s'endurciront. A ce moment-là, il faudra vraiment une bombe atomique pour nous dégager de la glace.

Churchill a fait observer il y a de nombreuses années que « la Russie redoute notre amitié davantage que notre hostilité. La dictature soviétique ne pourrait pas survivre à des relations libres avec l'Occident ». Sa solution : « Nous devons faire en sorte que Moscou redoute davantage notre hostilité que notre amitié. » Ce concept est vital pour le succès de la politique de détente. Nous pouvons pousser Moscou à craindre notre hostilité davantage que notre amitié en lui montrant que nous sommes un ennemi dangereux, mais il est également efficace de lui montrer que nous sommes un ami qui vaut la peine d'être cultivé. Les Russes ont désespérément besoin de notre coopération économique. C'est une chose que nous pouvons leur offrir s'ils modèrent leur comportement agressif.

La détente ne se donne pas pour objectif de changer les intentions profondes des Russes. Elle veut modifier leur calcul des avantages et des inconvénients. Elle veut rendre leurs actes d'agression plus coûteux (et donc moins intéressants) et leurs initiatives pacifiques plus profitables du point de vue de leur intérêt national. La recherche académique classique des raisons profondes du comportement russe n'est pas seulement futile, elle passe à côté du point fondamental, à savoir que leurs actes dépendent des nôtres. Si nous nous montrons prêts à nous dresser quand ils essaient de nous bousculer, et prêts à nous asseoir quand ils se comportent de façon plus raisonnable, ils deviendront plus accommodants. La clef du comportement des Russes est davantage en nous qu'en eux-mêmes. Pour pouvoir nous asseoir avec les Russes, il faut d'abord que nous soyons capables de nous dresser contre eux.

Les optimistes ont cru naïvement que la détente effacerait tous les problèmes et tous les conflits d'intérêts nationaux entre les Etats-Unis et les deux grandes puissances communistes. Ils avaient tort. Mais les critiques de la détente se trompent aussi : ce n'est pas parce que la détente ne peut pas *tout* qu'elle ne peut *rien*. La réalité c'est que les Soviétiques sont engagés dans un processus d'expansion de leur puissance, *autant qu'ils peuvent le faire dans la sécurité et à leur avantage*. Ils ne cesseront pas de nous harceler, de mettre nos points faibles à l'épreuve, d'essayer de nouveaux secteurs d'expansion. Si nous démontrons que les retombées économiques et diplomatiques sont plus intéressantes pour eux s'ils coopèrent avec nous que s'ils nous affrontent, ils en tireront la conclusion qui s'impose. Mais si nous nous laissons bousculer dans la confrontation et si nous sommes mesquins dans l'amitié, ils tireront de même la conclusion naturelle. A bien des égards, le choix nous appartient.

La détente : l'équation personnelle

Définir les principes généraux d'une politique réaliste de détente est une chose. Appliquer ces principes en est une autre. Aucun domaine de politique étrangère n'est, pour le président des Etats-Unis, aussi explosif. Le moindre faux pas, excès de mollesse ou excès de fermeté, peut conduire au désastre. Eviter de passer de l'euphorie à la déception est d'une importance vitale.

L'un des principaux problèmes que rencontre un président lorsqu'il applique une politique de détente, est de justifier l'adoption de ce que bien des gens prennent pour deux concepts complètement contradictoires. Tout au long de ma carrière publique, j'ai acquis la réputation d'adversaire acharné du communisme et de tout ce qu'il représente. Mes voyages en Chine et en Union soviétique en 1972 ont déconcerté, déçu, et même choqué bon nombre de mes partisans les plus fidèles. Comment, demandaient-ils, pouvais-je prendre le thé avec Mao, boire le mao-taï avec Chou En-lai et vider mon verre de vodka avec Brejnev ? Comment pouvais-je me justifier de porter des toasts, d'offrir et de recevoir des présents, de sourire et d'échanger des poignées de mains avec ces dirigeants, implacables et athées, de régimes répressifs et agressifs qui s'opposent à tout ce que nous représentons ? Cela voulait-il dire que j'avais changé d'opinion à l'égard de la menace que présente pour l'Occident le communisme totalitaire ? Si ce n'était pas le cas, à quoi pouvait bien servir de « fraterniser » avec des hommes dont le but avoué est d'imposer leur système à tous les pays libres et à nous-mêmes ?

Quand je suis allé à Moscou en 1972, je n'avais pas la moindre illusion sur la nature agressive des intentions soviétiques. Au cours des trois premières années de mon mandat présidentiel, les Soviétiques nous avaient mis à l'épreuve à Cuba, au Proche-Orient et dans l'Asie du Sud ; et ils nous mirent de nouveau à l'épreuve au Vietnam deux semaines à peine avant le sommet. Le fait que nous ayons montré de la fermeté dans chaque cas, et que nous ayons même rencontré les ennemis mortels des Russes à

Pékin avant d'aller à Moscou ne « torpilla » pas le sommet, comme certains l'avaient prédit. Au contraire, je suis certain que notre fermeté a contribué à convaincre les Soviétiques qu'ils n'avaient aucun choix en dehors de la négociation.

Je n'attendais pas de mes rencontres personnelles avec les dirigeants soviétiques qu'elles modifient leurs opinions. Je savais que Brejnev et ses collègues étaient tous des communistes convaincus. Mais j'étais persuadé alors, et je le demeure, que même si des rencontres de ce genre ne sauraient effacer des divergences majeures en matière de philosophie fondamentale, elles contribuent utilement à rétrécir les domaines de conflit en puissance, et à explorer les possibilités de coopération à l'avantage de tous. Dans un sens plus large, l'Union soviétique et les Etats-Unis sont les deux seules superpuissances nucléaires dans le monde ; nous avons donc l'obligation, à l'égard de nous-mêmes et de l'autre, ainsi que dans l'intérêt du reste du monde, d'étudier toute proposition permettant éventuellement à notre terrible puissance de ne pas être utilisée d'une manière qui risque d'entraîner la dévastation massive de nous-mêmes et de la civilisation telle que nous la connaissons.

Il est essentiel de ne pas perdre de vue les limites de ce que la détente peut réaliser. Il est également important de connaître nos adversaires et savoir comment traiter avec eux, ne serait-ce que pour parvenir à ces objectifs limités. Les dirigeants soviétiques que j'ai rencontrés depuis mon premier voyage à Moscou en 1959, lorsque j'étais vice-président, sont très différents des vieux stéréotypes des Bolcheviques lanceurs de bombes des années 20, ou des fauteurs de subversion sans consistance des années 30 et 40. En tant qu'êtres humains, en tant que Russes et en tant que communistes, ils sont beaucoup plus complexes, moins sinistres, mais plus dangereux en puissance.

En tant que Russes, ce sont des hôtes très accueillants : ils sont généreux, forts et courageux ; surtout ils sont fiers de leur héritage russe, et extraordinairement susceptibles et sensibles aux affronts personnels.

En tant que communistes soviétiques, ils mentent, trichent, profitent du moindre avantage, bluffent et manœuvrent constamment — essayant toujours de vaincre par tous les moyens nécessaires à leur fin.

En tant qu'hommes, ils sont très différents les uns des autres, à la fois par leur origine et par leurs traits de caractère personnels. Khrouchtchev était grossier et rustre, avec une intelligence très vive et un sens de l'humour d'une efficacité redoutable. Brejnev donne l'apparence d'être chaleureux, terre à terre et très physique — la façon dont il me prenait souvent le bras pour appuyer un argument me rappelait Lyndon Johnson. D'une intelligence moins vive, il était plus ferme et moins impulsif que Khrouchtchev. Kossyguine était froid, aristocratique — un technocrate sans aspérités ; s'il était né à Chicago et non à Leningrad, il aurait très bien pu finir comme directeur général d'une multinationale américaine. Gromyko était austère, dur, d'une obstination qui vous rendait fou, et inflexible dans l'application de la ligne de son gouvernement en matière de politique étrangère. Dobrynine était extrêmement compétent, d'un caractère uni, aimant le monde, et sophistiqué ; compte tenu des responsabilités qu'il avait, c'était sans aucun doute le meilleur ambassadeur à Washington dont je me souvienne. Souslov, le théoricien marxiste de la ligne dure, parlait et agissait avec l'assurance compassée d'un professeur d'université américain en chaire. Tous semblaient être des pères de famille sincères et dévoués. Hormis Khrouchtchev, ils avaient tous d'excellentes manières et s'habillaient de façon impeccable.

Ceci dit, plusieurs règles de conduite pour la négociation avec les dirigeants soviétiques ne manquent pas de se faire jour. En tant qu'hommes, il faut bien entendu les traiter avec courtoisie. En tant que

Russes, ils sont extrêmement susceptibles si on les traite en inférieurs. Comme l'a dit un jour le Premier ministre britannique Harold Macmillan, les dirigeants soviétiques désirent désespérément être accueillis comme membres à part entière dans le club international des grands hommes d'État. Dans ces pays comme chez ces individus, le manque de confiance en soi provoque souvent agressivité et belligérance, surtout si l'interlocuteur sensible se croit insulté ou ridiculisé. Rabaisser les Russes, c'est les pousser à se montrer plus agressifs. Nous devons être sensibles à ces problèmes.

Je ne prétends pas que les relations personnelles, bonnes ou mauvaises, aient un effet déterminant sur les relations d'État à État. Mais les deux choses ne peuvent pas être séparées. Nous ne devons pas supposer que de meilleures relations personnelles amélioreront automatiquement les relations d'État à État. Mais de mauvaises relations personnelles permettent difficilement d'améliorer de mauvaises relations d'État à État, et risquent même de les aggraver.

J'aimerais suggérer, pour ceux qui négocient avec les dirigeants soviétiques, les quelques règles suivantes :

1. Tout président qui croit pouvoir obtenir des hommes du Kremlin un changement de politique en les « charmant » ou par simple persuasion personnelle est appelé à avoir un dur réveil. Franklin Roosevelt l'a tenté à Téhéran et à Yalta, et il a échoué. La désillusion qui a très vite dissipé l'enthousiasme euphorique de Genève en 1955, de Camp David en 1959, de Vienne en 1961 et de Glassborough en 1967, est la preuve patente que le charme et la rhétorique de persuasion n'ont aucun effet durable sur les dirigeants soviétiques, durs et pragmatiques.

2. Toute conduite de la part du Président qui trahit un sentiment de faiblesse ou d'indécision peut aboutir à une erreur de jugement de la part des dirigeants soviétiques, et à une mise à l'épreuve de la détermi-

nation de l'Amérique. Ce fut le cas lorsque Khrouchtchev, à la suite du sommet de Vienne de 1961, envoya en 1962 des missiles à Cuba.

3. Toute sentimentalité déplacée doit être évitée, mais aucun président ne pourra obtenir de résultats par la fanfaronnade et une attitude de belligérance. Les Russes sont les maîtres du bluff et ils décèlent en général cette tactique quand on l'utilise contre eux. La fanfaronnade et les mauvais procédés peuvent intimider les faibles, mais jamais les forts. Les paroles douces avec un gros bâton tenu d'une main ferme, sont la méthode la plus efficace de traiter avec les Soviétiques.

4. On enseigne aux dirigeants soviétiques l'art de la conspiration pratiquement depuis la naissance. Il est donc très important pour nous de ne pas étaler toutes nos cartes sur la table. Surtout, ne jamais leur dire *ce que nous ne ferons pas* ; il faut leur laisser penser que vous risquez de faire davantage que vous ne le pouvez, ou ne le voulez, en réalité.

5. Nous ne devons pas commettre l'erreur répandue d'attribuer aux Soviétiques nos propres valeurs. Par exemple :

a) L'Occident est influencé par l'opinion publique mondiale ; les Soviétiques ne sont influencés que par leurs intérêts. Non seulement les résolutions de l'O.N.U. ne sont pas contraignantes pour les Soviétiques, mais ils les accueillent avec mépris.

b) Exclure la force est tenu en Occident pour un acte de vertu ; les Soviétiques et les autres agresseurs en puissance le considèrent comme un signe de faiblesse. Exclure l'utilisation de la force par l'Amérique provoque l'utilisation de la force contre nous.

c) La « sincérité » est un concept occidental idéaliste qui ne signifie rien pour les dirigeants soviétiques. Notre ancien ambassadeur en Russie Charles Bohlen m'a dit un jour : « Essayer de déterminer si les dirigeants soviétiques sont sincères en quoi que ce soit est un exercice inutile. » Montrant une table basse il a ajouté : « Ce sont de purs matérialistes. Vous ne pouvez pas plus leur attribuer l'épithète *sincère* qu'à cette table. »

d) L'attitude occidentale et l'attitude communiste à l'égard de la paix sont également à des pôles opposés. Avant mon départ à Moscou en 1959, j'ai demandé à John Foster Dulles ce qu'il pensait de l'opinion de spécialistes de la politique étrangère qui estimaient que mon objectif principal devait être de convaincre Khrouchtchev que les Etats-Unis désiraient la paix. Il me répondit : « Je suis d'avis diamétralement opposé. Khrouchtchev sait que nous désirons la paix. Vous devez essayer de le convaincre qu'il ne peut pas gagner une guerre. »

6. Nous ne devrions jamais négocier à partir d'une position de faiblesse. Par exemple, il ne faudrait participer à aucun nouvel entretien sur la maîtrise des armements tant que les Etats-Unis n'ont pas fermement mis en place un programme visant à rétablir un équilibre militaire qui soit crédible pour les négociateurs soviétiques de l'autre côté de la table. Sinon, les dirigeants soviétiques nous prendront à la gorge. Autour d'un tapis vert, nous ne pouvons négocier que sur la base de ce que nous allons avoir dans nos arsenaux, et eux dans les leurs.

7. Il est absolument indispensable de faire preuve d'esprit de suite et de fermeté. Comme l'a récemment écrit Joseph Galloway, ancien correspondant d'*United Press* à Moscou :

« Au cours de mes transactions avec les Russes, comme bien d'autres personnes avant moi, je me suis aperçu qu'il vaut mieux établir clairement et fermement dès le départ son objectif, ses visées et sa démarche. Et ensuite, se tenir à cette ligne avec toute la détermination et tout l'entêtement dont on est capable.

« Si l'on plie sur le moindre de ses principes on convainc l'autre camp qu'il a au moins une chance de vous faire plier sur les principes plus importants, et cette possibilité suffit à pousser les Russes à vous harceler à jamais.

« La façon dont la diplomatie américaine a procédé avec l'Union soviétique au cours des deux ans et demi qui précèdent, a rompu à maintes reprises avec ces règles de conduite simples.

« Des décisions unilatérales ont été prises sans rechercher aucune concession soviétique en retour. Dès le départ de négociations difficiles on a fait preuve d'une impatience à parvenir à un accord qui relevait de l'amateurisme. On a abordé des sujets n'entrant pas en ligne de compte et on a engagé le prestige de l'Amérique pour les défendre, avant de les laisser s'éteindre et mourir. Les Russes ont entendu de la part des représentants officiels de Washington, non une voix unique et résolue, mais une cacophonie de positions dures et conciliantes diamétralement opposées. »

De nombreux artisans de l'opinion américaine considèrent que les dirigeants soviétiques sont moins redoutables que je ne les ai jugés. Arthur Schlesinger, par exemple, estime que « nos partisans de la ligne dure se plaisent à croire que l'Union soviétique est un Etat dynamique qui sait ce qu'il veut et qui suit une politique établie avec logique, prévoyance et cohérence. Mais il se peut également que l'Union soviétique soit un pays épuisé, en désordre, dirigé par des vieillards malades, accablé par des problèmes insurmontables au-dedans et au-dehors, et vivant de crise en crise »...

J'aimerais croire qu'il a raison. Mais quand on considère la suite à peu près ininterrompue de conquêtes couronnées de succès au cours des cinq dernières années, j'ai bien peur qu'il se trompe. Et ce que nous ne devons jamais perdre de vue, c'est que la nouvelle génération de dirigeants soviétiques sera au moins aussi coriace que l'ancienne, et peut-être plus coriace encore. En effet, au contraire de Brejnev, de Gromyko, de Kossyguine et de la plupart des autres membres actuels du Politburo, ils ne seront pas freinés par des souvenirs personnels brûlants des horreurs de la Deuxième Guerre mondiale. Et nous pouvons être certains d'une chose : comme ceux à qui ils succéderont, ils auront une stratégie de victoire. Seule une stratégie de victoire très solide de notre part peut nous éviter la défaite. L'Occident doit leur opposer des dirigeants aussi forts, aussi intelligents, et si possible plus résolus à défendre ce qui est juste, qu'ils le sont à poursuivre ce qui est faux.

La victoire

Nous pouvons perdre la Troisième Guerre mondiale ou nous pouvons la gagner.

Nous pouvons la perdre par défaitisme en imaginant que le conflit ne peut pas ou ne mérite pas d'être gagné. Nous pouvons la perdre en prenant trop tard conscience de l'importance du conflit, et donc en acquiesçant trop longtemps aux gains progressifs du camp communiste, qui par leur superposition peuvent équivaloir à une victoire soviétique moyenne, et même décisive. Nous pouvons perdre en dédaignant des alliés qui ne sont pas parfaits, ou des conflits qui offensent nos sensibilités. Nous pouvons perdre par paresse d'esprit, en reportant au lendemain ce qui aurait dû être fait la veille, en ajournant des décisions difficiles jusqu'à ce que le besoin en devienne si manifeste que la décision survient trop tard. Nous pouvons perdre par une sorte de « paralysie par l'analyse » en élaborant des échafaudages logiques intellectualisés à l'excès pour chaque nouvelle poussée soviétique, prenant ces dernières pour excuse à l'inaction.

Ou bien nous pouvons gagner, si nous le décidons.

La première condition nécessaire est de reconnaître que nous avons la possibilité de gagner.

La suivante est de faire l'effort nécessaire à la

victoire, de prendre les décisions politiques de base qui nous donneront ce qu'il faudra pour assurer la victoire, et de se tenir à ces décisions. Cela paraît simple, mais ne l'est pas. Cela exige un retour prudent au concept de paix par l'intermédiaire de la force. Cela exige d'écarter tout un fatras intellectuel à la mode, et d'abandonner plus d'un slogan populaire. Cela exige de faire taire les voix tonitruantes de bien des intérêts privés, qui insistent toutes pour que l'on sacrifie quelqu'un d'autre à leur place. Cela exige que l'on prenne des risques.

Ce dont l'Amérique et l'Occident ont besoin, c'est d'être éveillés à un sentiment d'urgence. Nous n'avons plus la marge de manœuvre et d'erreur qui nous restait encore il y a quelques années. Cette marge a disparu en même temps que notre suprématie en matière d'armement stratégique.

Quand les Etats-Unis possédaient un avantage décisif en matière de puissance nucléaire stratégique, des changements relativement mineurs dans l'équilibre géopolitique avaient des conséquences relativement mineures. Mais avec la perte de cet avantage, ces mêmes changements, s'ils nous sont contraires, prennent une importance beaucoup plus grave, exactement comme un faux pas est beaucoup plus dangereux pour un funambule sur la corde raide que pour un promeneur sur le trottoir. Aujourd'hui, avec l'artère jugulaire du pétrole occidental — le golfe Persique — directement menacée, nous perdons notre marge de sécurité en même temps que notre marge d'erreur.

Il y a plus de vingt ans, le regretté Dean Acheson a parlé de « la myriade de décisions qui, ajoutées l'une à l'autre détermineront si, oui ou non, notre pays deviendra ce qu'il doit être et fera ce qu'il doit faire, et si le monde non communiste s'unira, demeurera uni et pourra sortir triomphant, toujours libre et fort, d'une « concurrence pacifique », d'une « guerre froide », d'une guerre chaude, ou peut-être de toutes ces épreuves successives ou simultanées.

Ces décisions ne se présenteront pas à nous avec la simplicité spectaculaire du tonnerre de bombes qui nous ont posé le même problème autrefois, à Pearl Harbor. Une démocratie peut sceller son destin peu à peu, et avec la même inexorabilité apparente qui semble rendre ses dirigeants aveugles à la nature de la voie à suivre — tout comme ils avaient été aveugles au cours des années précédant la Guerre de Sécession ».

La réflexion d'Acheson est encore plus vraie aujourd'hui que de son temps.

Nous pouvons nous laisser glisser sur cette voie du « gradualisme ». Ou nous pouvons nous redresser et décider de changer de voie.

Nous pouvons nous permettre un effort de défense largement accru — si nous le *décidons*. Nous pouvons ajourner des objectifs sociaux souhaitables dans le but d'assurer notre survie, si nous le *décidons*. Nous pouvons livrer à l'ennemi une « guerre de l'ombre » — si nous le *décidons*. Mais nous devons prendre ces décisions.

Et après avoir pris la décision de faire ce qui est nécessaire, il nous faudra passer à l'exécution, par l'entremise d'une stratégie coordonnée avec soin, qui englobera simultanément le court et le long terme.

La politique de l'endiguement et la détente ont été l'une et l'autre des stratégies essentiellement défensives, destinées à empêcher les Soviétiques de progresser, et à éviter l'escalade de la Troisième Guerre mondiale. Aujourd'hui, l'Occident ayant baissé sa garde, les murailles de l'endiguement ont été battues en brèche et les Soviétiques ont effectué de dangereuses avancées vers l'escalade. Nous avons besoin d'une stratégie défensive à court terme qui puisse contrer les poussées soviétiques. Nous avons également besoin, pour le long terme, d'une stratégie tournée vers l'avant. La stratégie soviétique n'est pas défensive ; elle est conçue pour une victoire assurée. La seule réponse valable à une stratégie de victoire dans le camp soviétique est une stratégie de victoire pour l'Occident.

L'objectif des Soviétiques demeure ce qu'il a toujours été : vaincre sans guerre si c'est possible, avec la guerre si c'est nécessaire. Une victoire de l'Occident ne signifie pas forcément victoire dans la guerre. Mais une victoire sans guerre exige que nous soyons assez puissants pour empêcher les Soviétiques de vaincre, avec ou sans guerre.

Nous devons renforcer nos forces militaires de façon à posséder sans conteste possible la puissance permettant de défendre nos intérêts et la capacité de projeter cette puissance sur les points troubles partout dans le monde. Cela prendra du temps, et le temps nous est compté. Si nous commençons tout de suite et de façon énergique, nous pouvons raccourcir la période de péril aiguë où les Soviétiques détiendront des forces militaires supérieures aux nôtres. Un accroissement de 5 p. 100 du budget de la défense est parfaitement inadapté à un tel renversement de marée. Les Soviétiques continueraient de dépenser beaucoup plus que nous, et donc accroîtraient encore leur suprématie militaire pendant les années dangereuses du début et du milieu de la décennie 1980. Tout ce que ferait un accroissement de 5 p. 100, ce serait réduire le taux d'expansion de la puissance soviétique par rapport à celle des Etats-Unis. Ce n'est pas là un signe de résolution, c'est un signe de temporisation.

Nos amis comme nos adversaires sont parfaitement conscients qu'une garantie ou un avertissement des Etats-Unis ne sont efficaces que si les forces prêtes à en assurer l'exécution le sont aussi. Surtout, ils ne sont pas plus forts que la volonté manifestée par le Président d'utiliser ces forces si nécessaires. Quand un président américain ne cesse de faire un argument politique du fait qu'aucun Américain n'a été tué au combat pendant son mandat, il marque peut-être des points dans le pays, mais il perd la partie à l'étranger ; les autres dirigeants se demandent aussitôt jusqu'à quel point il se laissera bousculer avant de mettre en jeu ce « record ».

Une stratégie de victoire exige que l'on prenne d'urgence les mesures permettant de rétablir l'efficacité de la C.I.A. en matière de renseignement et d'opérations secrètes, pour disposer d'une meilleure base d'information et des moyens nécessaires pour lutter contre les menaces dirigées contre nous et nos amis, pour pouvoir, nous aussi, livrer une guerre de l'ombre sur tous les fronts occultes où notre adversaire a engagé le combat, trop souvent désormais sans opposition efficace.

Nous devrions rendre honneur à ceux qui ont livré les guerres du pays, que ce soit sous l'uniforme des forces armées ou dans le complet veston souvent plus dangereux de la C.I.A.

Les pays qui se trouvent immédiatement en travers du chemin de l'ambition soviétique sont souvent faibles et instables. Dans la Troisième Guerre mondiale, l'agression passe plus souvent par-dessous les frontières qu'elle ne les attaque : elle prend la forme de coups d'Etat ou d'insurrections soutenus par les Soviétiques. Les Etats-Unis ont reçu des gifles partout dans le monde parce que le sol était miné : des pays neutres ou tournés vers l'Occident sont devenus des terrains de chasse autorisés pour les Soviétiques et leurs séides tandis que les pays d'orientation communiste demeuraient des sanctuaires privilégiés ; et les Russes ont donné à leur clients des fusils pendant que nous leur offrions nos sermons sur les droits de l'homme.

Sur ces deux points, les Etats-Unis devraient signaler à tous, sans ambiguïté, que leur politique va changer. Le tiers monde est le champ de bataille sur lequel se livre le plus clair de la phase actuelle de la Troisième Guerre mondiale. Il est dans l'intérêt des peuples et des pays du tiers monde, autant que dans le nôtre, que notre camp triomphe. Si nous gagnons la Troisième Guerre mondiale, tous les peuples pourront survivre et suivre leur propre voie, avec la

414

chance d'évoluer vers la liberté et la prospérité. Si les Soviétiques gagnent, tous deviendront esclaves et satellites.

Les pays qui sont confrontés à des menaces soutenues par les Soviétiques ont besoin d'armes pour se défendre, et cela comprend une majorité de régimes non démocratiques, aussi bien que la minorité de ceux que l'on peut qualifier de démocratiques. Nous ne devrions pas nous réfugier dans des trous de souris quand on nous accuse d'être des « marchands d'armes ». Au cours de la Deuxième Guerre mondiale nous nous sommes flattés d'être l' « arsenal de la démocratie ». Dans la Troisième Guerre mondiale, il est tout aussi vital que nos amis aient des armes pour se défendre. Nous devrions nous montrer moins tâtillons et plus avenants pour fournir des armes, là où elles sont nécessaires pour mettre un frein à la poussée soviétique. Nous devrions cesser de condamner un gouvernement amical et de lui refuser de l'aide quand son existence est menacée, pour la seule raison que ses élections ne sont pas plus honnêtes que les nôtres l'ont été parfois, dans des endroits comme Boston ou Chicago. Même si le régime est répressif ou autoritaire, le choix communiste serait probablement pire, non seulement pour l'Occident mais pour le peuple du pays lui-même.

Mesure plus fondamentale encore, nous devrions abattre les poteaux « défense d'entrer » qui entourent l'empire soviétique et qui ont cantonné la guerre à notre côté de la frontière. Nous devrions déclarer que, dorénavant, nous nous considérerons comme libres de faire des ravages du côté soviétique comme ils ont été libres de faire des ravages de notre côté.

Ceci ne signifie pas que nous soutiendrons automatiquement n'importe quel mouvement de libération au sein de la sphère soviétique. Les contraintes comme celles qui ont empêché l'Occident d'intervenir pour aider les Hongrois en 1956 et les Tchèques en 1968 (par exemple) continueront de jouer, et ce serait un mauvais service, très cruel, d'entretenir de faux espoirs d'assistance chez ceux qui n'en recevraient pas. Mais nous devrions nous considérer comme libres de soutenir ceux qu'il est de notre intérêt de protéger, ouvertement ou en secret, et nous devrions le faire sans nous en excuser. Un leader rebelle pro-occidental populaire, comme Jonas Savimbi dans l'Angola gouverné par les communistes, ne devrait pas être repoussé quand il vient aux Etats-Unis chercher des appuis.

Une stratégie de victoire exige, à long terme, que nous tenions les Soviétiques en échec sur leurs points forts, et que nous exploitions leurs faiblesses. Le principal atout des Soviétiques est le domaine militaire, et la stratégie soviétique est basée sur la force. Sur le plan économique, nous produisons plus qu'eux. En ce qui concerne la satisfaction des besoins de la population, et des élans de l'esprit humain, il n'y a aucune compétition entre les deux systèmes : l'Occident gagne haut la main. Les Soviétiques sont capables de conquérir, jamais de convaincre. Moscou a très bien réussi à étendre sa domination sur d'autres pays, mais complètement échoué à obtenir l'adhésion des peuples de ces pays.

Il y a plus de deux mille ans, le stratège chinois Sun Tzu a énoncé ce principe : « Engage le combat avec le *cheng* — la force directe, ordinaire — mais gagne-le avec le *chi* — la force indirecte, extraordinaire. » Il sentait, dans sa sagesse, que les deux se renforcent mutuellement et que la voie de la victoire passe par l'utilisation simultanée des deux principes.

A notre époque, nous n'avons pas d'autre choix que le *cheng* pour engager le combat : opposer notre puissance militaire à celle de l'Union soviétique, maintenir nos alliances unies et accroître les forces combinées de l'Occident. C'est là le moyen qui permet d'éviter la défaite, le moyen d'endiguer la poussée soviétique. C'est un premier pas essentiel, car il faut que la marée s'arrête de monter avant de redescendre. L'étape suivante — avancer vers la victoire, gagner avec le *chi* — est à la fois plus complexe, plus subtile et plus exigeante. Mais c'est aussi le domaine dans lequel l'Occident possède les plus gros avantages, à condition de pouvoir les mobiliser et les utiliser.

Cela exige de la patience. Cela exige de la persévérance. Le principe de l'avancée soviétique a été deux pas en avant et, parfois, un pas en arrière ; le principe d'une inversion efficace de cette poussée sera un pas en arrière et deux en avant.

La défaite, si elle se produit, sera probablement progressive, un petit bout à chaque fois. De la même façon, la victoire, si elle se réalise, sera probablement graduelle. Mais le *sens* du changement, l'élan donné à l'histoire, tel que ce sens sera perçu par les dirigeants des autres pays, est un élément vital pour notre succès ou notre échec. Il nous faudra lutter pour de petites victoires qui, ajoutées l'une à l'autre, renverseront l'élan et indiqueront aux leaders à l'affût d'une « locomotive » que l'Occident va de l'avant. Quand un fleuve déborde, ceux qui vivent le long de ses berges non protégées rassemblent leurs affaires et fuient vers un endroit plus sûr. Mais ceux qui vivent près des berges protégées ne sont pas à la merci du débordement. La conjonction de la force militaire de l'Occident et de sa volonté manifeste de considérer cette force comme une digue, permettra d'endiguer le fleuve en crue de l'expansionnisme soviétique. Tant que cette digue sera assez haute et assez solide, les nations qui vivent le long des berges du fleuve auront le courage de demeurer au lieu de fuir. Et plus certaines nations auront résisté avec succès, plus grand sera le nombre d'autres pays qui auront l'audace de se joindre à elles dans leur résistance.

L'objectif des Soviétiques est la victoire totale, et tout ce qu'ils font s'inscrit dans la poursuite de cet objectif. Leur tactique de prédilection consiste à identifier un point faible potentiel du monde occidental ou du tiers monde, puis de concentrer une force écrasante sur ce point particulier. Selon le moment, ce point faible a été un gouvernement instable, comme en Italie ; un gouvernement impopulaire, comme au Nicaragua ; le manque de volonté d'un pays, comme dans leur tentative de gagner la guerre du Vietnam sur le front intérieur des Etats-Unis ; ou la culpabilité, comme dans leurs efforts pour faire rejeter par l'Ouest tout ce que les communistes placent sous l'étiquette « impérialisme ». Cette tactique leur a valu des succès très remarquables, mais ils ont eux aussi des points faibles, où ils sont extrêmement vulnérables.

L'un d'eux, c'est qu'ils agissent constamment d'une manière qui les rend parfaitement impopulaires. Leurs intimidations et leurs agressions suscitent chez les autres des réactions de colère. Pour les Soviétiques, les alliances ne sont qu'une halte sur le chemin de la satellisation ; les autres nations sont des objectifs d'agression, des Républiques socialistes soviétiques en puissance. Quand Lénine a déclaré « nous soutiendrons Kerensky comme la corde soutient le pendu », il a défini sans ambiguïté la nature de l'amitié soviétique. Cela n'a pas été perdu de vue par ceux dont les Soviétiques cherchent à cultiver l'amitié.

Quand ils s'implantent quelque part, les Soviétiques se comportent souvent avec une telle grossièreté et une telle balourdise, que leurs hôtes les jettent dehors. Les conseillers soviétiques ont été mis à la porte d'Egypte en 1972 et de Somalie en 1977. Des gouvernements pro-soviétiques ont été renversés au Chili en 1973, au Pérou en 1976 et au Ghana en 1966. Et les Soviétiques ne parviennent pas toujours à s'implanter chaque fois qu'ils essaient. Des insurrections communistes, ou soutenues par les communistes, ont été défaites dans de nombreux pays, notamment en Grèce en 1949, aux Philippines en 1953, en Malaisie en 1960, au Congo en 1962, en Oman en 1975. Des tentatives de coups d'Etat communistes ont été déjouées avec succès en République Dominicaine et en Indonésie en 1965, au Soudan en 1971, au Portugal en 1975, ainsi que dans bien d'autres endroits.

Les Chinois parlaient autrefois des Soviétiques comme de leurs « frères aînés » ; aujourd'hui la Chine est devenue l'ennemi le plus âpre de l'U.R.S.S. ; or c'est un géant qui possède six mille cinq cents kilomètres de frontières communes avec l'U.R.S.S., et qui revendique certaines parties de son territoire.

On a beaucoup parlé de « jouer la carte chinoise ». C'est insultant pour la Chine, qui n'aime pas être considérée comme « une carte » que l'on peut « jouer ». Certains disent que nous avons recherché l'amitié de Pékin pendant mes mandats pour pouvoir utiliser les Chinois contre Moscou, et qu'en conséquence Moscou a été contraint de rechercher de meilleures relations avec nous. C'est une affirmation valable, mais ce n'est qu'une demi-vérité. Même s'il n'y avait eu aucune divergence entre la Russie et la Chine, nous aurions eu intérêt à améliorer nos relations avec Pékin. En outre, comme Henry Kissinger l'a souligné, l'idée que « nous puissions utiliser la Chine pour gêner les Soviétiques et pour pénaliser leur conduite » est dangereuse pour deux raisons : parce que « la Chine est un point extrêmement névralgique pour l'Union soviétique, et les Russes peuvent ne pas réagir de façon rationnelle », et surtout parce que « cela peut avoir un mauvais effet à Pékin. Si nous améliorons nos liens avec Pékin pour punir l'Union soviétique, cela peut laisser impliquer que si nous désirons améliorer nos relations avec l'Union soviétique, ou si l'Union soviétique nous accorde certaines concessions, nous risquons d'abaisser le niveau de nos échanges avec Pékin. Nous devons par conséquent avoir une politique stable et de longue portée ».

Il est de notre intérêt d'avoir une Chine forte, parce

qu'une Chine faible invite à l'agression et accroît les risques de guerre. Nous devrions, avec nos alliés européens, faire le nécessaire pour que la Chine acquière les forces armées qui lui permettront d'assurer sa défense. Pour leur part, les Chinois veulent voir une Amérique forte et résolue. S'ils nous voient reculer devant les Soviétiques, ils peuvent décider qu'ils ont intérêt à se rapprocher de l'Union soviétique, non parce qu'ils seront soudain d'accord avec eux et qu'ils cesseront de les détester et de les craindre, mais parce que la combinaison de la force soviétique et de la faiblesse américaine les obligerait à reconsidérer où se trouve leur intérêt.

Encourager la rivalité sino-soviétique n'est pas, en soi et au départ, une politique américaine. Mais cette rivalité est un fait, et elle fournit une occasion, un cadre permettant de concevoir une politique. Une diplomatie triangulaire peut fonctionner à notre avantage ou à notre désavantage. Mais tant que cette rivalité persiste, non seulement elle immobilise une partie des forces soviétiques dans le domaine militaire, mais elle influence l'équilibre global du pouvoir. Elle sape également la position soviétique dans le tiers monde. Quand elle parle à de nombreux dirigeants du tiers monde, la Chine possède des lettres de crédit avec lesquelles les Etats-Unis ne sauraient rivaliser. Ils écouteront les avertissements chinois alors qu'ils pourraient faire la sourde oreille aux nôtres.

Les Soviétiques ont raison de ne pas se sentir en sécurité. Leur système ne peut demeurer au pouvoir que par la force. Partout où leur capacité d'exercer la force diminue, leur autorité est menacée.

Les peuples d'Europe de l'Est détestent leur suzerain russe. A court terme, les chances que l'une ou l'autre de ces nations se détache de l'étreinte soviétique sont minces. Les Soviétiques ont montré qu'ils ont la volonté d'utiliser toute la force nécessaire pour écraser une révolte en Europe de l'Est. Ils savent à quel point leur mainmise sur l'Europe de l'Est est fragile, et à quel point toute la région serait vulnérable à l' « effet de domino » si un seul pays réussissait à se libérer. Mais l'Europe de l'Est restera un éternel problème pour l'Union soviétique. Les peuples de l'Europe de l'Est ont goûté à la liberté, ce qui n'a jamais été le cas du peuple russe, sauf pendant quelques mois en 1917. A la longue, sauf si l'Union soviétique réalise préalablement son objectif de domination mondiale, les pays de l'Europe de l'Est se libéreront.

En attendant, la répression de leur besoin de liberté ne cessera jamais de drainer des ressources soviétiques. Et quand ces pays se libéreront, les Soviétiques risquent de se rendre compte qu'il ne suffira pas de planter un poteau indiquant « quarantaine » sur leurs frontières pour arrêter la contagion de la liberté.

Parmi les alliés potentiels les plus puissants que nous ayons dans la lutte contre les dirigeants du Kremlin, il faut compter le peuple de l'Union soviétique. Comme l'a exprimé l'une des voix les plus puissantes du peuple russe, Alexandre Soljénitsyne : « Tous les peuples opprimés sont du côté de l'Occident : les Russes, les diverses nationalités d'U.R.S.S., les Chinois et les Cubains. C'est seulement en s'appuyant sur *cette* alliance que la stratégie de l'Occident peut être couronnée de succès. C'est seulement avec les opprimés que l'Occident constitue la force décisive sur la Terre. » Ces peuples sont le talon d'Achille du communisme. Ils peuvent être l'arme secrète de la liberté si nous reconnaissons leur immense importance stratégique.

L'histoire montre que les « alignements » des pays sont susceptibles de changer. Au cours de la Deuxième Guerre mondiale, les Etats-Unis et l'Union soviétique se sont battus ensemble contre l'Allemagne et le Japon ; aujourd'hui, le Japon et l'Allemagne fédérale sont nos alliés contre l'Union soviétique. La Chine a

421

été notre alliée pendant la Deuxième Guerre mondiale, puis notre ennemie en Corée et au Vietnam ; aujourd'hui elle est, sinon notre alliée, du moins notre amie et l'ennemie de l'Union soviétique.

Dans l'évaluation du potentiel du camp occidental, nous pouvons compter non seulement nos alliés mais aussi d'autres pays dont les relations avec l'Union soviétique sont difficiles, qui sont à moitié sous la coupe soviétique et à moitié en dehors. Même s'ils ne se rangent pas de notre côté, nous avons intérêt à les voir prendre leurs distances avec le camp soviétique.

Les nations librement associées de l'Occident peuvent utiliser toutes leurs forces pour écarter l'agression. L'Union soviétique est obligée d'utiliser une partie de ses forces pour garder ses « alliés » sous son aile. L'alliance occidentale est renforcée par le désir inné de liberté que ressent tout être humain. L'Union soviétique est vulnérable à la résistance innée de tout être humain à l'égard de la tyrannie.

Dans cette lutte, la force des Soviétiques est militaire. Ils cherchent à vaincre par l'agression et l'intimidation ; pour y parvenir, ils s'attachent à obtenir la supériorité militaire. Ils gouvernent par la force et veulent étendre leur souveraineté par la force.

Nous devons tenir cette ambition en échec. Nous devons avoir la force et la volonté d'empêcher leur victoire par la force. Mais pour cela il nous faut porter le combat dans les domaines où ils sont faibles et où nous sommes forts. Malgré leur puissance militaire, ils ne parviennent pas à donner au peuple ce qu'il désire.

Le peuple veut la paix. Il veut le progrès matériel. Il veut être libre de la domination étrangère. Il veut les « valeurs supérieures » — liberté de parole, de voyager, de culte, de choix : la liberté sous tous ses aspects.

Les Soviétiques promettent la paix et apportent

la guerre ; ils promettent le progrès économique et apportent la pauvreté ; ils promettent la « libération » et apportent un nouvel impérialisme ; ils promettent la liberté et apportent la servitude. Dans tous les domaines, leurs propres résultats sont la meilleure réponse à leur rhétorique. Partout où les Soviétiques et l'Occident sont entrés en compétition directe, il n'y a pas eu de combat.

Nous devons rallier toutes les énergies contre l'agression, directe et indirecte, de façon que ceux qui optent pour l'Occident n'aient pas à craindre de se retrouver du côté perdant. Nous devons soutenir fermement nos amis de façon que ceux qui voudraient l'être n'aient pas peur de le devenir. Nous devons utiliser notre énorme puissance économique à développer l'essor de nos amis et à juguler nos ennemis potentiels.

A court terme, si nous rétablissons nos forces· de défense, nous pouvons arrêter, puis faire reculer, la marée de la poussée soviétique, en concentrant nos efforts sur les zones-cibles immédiates, et en montrant la résolution inébranlable de faire ce qu'il faut pour empêcher l'agression de réussir. Si les nations occidentales deviennent plus fortes, si elles rassemblent ostensiblement leurs énergies, si elles démontrent qu'elles ne renouvelleront pas les erreurs de Munich, deux choses se produiront. Les dirigeants du tiers monde qui veulent se trouver du côté du vainqueur se tourneront vers l'Occident avec plus de respect, conscients des avantages que peuvent apporter les relations amicales avec nous. Et les dirigeants soviétiques réévalueront le coût de leur aventurisme, conscients que quand la volonté de l'Occident augmente selon une progression arithmétique, le coût de l'agression s'élève selon une progression géométrique.

A plus long terme, nous pouvons encourager l'évotion pacifique au sein de l'Union soviétique elle-même. Mais cette tâche exigera des générations et non des décennies. Agir trop vite provoquerait une répression brutale ; mais si l'on adopte une action progressive, de façon à menacer moins directement les hommes au pouvoir à un moment donné, on peut obtenir des résultats progressifs, exactement comme sous les tsars au cours du XIXe siècle.

La tâche à laquelle nous sommes confrontés ne repose pas uniquement sur les Etats-Unis. Comme la menace actuelle sur le golfe Persique l'indique avec une clarté aveuglante, l'Occident tout entier est impliqué immédiatement dans le conflit. Ainsi que les nations menacées elles-mêmes. Ce n'est pas aux Etats-Unis de fournir les armes, l'argent et les hommes pour toutes les crises ; cela n'a pas de sens. Il y a plus de trois milliards d'hommes en dehors du Bloc soviétique, dont seulement deux cent vingt millions d'Américains. Comme les Français l'ont montré en Afrique, nos alliés peuvent parfois répondre plus efficacement que nous, notamment dans des régions qu'ils connaissent de longue date. Les pays musulmans du golfe Persique, riches par le pétrole, ont tous le même intérêt à défendre leur propre indépendance et l'Islam contre tout développement de l'intervention soviétique en Afghanistan. Mais l'Occident se tourne vers les Etats-Unis pour mener le combat. Et les Soviétiques se tournent vers les Etats-Unis quand ils calculent ce dont ils peuvent s'emparer.

Si les dirigeants soviétiques, en se tournant vers l'Occident, voient un gouvernement américain qui observe leurs mouvements d'un œil calme, qui refuse clairement de s'incliner, qui avance sans trébucher, qui sait ce qu'il fait, qui est résolu à faire ce qui s'impose pour assurer la survie et la sécurité de l'Occident, ces mêmes dirigeants soviétiques ne seront pas tentés de risquer tout sur un seul coup de dés audacieux. Ils feront l'analyse des risques et des profits, et ils ajourneront ou abandonneront des ambitions qui ne leur paraîtront plus « en valoir la chandelle ». Nous verrons alors à quel point se préparer à la guerre peut contribuer à l'éviter ; à quel point avoir la force peut nous libérer de l'obligation de l'utiliser.

J'ai souvent cité l'équation de Sir Robert Thompson : « puissance nationale égale ressources utilisées plus population, multiplié par volonté ». La volonté d'utiliser la puissance multiplie son efficacité ; quand cette volonté est clairement perçue par l'adversaire, l'utilisation même de la puissance peut devenir superflue.

La puissance est neutre en soi ; elle peut être utilisée également pour le bien que pour le mal. Et ses résultats ne se mesurent pas aux intentions. La puissance utilisée avec de bonnes intentions mais de façon inepte, peut se révéler aussi destructrice que la puissance utilisée avec des intentions mauvaises. Mais le plus tragique de tout, c'est quand ceux qui ont la puissance se refusent à l'utiliser, et qu'en raison de ce refus, des vies et la liberté même sont mises en péril.

L'esprit humain a transcendé à maintes reprises les assauts les plus terribles qu'on lui ait portés : les civilisations tombent aux mains des barbares, mais par la suite la barbarie succombe devant la civilisation. Pourtant, cette victoire dernière de l'esprit a lieu à très long terme. Notre défi, aujourd'hui, c'est de montrer qu'une civilisation donnée — la nôtre — peut triompher d'une barbarie donnée — le communisme soviétique — de façon que la liberté de nos enfants et de nos petits-enfants soit sauvegardée.

XII

LE GLAIVE ET L'ESPRIT

> Il n'y a que deux puissances dans le monde, le glaive et l'esprit. A la longue l'épée sera toujours vaincue par l'esprit.
>
> Napoléon Ier

L'ANCIEN Premier ministre britannique Harold Macmillan, toujours d'une lucidité étonnante à quatre-vingt-cinq ans, a comparé récemment la situation actuelle du monde à celle de l'Europe à la veille de la Deuxième Guerre mondiale. « A parler franc, a-t-il déclaré, je dirais que nous sommes maintenant en 1935 ou 1936. » Et il a poursuivi par cet avertissement : « Nous ne pouvons nous sauver qu'en regardant les réalités en face, et en organisant la résistance que nous devons créer, pour ne pas perdre au cours d'une troisième guerre mondiale ce que nous avons gagné dans les deux premières. »

En 1935-1936, les pays qui se trouvaient sur le chemin d'Hitler avaient encore le temps d'arrêter la Deuxième Guerre mondiale avant qu'elle ne se déclenche, mais ils ont ignoré les avertissements et ont gaspillé le temps qu'ils avaient.

Dans son discours sur le « rideau de fer » prononcé à Fulton (Missouri) en 1946, Winston Churchill a rappelé :

« La dernière fois, j'ai vu la chose venir, et je l'ai crié de toutes mes forces à mes compatriotes et au monde entier, mais personne n'a prêté attention. Jusqu'en 1933 ou même en 1935, l'Allemagne aurait pu être sauvée du destin horrible qui s'est emparé d'elle, et nous nous serions tous épargné les malheurs qu'Hitler a déchaînés sur l'humanité.

« Jamais il n'y a eu, dans toute l'histoire, une guerre plus facile à empêcher par une action opportune que celle qui vient de dévaster de si grandes régions du globe. Elle aurait pu être évitée, à mon sens, sans qu'un seul coup de feu soit tiré, et aujourd'hui l'Allemagne serait puissante, prospère et honorée ; mais personne n'a voulu écouter, et les uns après les autres, nous avons tous été aspirés par cet effroyable tourbillon. »

Les pays qui se trouvent aujourd'hui sur le chemin de Moscou, ont le temps d'éviter le destin de ceux qui se trouvaient sur le chemin d'Hitler dans les années 30. mais c'est tout juste.

L'issue du « conflit prolongé » entre l'Est et l'Ouest dépendra de nos arsenaux militaires, de notre intuition stratégique et de la maîtrise des ressources matérielles indispensables à la construction des armes de la guerre et des énergies de la paix. Mais elle dépendra aussi de la façon dont nous utiliserons une autre ressource, la plus précieuse de toutes, et qui est forcément limitée pour chacun d'entre nous : le temps. Si l'Occident perd ce conflit, l'avertissement de MacArthur pourra lui servir d'épitaphe : « Dans la guerre l'histoire de l'échec peut se résumer en deux mots : *trop tard.* »

L'histoire entière de la liberté est le récit d'une lutte : lutte pour acquérir la liberté et lutte pour la conserver. La liberté ne s'obtient pas à bon compte, et la sauvegarder n'est pas facile. Que nous imputions l'avenir au destin, à l'histoire, à Dieu, au hasard ou à quoi que ce soit, nous sommes les seuls responsables de cet avenir ici et maintenant. La génération d'aujourd'hui ne peut laisser à celle de demain aucun héritage plus chargé de sens que la liberté. Et cet héritage est menacé aujourd'hui plus gravement que jamais dans le passé.

Les « nouvelles frontières » d'aujourd'hui sont, hélas ! les frontières de l'expansionnisme soviétique : les frontières de la poussée soviétique en Afrique, au Proche-Orient, dans le centre de l'Asie ; les frontières de l'influence de plus en plus autoritaire des Soviétiques par l'entremise des partis communistes « nationaux » d'Europe occidentale, par les mouvements de « libération », par leur façon sournoise de réécrire l'histoire, par l'agitation et la propagande, et par les attaques lancées contre les institutions et les gouvernements qui se dressent sur le chemin des ambitions soviétiques.

La vérité, simple et brutale, c'est que sur tous ces fronts l'Occident bat en retraite et l'Union soviétique avance ; la liberté bat en retraite et le totalitarisme va de l'avant.

L'Union soviétique représente 6 p. 100 de la population du monde et 10 p. 100 de sa production ; mais elle s'impose avec succès à ses voisins et elle menace le monde. Les 94 p. 100 de la population mondiale qui restent, et les 90 p. 100 de la production planétaire, semblent de plus en plus impuissants et désemparés en face des ambitions soviétiques.

Pourquoi en est-il ainsi ?

La réponse, c'est qu'il ne devrait pas en être ainsi, et qu'il faut qu'il en soit autrement.

Si une grande puissance n'agit pas comme une grande puissance, elle laisse une « vacance de pouvoir », qu'une autre grande puissance comble aussitôt. Aujourd'hui, les Etats-Unis pataugent, incertains et irrésolus, et l'Union soviétique se précipite pour combler le vide créé par l'inaction américaine. Les Etats-Unis et l'U.R.S.S. constituent les deux membres de l'équation fondamentale du pouvoir, et c'est cette équation qui dominera les dernières décennies du XXᵉ siècle. Le sens de l'histoire future du monde sera déterminé par le sens dans lequel semblera pencher l'équilibre entre nos deux pays.

Les dirigeants soviétiques sont peut-être de mauvais philosophes, mais ils manient le pouvoir de façon extrêmement subtile. N'ayant pas les remords de conscience qui paralysent l'Occident, ils peuvent être parfaitement implacables et totalement opportunistes dans leur façon d'utiliser la puissance. A un moment où la puissance de l'U.R.S.S. est équivalente à celle des Etats-Unis, cela fait d'eux un adversaire formidable. Nous ne pouvons espérer faire pencher la balance en notre faveur que si l'Occident fait preuve d'une force de caractère égale à la leur, quoique de nature différente.

Un Français célèbre, Emmanuel-Joseph Sieyès, était parvenu à traverser les dix années sombres et tumultueuses qui séparent le Serment du Jeu de Paume de la prise de pouvoir par Bonaparte comme Premier Consul (1789-1799) ; quand on lui demanda, beaucoup plus tard : « Qu'avez-vous fait pendant toutes ces années de révolution ? », il répondit : « J'ai survécu. »

Telle est la tâche immédiate des défenseurs de la liberté au cours des années sombres qui nous attendent aujourd'hui : survivre, et par cette survie maintenir en vie la liberté elle-même. Cela étant, tout le reste devient possible ; sans cela, rien d'autre n'est envisageable. Si l'Occident ne survit pas à ces prochaines décennies, la civilisation occidentale telle que nous la connaissons avec tous ses idéaux, sa culture et ses aspirations élevées, s'écroulera dans la poussière de l'histoire.

S'il ne perd pas de vue cette priorité, l'Occident peut survivre. Sinon l'aurore du XXIe siècle risque d'être le premier chapitre d'un nouvel âge de barbarie à l'échelle planétaire. En effet, la survie n'est plus automatique. Nous entrons dans une période au cours de laquelle il nous faudra sacrifier d'autres priorités au nom de cette priorité suprême. Il nous faudra renoncer à certains de nos idéaux les plus chers et dépenser une plus grande partie de notre richesse que nous ne le souhaiterions, à des armes et à d'autres formes de défense.

Dire que nous devons nous opposer efficacement à la poussée du nouveau despotisme, ne signifie pas lancer la guerre sainte ; ce n'est même pas lancer une guerre. Mais il s'agit de s'armer suffisamment pour dissuader l'autre camp de déclencher la guerre ; et cela implique l'intervention active où il le faut, pour barrer la route à l'expansion soviétique aux endroits où Moscou met à l'épreuve les limites de ses nouvelles frontières.

Il serait réconfortant de pouvoir, comme Napoléon, croire qu' « il n'y a que deux puissances dans le monde, l'épée et l'esprit et qu'à la longue, l'épée sera toujours vaincue par l'esprit ». Mais cet aphorisme en dit plus long sur la modestie de Napoléon en tant que soldat que sur ses compétences en matière d'histoire.

L'esprit peut l'emporter « à la longue », si nous mesurons le processus en milliers d'années. Mais à l'échelle de la décennie, de la génération et même du siècle, l'esprit a été détruit par l'épée à maintes et maintes reprises. Pour les générations dont les villes ont été mises à sac, celles dont les fils ont été tués, celles dont les libertés ont été écrasées par une armée conquérante, la perspective que l'esprit triomphera de nouveau dans mille ans n'offre qu'un réconfort glacé. Dans le court terme où nous vivons tous, l'épée est le bouclier de l'esprit.

En 1849, le marquis de Custine traversant la Russie a remarqué : « Un mot de vérité lancé en Russie serait comme une étincelle tombant sur un tonneau de poudre. » Aujourd'hui, le fait que le système soviétique vit sur des mensonges le rend extrêmement vulnérable à la vérité. La vérité peut traverser les frontières. La vérité peut se déplacer par sa propre puissance, chaque fois que les gens et les idées de l'Est et de l'Ouest se rencontrent. L'U.R.S.S. possède une censure étouffante, mais son peuple a soif de vérité. Envoyer le message de l'Occident à travers chaque barrière totalitaire, par l'échange de visiteurs, par les livres ou les émissions radiodiffusées, donnera de l'espoir à des millions d'êtres derrière ces barrières, et rongera peu à peu les fondements du système soviétique, exactement comme des infiltrations d'eau peuvent saper les fondations d'une prison.

Nous ne devrions pas nous dérober à la guerre de la propagande, ni au sein de l'empire soviétique, ni dans le reste du monde. Nous devrions revitaliser Radio Europe Libre et Radio Liberté, et établir des équivalents de ces stations capables d'entrer en compétition directe avec la propagande soviétique dans les régions du tiers monde que les Soviétiques ont prises pour cibles de leur agression.

Khrouchtchev a souvent mis l'Occident au défi d'entrer en compétition avec le communisme. En 1958, dans un discours que j'ai prononcé au Guildhall de Londres à l'intention de l'Union anglophone du Commonwealth, j'ai insisté pour que l'Occident accepte ce défi et l'élargisse :

« Je veux dire : élargir cette compétition pour y inclure les valeurs spirituelles et culturelles qui sont la marque distincte de notre civlisation.

« L'homme a besoin des plus hautes libertés : la liberté de savoir, la liberté de discuter, d'écrire et d'exprimer ses opinions.

« Il a besoin de la liberté que la loi et la justice garantissent à chaque individu.

« Il désire la liberté de voyager et d'apprendre la leçon des autres peuples et des autres cultures.

« Il aspire à la liberté des cultes.

« Pour nous, ce sont là les aspects les plus précieux de notre civilisation. Nous devrions nous réjouir de voir d'autres peuples errer en compétition avec nous dans ce domaine et essayer de dépasser nos réalisations. »

Que les Soviétiques décident ou non d'entrer en

compétition dans ce domaine, nous devrions nous lancer, nous, dans la compétition, et avec toute l'énergie en notre pouvoir. Que l'idée de liberté martèle les barricades, passe par les grilles des prisons, prenne la tyrannie à la gorge et l'ébranle. Les Soviétiques ont besoin d'avoir des contacts avec l'Occident. Ils ont besoin de nos techniques et de nos produits. Ils ne peuvent arrêter nos émissions radiodiffusées. Ils ne peuvent s'isoler totalement du monde. Chaque fois qu'ils entrouvrent la porte pour tendre la main vers ce qu'ils désirent, nous devrions faire passer le seuil à autant de vérité que possible. Et dans les parties du monde que leurs forces de police n'atteignent pas, dans les zones-cibles où sont engagées les batailles actuelles de la Troisième Guerre mondiale, nous pouvons brandir la vérité comme une épée.

Marx a écarté la religion, qu'il tenait pour l'opium du peuple. Aujourd'hui les dirigeants du Kremlin découvrent que c'est un roc impossible à briser. Le retour triomphal du pape Jean-Paul II en Pologne a obligé les Soviétiques à ruminer les paroles de Staline, qui avait demandé avec mépris au cours des années 30 : « Combien le pape a-t-il de divisions ? » Le pape n'a pas de divisions blindées, mais les forces qu'il possède ne peuvent pas être écrasées par les tanks soviétiques. Les émotions qu'il a libérées touchent au cœur même de l'âme humaine ; la foi religieuse est une force souvent sous-estimée par ceux qui ne la comprennent pas.

En dernière analyse, la victoire ira dans le camp qui construit, conserve, concerte et utilise le plus efficacement sa puissance, et pas seulement sa puissance militaire, mais l'ensemble de ses forces combinées.

La voie de la victoire n'est pas toute droite. Comme une piste de montagne, elle revient parfois sur ses pas avant de continuer à monter. Comme une piste de montagne, elle revient parfois sur ses pas avant de continuer à monter. Comme une piste de montagne, elle exige patience et persévérance au cours du voyage. Celui qui se fatigue et qui s'arrête sur le bord du chemin ne parvient pas à la victoire.

La puissance est la capacité de faire en sorte que les choses se produisent, d'influencer les événements, d'imposer un cours à l'histoire. Certaines formes de puissance agissent efficacement à court terme, d'autres uniquement à l'échelle de plusieurs générations.

Par tradition, les Chinois pensent à l'échelle du millénaire, les Russes à l'échelle du siècle, les Européens à l'échelle de la génération, et, nous, les Américains, à l'échelle de la décennie. Nous devons apprendre à regarder les choses dans une perspective plus longue. Alors, nous aurons plus de chances de prendre à court terme les décisions indispensables à l'obtention des résultats que nous désirons à long terme. Alors, nous nous rendrons compte que la victoire, si elle survient, surviendra par accumulations successives, et donc que chacun des fronts de la Troisième Guerre mondiale est important, que chaque bataille est importante, que toutes les batailles se conjuguent pour nous apporter la défaite ou la victoire.

Woodrow Wilson parlait d'assurer la sécurité de la démocratie dans le monde. Aujourd'hui, notre devoir est d'assurer la sécurité de la liberté dans le monde.

La démocratie est politique, c'est un système conçu par la raison humaine. La liberté est personnelle, c'est une aspiration de l'âme humaine. La démocratie est une forme particulière de gouvernement issue des traditions parlementaires de l'Europe occidentale, introduite en Amérique du Nord par les colons européens, et qui s'est développée en même temps que notre pays a grandi. La liberté est une condition de l'ensemble de l'humanité.

La liberté peut survivre, et même s'épanouir, dans d'autres systèmes que la démocratie. Aux Etats-Unis, grâce à des siècles d'évolution politique, nous avons eu le bonheur de posséder à la fois la liberté et la démocratie. Nous devrions éviter l'erreur qui consiste à vouloir imposer instantanément la démocratie à des pays qui ne sont pas prêts à la recevoir, et par la même occasion, préparer la voie à la destruction des quelques libertés qu'ils peuvent déjà posséder.

Assurer la sécurité de la liberté dans le monde, ne signifie donc pas établir la démocratie partout sur Terre. Cela ne signifie même pas établir la liberté partout sur Terre. Cela signifie assurer la sécurité de la liberté partout où elle existe : la protéger de l'agression ouverte et aussi de la subversion soutenue par l'étranger. Si nous assumons la sécurité de la liberté là où elle existe, la liberté deviendra, par la simple force de l'exemple, le raz de marée de l'avenir.

Dans la mesure où les Etats-Unis l'emporteront, le monde sera sûr pour les nations libres. Dans la mesure où l'Union soviétique l'emportera, le monde ne sera pas sûr pour les nations libres. Une tyrannie comme celle des Soviétiques survit du fait qu'elle se répand. La liberté se répandra du fait qu'elle survit. Mais pour pouvoir se répandre, il faut d'abord qu'elle survive.

Comme de Gaulle l'a dit un jour de la France, une grande nation n'est jamais vraiment elle-même tant qu'elle ne s'est pas lancée dans une grande entreprise. Assurer la survie et le triomphe ultime de la liberté humaine est la plus grande entreprise à laquelle une nation puisse être conviée.

Une victoire sans guerre exige que nous nous décidions à utiliser notre force en dehors de la guerre. Il existe aujourd'hui un vaste domaine de grisaille entre la paix et la guerre, et l'issue du combat se décidera en grande partie dans ce domaine. Pour pouvoir espérer vaincre sans guerre, ou même ne pas perdre sans guerre, il nous faut engager le combat avec notre adversaire au sein de ce domaine. Nous ne sommes pas forcés de reprendre ses méthodes, mais nous devons les contrer, même si cela nous impose un comportement différent de celui que nous adopterions dans un monde idéal.

L'utilisation de la puissance ne peut pas être séparée des objectifs de la puissance. La vieille question de savoir si « la fin justifie les moyens » est dénuée de signification dans l'abstrait ; elle n'a de sens que dans un cadre concret, quand il s'agit de savoir si telle fin en particulier justifie tels moyens en particulier. La pierre de touche véritable de l'idéalisme, ce sont ses résultats. Certaines fins d'une valeur morale supérieure justifient à coup sûr des moyens qui ne seraient pas justifiables dans d'autres circonstances.

Sauvegarder la liberté est un but moral, vaincre l'agression est un but moral, éviter la guerre est un but moral, établir les conditions générales susceptibles d'assurer la paix dans la liberté tout au long de la génération de nos enfants est un but moral. Refuser de mettre en œuvre les moyens, quels qu'ils soient, nécessaires au maintien de la liberté serait un acte d'abdication morale.

La victoire, ce n'est pas devenir le « policier du monde ». C'est établir, de façon très explicite, que nous considérons les frontières de l'avancée soviétique comme les frontières de notre propre défense, et que nous réagirons en fonction de cela. Et cela exige la foi ferme et indéfectible que nous sommes, comme le disait Lincoln, du côté de Dieu, que notre cause est juste, que nous agissons pour l'humanité tout entière.

Considérer les deux pôles de l'expérience humaine que représentent les Etats-Unis et l'Union soviétique comme les équivalents du Bien et du Mal, de la Lumière et des Ténèbres, de Dieu et du Diable, paraît peut-être un peu mélodramatique ; mais si l'on accepte un instant, ne serait-ce qu'à titre d'hypothèse, de les penser dans ces termes, cela peut nous aider à clarifier notre vision du conflit mondial. Comme l'a indiqué l'écrivain anglais Malcolm Muggeridge, « le bien et le mal constituent le thème du drame de notre existence mortelle. En ce sens, ils peuvent être comparés aux éléments positif et négatif qui engendrent un courant électrique ; permutez les éléments et le courant s'interrompt, les lumières s'éteignent, les ténèbres tombent et tout est confusion ».

Les Etats-Unis représentent l'espoir, la liberté, la sécurité et la paix. L'Union soviétique incarne la peur, la tyrannie, l'agression et la guerre. Si ce ne sont pas les pôles du bien et du mal dans les affaires humaines, c'est que les concepts de bien et de mal n'ont aucun sens. Ceux qui ne peuvent pas voir cette distinction n'ont guère le droit de nous faire des sermons sur la conscience morale. C'est justement parce que tant de gens ont « permuté les éléments » que la lumière de la raison s'est assombrie et que la confusion s'est répandue. Mettre fin à cette confusion est le premier pas qui permettra de reconnaître le sentier de la victoire.

L'Amérique a célébré récemment le dixième anniversaire des premiers pas de l'homme sur la Lune. Cette aventure a captivé l'imagination humaine comme peu d'événements l'ont fait au cours de l'histoire, mais l'entreprise qui nous fait signe aujourd'hui est, à sa manière, encore plus exaltante. En allant sur la Lune, l'homme marchait dans les cieux. En relevant le grand défi de notre temps, ici sur Terre, nous pouvons assurer la sécurité de la liberté dans le monde, réalisant ainsi ce que les philosophes ont défini pendant des siècles comme le but de l'humanité.

L'espace a captivé l'imagination de l'homme moins par sa magie technique que par son mystère. Et pourtant, ce qui nous a permis de réussir n'a pas été le mystère, mais le génie, l'intuition, le courage, la persévérance et le travail acharné et constant de milliers d'êtres humains associés dans une entreprise commune.

Les obstacles auxquels nous nous heurtons dans l'entreprise actuelle ne sont pas moins gigantesques

— mais c'est une entreprise réalisable, exactement comme notre conquête de l'espace.

Le combat engagé est un combat de titans, tel que le monde n'en a jamais vu. Nous ne pouvons pas l'emporter par l'expédient à court terme qui consiste à déclarer soudain l'état d'urgence, créant l'illusion que le conflit pourra être réglé rapidement, puis laissé de côté. Le défi auquel nous sommes confrontés ne prendra pas fin dans un an. Ni dans dix ans. Pour faire face, il faut nous préparer à un effort soutenu de volonté et de courage. La victoire dans ce combat naîtra de la persévérance ; il faudra ne jamais renoncer et revenir sans cesse à la charge quand les choses seront dures. La victoire tiendra à la façon dont les dirigeants de l'Amérique sauront, de crise en crise, élever les perspectives du peuple américain du trivial au transcendant, de l'immédiat au durable.

Si nous décidons de vaincre, si nous prenons la résolution de ne rien accepter qui remplace une vraie victoire, la victoire deviendra possible. L'esprit affilera le tranchant de l'épée, le glaive protégera l'esprit, et la liberté vaincra.

TABLE

Composition réalisée par COMPOFAC - Paris

IMPRIMÉ EN FRANCE PAR BRODARD ET TAUPIN
7, bd Romain-Rolland - Montrouge - Usine de La Flèche.
Le Livre de Poche - 12, rue François Ier - Paris.
ISBN : 2 - 253 - 02703 - 0

Pluriel

Cette nouvelle collection, consacrée aux essais et aux livres de « sciences humaines », offre une double originalité :

- elle est constituée à partir des fonds de nombreux éditeurs ;
- les textes proposés font l'objet d'une édition entièrement remise à jour, ils sont accompagnés d'une préface ou d'une postface, de notes et annexes facilitant la compréhension de la démarche de l'auteur et faisant le point des recherches dans le domaine étudié. Certains livres ou documents sont augmentés d'un véritable « dossier critique ».